T3-BIE-067

MOLIÈRE DE TOUS LES JOURS

UN LIVRE PRÉSENTÉ PAR
JEAN-CLAUDE SIMOËN

ISBN 2.7144.1749.3

PIERRE BONVALLET

Molière de tous les jours

Echos, potins et anecdotes

Le Pré aux Clercs

216, BOULEVARD SAINT-GERMAIN

75007 PARIS

A la mémoire
de GEORGES MONGRÉDIEN

AVANT-PROPOS

Il ne faut pas mépriser les anecdotes. Elles sont le sel et le poivre de l'histoire et de la biographie. C'est à travers elles que les personnages célèbres vivent et survivent dans l'esprit du public. Souvenez-vous du vase de Soissons...

Les anecdotes relatives à Molière sont abondantes. Les biographes et les commentateurs en ont assaisonné leurs écrits, les accompagnant souvent de beaucoup de réserves, mais sans toujours les examiner avec assez d'attention. C'est ainsi que certaines ont été acceptées ou rejetées un peu trop hâtivement.

Il m'a paru intéressant, et même passionnant, de rassembler les anecdotes moliéresques et d'entreprendre, pour chacune, une étude aussi complète que possible.

Quand l'anecdote est-elle née ? Dans quelles circonstances ? Qui l'a citée en premier lieu, et dans quel ouvrage ? A quels commentaires a-t-elle donné lieu au cours des temps ?

Telles sont les principales questions que je me suis posées, qui m'ont amené à reconstituer la « vie » de chaque anecdote, son évolution, ses transformations. Je me suis efforcé de les replacer dans leur contexte parfois oublié, de remonter de publication en publication, si possible jusqu'à la source première, tout cela pour aboutir à cette ultime question : Vrai ou faux ?

J'ai constaté qu'il était parfois très difficile de trancher.

Mais, faute de pouvoir être catégorique, on peut toutefois arriver à déterminer si telle anecdote a une chance d'être vraie ou si au contraire elle a toutes les chances d'être fausse. On peut lui attribuer un « indice de crédibilité ».

Il ne faut donc pas s'attendre à me voir prononcer un jugement dans tous les cas. Mais dans tous les cas je pense avoir donné au lecteur ami de Molière les moyens de se former une opinion. Puissé-je lui avoir donné aussi une lecture attrayante.

P.B.

Les « Vies » de Molière

Molière a eu de nombreuses *Vies*.

Traduisez en langage d'aujourd'hui : de nombreuses biographies. Les premières ont été bien imprécises et bien incomplètes.

On peut dire que le premier biographe de Molière a été La Grange, dans sa célèbre préface de l'édition des *Œuvres* de 1682. On ne peut que regretter qu'il se soit montré trop bref et trop discret, mais il y a probablement à cela une raison : Armande Béjart, veuve de Molière remariée au comédien Guérin, vivait encore, de même que sa fille Esprit-Madeleine. La Grange, ayant vécu quatorze ans dans l'intimité quotidienne de Molière, devait savoir beaucoup de choses, mais il ne s'est pas cru — ou n'a pas été — autorisé à les écrire. Et, au cours des dix dernières années qui lui restaient à vivre, il est demeuré silencieux, ne nous laissant que son très précieux mais trop laconique *Registre*.

Pierre Bayle, dans son *Dictionnaire historique et critique*, paru en 1697, a donné à l'article « Poquelin » une courte notice sur Molière dans laquelle on trouve quelques détails provenant du pamphlet anonyme de 1688 intitulé *la Fameuse Comédienne*.

Il faudra attendre 1705 pour que paraisse une véritable biographie. Nous la devons à un écrivain sans prestige, Jean-Léonor Le Gallois, sieur de Grimarest, sous le titre : *la Vie de M. de Molière*. Le principal informateur de Grimarest fut le comédien Baron, entré très jeune dans la troupe de Molière qui avait pour lui une véritable affection. Après La Grange, ce fut lui qui eut avec Molière la plus grande familiarité, et qui fut donc à même de donner au biographe des renseignements précis. Cela n'empêche pas que l'ouvrage de Grimarest ne renferme quelques erreurs manifestes.

Boileau, toujours chicaneur, n'approuvait pas ce livre. Que n'en a-t-il écrit un, lui qui avait si bien connu Molière ! Il ne fut pas le seul détracteur de Grimarest. En 1706 parut une *Lettre critique* dont certains pensent que l'auteur anonyme fut Grimarest lui-même. Celui-ci répondit, la même année, par une *Addition à la Vie de M. de Molière*, qui apportait quelques précisions.

Quelles que puissent être ses erreurs et ses lacunes, le livre de Grimarest n'en est pas moins un ouvrage très précieux et très vivant, qui a servi de base à *toutes* les autres biographies. Cette *Vie de M. de Molière* a été placée en tête de plusieurs éditions des *Œuvres complètes*, notamment par Charpentier en 1733 et par Aimé-Martin en 1824.

De nos jours, le texte de Grimarest, avec une introduction et des notes par Georges Mongrédien, a été réédité en 1955 chez Michel Brient, sous les auspices de la Société d'histoire du théâtre. C'est un ouvrage de très grande valeur que tout ami de Molière devrait avoir dans sa bibliothèque... si cela se pouvait. En 1962, les éditions du Seuil ont réimprimé le texte de Grimarest dans leur édition des *Œuvres complètes* de Molière en un seul volume, collection « l'Intégrale ». Mais les notes sont insuffisantes.

Revenons au dix-huitième siècle. L'édition des *Œuvres* publiée à Amsterdam en 1725 comprend une *Nouvelle Vie de M. de Molière*, par Bruzen de La Martinière, directement inspirée par l'ouvrage de Grimarest, avec quelques adjonctions anecdotiques.

En 1734 paraît la grande édition des *Œuvres* de Molière par la Compagnie des libraires, ornée des gravures de Boucher. Au premier volume figure un *Mémoire sur la vie et les œuvres de Molière* par un écrivain quasi inconnu nommé La Serre, et qui n'est en fait qu'un condensé de Grimarest et de La Martinière.

Enfin voici qu'apparaît une grande signature : celle de Voltaire, qui publie en 1739 une *Vie de Molière, avec des jugements sur ses ouvrages*, sous forme d'un très mince volume. Hélas ! cette *Vie* décevante, en quelques pages, n'est aussi qu'une compilation-condensation de Grimarest et de La Martinière. Pourtant, la renommée de son auteur aidant, elle va faire autorité pendant près d'un siècle et accompagnera de multiples éditions des *Œuvres*. En 1773, Bret y ajoute un maigre *Supplément*. En 1819, l'académicien Auger fait précéder son édition annotée de Molière d'une nouvelle *Vie* dont il est l'auteur, mais qui ne fait que ressasser les précédentes. Un siècle et demi après la mort de Molière, son meilleur biographe reste encore Grimarest !

Une étincelle jaillit en 1821 lorsqu'un commissaire de police parisien nommé Louis Beffara, moliériste averti, se trouve mis à la retraite d'office pour raisons disciplinaires. Il occupe ses loisirs forcés à la recherche des actes et documents concernant Molière et découvre, entre autres pièces, son acte de baptême daté de 1622 alors que tous les biographes, se répétant l'un l'autre, l'avaient jusqu'alors fait naître en 1620. Beffara publie les résultats de ses recherches, avec commentaires, dans une *Dissertation sur Molière* peu répandue dans le grand public, mais qui va réveiller l'attention des spécialistes.

S'appuyant sur les recherches de Beffara et sur une étude attentive de tous les mémorialistes et commentateurs antérieurs, y compris les anecdotiers, l'érudit Jules Taschereau publie en 1825 chez Hetzel une *Histoire de la vie et des ouvrages de Molière*, première biographie sérieusement documentée, appelée à faire autorité. Elle connaîtra cinq éditions en quarante ans, avec des améliorations successives.

Pendant ce temps, Sainte-Beuve a lui aussi donné une *Notice sur Molière* qui voit le jour en 1835 et bénéficie de l'éclat de sa notoriété. Une de ses remarques est restée gravée dans les mémoires : « Chaque homme de plus qui sait lire est un lecteur de plus pour Molière. »

La seconde étincelle, et la plus brillante, éclate en 1863 lorsque Eudore Soulié, conservateur des Musées impériaux, chercheur infatigable et méthodique, publie chez Hachette ses *Recherches sur Molière et sur sa famille* où il met au jour, d'un seul coup, soixante-cinq documents authentiques du plus grand intérêt.

Un nouveau biographe va en tirer profit. Il se nomme Louis Moland et donne en 1885 une étude intitulée *Molière, sa vie et ses ouvrages*, remarquable par son ampleur et sa justesse, qui va être placée en tête d'une nouvelle édition des *Œuvres* publiée par Garnier Frères. L'ouvrage de Louis Moland fera ensuite l'objet d'un volume séparé, publié en 1887 sous le titre : *Vie de J.-B. P. Molière, histoire de son théâtre et de sa troupe*. Réimprimé de nombreuses fois, on lit encore aujourd'hui ce livre avec plaisir et avec profit... quand on le trouve.

Enfin, en 1889, paraît une œuvre de première grandeur due à Paul Mesnard, véritable somme des connaissances moliéresques du moment. Modestement intitulée *Notice biographique sur Molière*, elle constitue à elle seule le tome X de l'édition des *Œuvres* publiée par la librairie Hachette dans sa collection des « Grands Ecrivains de la France ». Cette monumentale *Notice* tient compte de toutes les publications antérieures, d'ensemble ou partielles, références à l'appui. Tout y est discuté, pesé, passé au crible. C'est, encore aujourd'hui, l'ouvrage biographique sur Molière le plus complet, le plus important, celui qu'il faut avoir lu, auquel il faut toujours se reporter. Mais hélas ! malgré une réimpression en 1925, on ne le trouve plus qu'en bibliothèque.

Alors, que reste-t-il au lecteur d'aujourd'hui ? Il lui reste les biographies du XXe siècle... à condition de réussir à se les procurer, car elles aussi commencent à se faire rares, les bonnes comme les moins bonnes. Il en est paru un bon nombre depuis Paul Mesnard jusqu'à nos jours, quelquefois signées de noms connus. Mais certaines d'entre elles, manquant d'intérêt véritable, ou par trop répétitives, ont été éphémères. Les plus robustes ont survécu.

C'est ainsi que le lecteur peut espérer trouver encore aujourd'hui *la Vie de Molière*, par Ramon Fernandez, publiée chez Gallimard en 1929, réimprimée plusieurs fois depuis, ouvrage excellent, à la fois simple et complet, très humain et accessible à tous.

De même pour *Molière, sa vie dans ses œuvres*, de Pierre Brisson, publié chez le même éditeur en 1942, lui aussi plusieurs fois réimprimé, ouvrage très vivant dont le titre explicite tient ses promesses, aussi riche en enseignement qu'en émotion, d'une lecture très attachante.

Il faut faire une place à part à *Un comédien nommé Molière*, de Mme Béatrix Dussane, sociétaire de la Comédie-Française, publié chez Plon en 1936. Comment définir cet ouvrage d'un rare mérite : roman biographique ou biographie romancée ? C'est avant tout une « Vie » mise en scène, dialoguée, pleine de sensibilité... et d'exactitude. Ce livre a été aussi réimprimé mais se fait rare.

Plus près de nous, Antoine Adam, professeur à la faculté des Lettres de Lille, a consacré à Molière, sa vie et son œuvre la majeure partie du tome III de son *Histoire de la littérature française au XVIIe siècle*, publiée chez Domat en 1952. Ouvrage moderne, solide, précis, documenté, qui se lit avec autant de profit que d'agrément.

En 1967, Georges Bordonove a donné aux éditions Robert Laffont un *Molière génial et familier* destiné à un large public et qui atteint pleinement son but. C'est un vaste panorama de la vie et de l'œuvre, animé et coloré, qui est probablement, aujourd'hui, l'ouvrage dont il faudrait recommander la lecture à qui aurait le désir de faire — ou de refaire — connaissance avec Molière.

On ne saurait passer sous silence le *Molière en son temps* de Mme Sylvie Chevalley, archiviste-bibliothécaire de la Comédie-Française, ouvrage de luxe publié chez Minkoff en 1973. L'auteur définit son livre comme « un album d'images », et en effet c'en est un, car l'illustration — remarquable — est beaucoup plus abondante que le texte. L'œuvre correspond bien à son titre et déroule sous les yeux du lecteur une vaste fresque où rien ne manque de ce qui touche à Molière, à son théâtre et à son époque.

L'édition des *Œuvres* de Molière dans la « Bibliothèque de la Pléiade » (Gallimard) a été entièrement refaite en 1976. Le soin en a été confié à Georges Couton qui a placé en tête une *Introduction* très courte mais très dense dont l'auteur dit lui-même qu'il n'a pas voulu dresser une nouvelle biographie de Molière, mais « seulement mettre en lumière un certain nombre de faits qui paraissent essentiels pour comprendre l'homme et l'expérience dont s'est nourrie l'œuvre ». Cette étude est un modèle de précision et de concision.

Enfin, la dernière en date des biographies du grand auteur comique est le *Molière* de Pierre Gaxotte, de l'Académie française, publié chez Flammarion en 1977. Grande biographie classique où l'auteur s'est efforcé, avec succès, de montrer Molière sous tous ses aspects. C'est aujourd'hui « la » biographie de Molière, œuvre d'un maître des lettres françaises, la biographie que chacun devrait avoir sur un des rayons de sa bibliothèque.

Mais tout n'est pas encore dit ou plutôt pas encore écrit. La recherche continue. Mme Madeleine Jurgens, conservateur aux Archives nationales de France, et Mme Elizabeth Maxfield-Miller, de Harvard University, ont publié en 1963 un volume de 850 pages intitulé *Cent ans de recherches sur Molière* (Imprimerie nationale, Paris). C'est un document des plus précieux, un instrument de travail incomparable pour tous ceux qui s'intéressent de près à Molière. De très nombreux travaux sur Molière, parfois très spécialisés, ont paru depuis une trentaine d'années en France et à l'étranger, notamment aux Etats-Unis, sous forme de volumes ou d'articles de revues. Une nouvelle et vaste synthèse est à faire, d'où jaillira nécessairement, pour la satisfaction des moliéristes fervents, une nouvelle et vaste *Vie de Molière*.

On voit aujourd'hui à Paris, au n° 96 de la rue Saint-Honoré, une très ancienne maison d'angle, incroyablement étroite, n'offrant qu'une fenêtre par étage.

Sur la façade est apposée une plaque de marbre noir où le passant pourrait lire, si l'inscription n'était pas depuis longtemps illisible : « Cette maison a été construite sur l'emplacement de celle où est né Molière le 15 janvier 1622. »

La maison natale de Molière, édifiée au XVIe *siècle, a été abattue en 1800 alors qu'elle menaçait ruine. On l'appelait le* Pavillon des Singes *en raison de l'existence, à son angle, d'un énorme « poteau cornier » de bois sculpté où l'on voyait des singes s'ébattre dans un oranger.*

C'est là que Jean Poquelin, maître tapissier, avait sa boutique et son domicile. C'est là que sa femme, Marie Cressé, mit au monde son premier-né, Jean-Baptiste.

Hélas ! Marie devait mourir en 1632, laissant un veuf avec trois enfants. Jean Poquelin se remaria l'année suivante, mais eut le malheur de perdre quatre ans plus tard sa seconde épouse qui lui laissait une fille.

Elever ses enfants et mener à bien son commerce qui prenait de l'ampleur fut pour Jean Poquelin un gros problème. Heureusement, son beau-père, Louis Cressé, lui apportait son aide en s'occupant particulièrement de Jean-Baptiste...

(circa) 1635

Naissance d'une vocation

Molière fut, dès son jeune âge, mené voir la comédie à l'Hôtel de Bourgogne par son grand-père

C'est Grimarest qui publia le premier cette anecdote en 1705 [1] :

> Molière avoit un grand-père qui l'aimoit éperdument ; et comme ce bon homme avoit de la passion pour la comédie, il y menoit souvent le petit Pocquelin, à l'Hôtel de Bourgogne.
>
> Le père, qui appréhendoit que ce plaisir ne dissipât son fils et ne lui ôtât toute l'attention qu'il devoit à son métier, demanda un jour à ce bon homme pourquoi il menoit si souvent son petit-fils au spectacle.
>
> « Avez-vous, lui dit-il, avec un peu d'indignation, envie d'en faire un comédien ?
>
> — Plût à Dieu, lui répondit le grand-père, qu'il fût aussi bon comédien que Bellerose ! » (C'étoit un fameux acteur de ce temps-là.)
>
> Cette réponse frappa le jeune homme, et sans pourtant qu'il eût d'inclination déterminée, elle lui fit naître du dégoût pour la profession de tapissier, s'imaginant que, puisque son grand-père souhaitoit qu'il pût être comédien, il pouvoit aspirer à quelque chose de plus qu'au métier de son père.

Aucun recoupement ne permet d'établir la véracité de cette anecdote, mais elle n'a jamais été formellement contestée.

---

1. *La Vie de M. de Molière* (éd. Mongrédien, 1955), p. 37.

Au contraire, chacun depuis Grimarest s'en est emparé et rares sont les livres où elle ne figure pas [2]. Certains biographes modernes, toutefois, se montrent réservés : Paul Mesnard admet que le fait « ne paraît pas inacceptable [3] » ; Gustave Michaut déclare qu'il « n'offre rien d'absolument inadmissible [4], mais ils s'accordent tous deux à trouver « suspecte » la scène dialoguée par Grimarest.

Bien sûr, Grimarest, né en 1659, n'a pas été témoin de la conversation qu'il évoque et que l'on peut placer vers 1635, environ la treizième année de Jean-Baptiste. Mais il a pu en recueillir le récit de Baron, son principal informateur, lequel pouvait le tenir de Molière lui-même, y compris le dialogue. Et, même si celui-ci n'est pas la transcription tout à fait exacte des paroles qui purent être échangées entre Jean Poquelin et son beau-père Louis Cressé, consolons-nous en pensant que Molière n'était pas un trop mauvais dialoguiste.

Il faut également envisager le cas où l'anecdote serait de pure invention. L'inventeur en serait alors Grimarest ou Baron. Gustave Michaut n'écarte pas cette possibilité et propose l'explication que voici : les ennemis de Molière, jaloux de son succès, s'efforçaient de le rabaisser au niveau d'un pitre de parade, d'un histrion de bas étage qui aurait appris son métier à l'école des charlatans du Pont-Neuf et de la foire Saint-Germain [5]. Grimarest et Baron, soucieux de rétablir la dignité de Molière, l'envoient au contraire dès son jeune âge à l'école des vrais acteurs, qui jouaient des farces, certes, mais aussi des pièces nobles. Et Michaut conclut que, « sur l'intervention du grand-père, le plus sage est de s'en tenir à un doute prudent [6] ».

Ce qui n'est pas douteux, en tout cas, c'est que l'Hôtel de Bourgogne était la propriété des Confrères de la Passion qui le louaient à la troupe de Bellerose ; que la confrérie avait

---

2. Titon du Tillet la reprend mot pour mot, à quelques détails près, dans la deuxième édition de sa *Description du Parnasse françois* en 1732. Il en est de même pour les *Anecdotes dramatiques* de Clément et Delaporte en 1775.

3. *Notice biographique sur Molière*, p. 18 (tome X de l'édition des « Grands Ecrivains de la France », Paris, Hachette, 1889).

4. *La Jeunesse de Molière*, Paris, Hachette, 1923, p. 54.

5. Voir *Elomire hypocondre*, par Le Boulanger de Chalussay, 1670.

6. *La Jeunesse de Molière*, p. 55.

fait stipuler dans le bail qu'une loge serait réservée en permanence « aux maîtres de ladite confrérie, tant pour eux que pour leurs parents et amis [7] » ; que les maîtres de la confrérie avaient alors pour doyen un certain Pierre Dubout dont le nom apparaît dans les actes notariés ; que Pierre Dubout était, de son état, tapissier ordinaire du roi.

N'est-il pas permis de supposer que Jean Poquelin, aussi tapissier, a pu recevoir de son confrère Dubout des entrées de faveur pour ce théâtre situé à moins de cinq cents mètres de sa boutique, qu'il en a fait bénéficier son beau-père (lui-même tapissier et résidant dans le voisinage !), et que celui-ci, trop souvent peut-être au gré de son gendre, aura mis l'occasion à profit pour mener son petit-fils à la comédie ?

Cela n'apporte évidemment aucune certitude absolue, mais cela vient tout de même renforcer le faisceau des probabilités.

Même si l'on ne veut pas se montrer aussi catégorique qu'Abel Lefranc, qui déclarait le récit de Grimarest « absolument admissible, naturel et vraisemblable [8] », on peut tenir pour presque assuré que le jeune Poquelin ait été souvent mené à l'Hôtel de Bourgogne par son grand-père. C'est ainsi que Georges Bordonove [9], bien que se refusant à admettre la « légende tenace » qui veut que ce fait ait suscité la vocation de Jean-Baptiste, n'en déclare pas moins : « Qu'il ait conduit son petit-fils à l'Hôtel de Bourgogne apparaît plus que probable, mais ne prouve rien... Il faut renoncer à cette habitude si fâcheuse des biographes de chercher une explication à tout. »

C'est vrai. Mais il faut admettre aussi que les vocations *ex nihilo* sont bien rares.

Je pense donc que l'on verra maintenant bien peu de biographies moliéresques, romancées ou non, dans lesquelles ne figurera pas l'anecdote du grand-père [10].

---

7. Document cité par E. Soulié, *Recherches sur Molière*, p. 151.
8. *Revue des cours et conférences*, 1905-1906, p. 404.
9. *Molière génial et familier*, Paris, Laffont, 1967, pp. 33-34.
10. Elle a été bizarrement altérée, en 1965, dans *le Miroir de l'Histoire* (n° 186) où M. Marc de Fontbrune la raconte ainsi, confondant le récit de Grimarest et les allégations d'*Elomire hypocondre* : « Tout enfant, son aïeul maternel Cressé le menait voir au Pont-Neuf Tabarin et les saltimbanques des farces italiennes, ou Gaultier-Garguille à la foire Saint-Germain. »

Le père Poquelin avait souhaité que son fils aîné fît de solides études avant de l'assister — et plus tard de lui succéder — dans sa charge de tapissier du roi, acquise en 1637. Il l'avait fait entrer dans un des meilleurs établissements d'enseignement de Paris, le collège de Clermont (qui prit en 1774 le nom de Louis-le-Grand, qu'il porte encore).

On dit — mais on n'en est pas tout à fait sûr — que Jean-Baptiste fit ensuite des études de droit, et même qu'il aurait été reçu avocat. Ce dont on est sûr, en revanche, c'est qu'il était de plus en plus attiré vers le théâtre et vers une éblouissante comédienne rousse, Madeleine Béjart.

L'amour et la vocation l'incitèrent à se lancer en 1643, à vingt et un ans, avec la famille Béjart et quelques compagnons, dans une aventure qui allait s'appeler l'Illustre Théâtre, *au grand déplaisir du père Poquelin.*

(circa) 1643

Le convertisseur perverti[1]

*Pour dissuader son fils de devenir comédien,
le père Poquelin lui fit faire des remontrances par un homme
raisonnable... que Molière enrôla dans sa troupe !*

C'est en 1696, sous la plume de Charles Perrault (l'auteur des *Contes* célèbres), qu'apparaît pour la première fois cette anecdote, vingt-trois ans après la mort de Molière. La voici, extraite de la notice des *Hommes illustres*[2] consacrée à Molière :

> A peine eut-il achevé ses études, où il réussit parfaitement, qu'il se joignit avec plusieurs jeunes gens de son âge et de son goût, et prit la résolution de former une troupe de comédiens pour aller dans les provinces jouer la comédie[3].
>
> Son père, bon bourgeois de Paris et tapissier du roi, fâché du parti que son fils avoit pris, le fit solliciter par tout ce qu'il avoit d'amis de quitter cette pensée, promettant, s'il vouloit revenir chez lui, de lui acheter une charge telle qu'il la souhaiteroit, pourvu qu'elle n'excédât pas ses forces[4]. Ni les prières, ni les remontrances de ses amis, soutenues de ces promesses, ne purent rien sur son esprit.
>
> Ce bon père lui envoya ensuite le maître chez qui il l'avoit mis en pension pendant les premières années de ses études,

1. L'expression est de Paul Mesnard, dans la *Notice biographique* qui constitue le tome X de l'édition des « Grands Ecrivains de la France », p. 69.
2. *Les Hommes illustres qui ont paru en France pendant ce siècle*, p. 79.
3. C'est évidemment à la constitution de l'Illustre Théâtre (30 juin 1643) que Perrault fait ici allusion. Mais cette compagnie n'avait pas pour but premier d'aller courir la province. On sait qu'elle y fut contrainte par l'insuccès à Paris et ses séquelles judiciaires.
4. Nous dirions aujourd'hui « ses moyens ».

espérant que par l'autorité que ce maître avoit eue sur lui pendant ce temps-là, il pourroit le ramener à son devoir ; mais bien loin que le maître lui persuadât de quitter la profession de comédien, le jeune Molière lui persuada d'embrasser la même profession et d'être le Docteur de leur comédie, lui ayant représenté que le peu de latin qu'il savoit le rendoit capable d'en bien faire le personnage, et que la vie qu'ils mèneroient seroit bien plus agréable que celle d'un homme qui tient des pensionnaires.

Neuf ans après Perrault, Grimarest reprend l'anecdote, mais c'est pour la réfuter. Ce faisant, il la déforme, ou plutôt l'altère curieusement sur un point :

Un auteur grave [5] nous fait un conte [6] au sujet du parti que Molière avoit pris de jouer la comédie. Il avance que sa famille, alarmée de ce dangereux dessein, lui envoya un ecclésiastique pour lui représenter qu'il perdoit entièrement l'honneur de sa famille ; qu'il plongeoit ses parents dans de douloureux déplaisirs ; et qu'enfin il risquoit son salut d'embrasser une profession contre les bonnes mœurs et condamnée par l'Eglise ; mais qu'après avoir écouté tranquillement l'ecclésiastique, Molière parla à son tour avec tant de force en faveur du théâtre qu'il séduisit l'esprit de celui qui le vouloit convertir, et l'emmena avec lui pour jouer la comédie.

Ce fait est absolument inventé par les personnes de qui Mr P... peut l'avoir pris pour nous le donner. Et quand je n'en aurois pas la certitude, le lecteur à la première réflexion présumera avec moi que ce fait n'a aucune vraisemblance. Il est vrai que les parents [7] de Molière essayèrent par toutes

5. Aux yeux de ses contemporains, Perrault était le docte auteur des *Hommes Illustres* et des *Parallèles des Anciens et des Modernes*. Ses contes de fées — ou plutôt ses *Histoires et contes du temps passé, avec des moralités*, pour leur donner leur titre exact et complet — n'étaient considérés que comme des bagatelles. Perrault les avait d'ailleurs publiés sous le nom de son fils. Il leur doit pourtant l'immortalité.

6. Le mot *conte* est sûrement employé ici à dessein.

7. On peut se demander quels sont ces « parents » si obstinés à contrarier la vocation de Molière. Le fait ne peut logiquement se placer qu'aux environs de 1643. A cette date, la mère de Jean-Baptiste, Marie Cressé, est morte depuis onze ans ; sa belle-mère, Catherine Fleurette, depuis sept ; son grand-père Louis Cressé depuis cinq ans (et ce n'est pas lui qui aurait cherché à détourner son petit-fils du théâtre, puisqu'il l'y menait étant enfant — voir p. 18). A l'époque où se situe l'anecdote, Molière ne dépend que de son père. Sur ce point, Perrault était plus près de la vérité.

sortes de voies de le détourner de sa résolution ; mais ce fut inutilement : sa passion pour la comédie l'emportoit sur toutes leurs raisons.

Il est évident que, dans la version de Grimarest, l'histoire n'a en effet « aucune vraisemblance ». Comment admettre qu'un ecclésiastique se soit laissé prendre aux arguments du comédien beau parleur et soit monté avec lui sur les planches ? C'est à se demander si Grimarest n'a pas remplacé le maître de pension par l'ecclésiastique (notons en passant qu'il ne dit pas « un prêtre ») à la seule fin de rendre invraisemblable une anecdote qui ne l'est pas.

Bien sûr, on peut objecter [8] que ce retournement de situation sent furieusement la comédie à l'italienne. Mais on a toutefois remarqué que, parmi les signataires de l'acte de constitution de l'Illustre Théâtre figure un certain Georges Pinel, qui prit à la scène le nom de La Couture, et qui avait jusqu'alors exercé le métier de maître écrivain. Quand on sait que ces sortes de maîtres prenaient effectivement des pensionnaires, quand on a la preuve que Georges Pinel était en rapport avec le père Poquelin qui, deux fois au moins à cette époque, lui prêta de l'argent [9], on est assez enclin à donner tort à Grimarest et à admettre [10] que l'anecdote de Perrault est vraie, même si elle a été quelque peu enjolivée [11].

---

8. Comme l'a fait Gustave Michaut dans sa *Jeunesse de Molière* (1921), p. 16.
9. Eudore Soulié, *Recherches sur Molière*, pp. 35-36 et 229.
10. Jules Loiseleur, dans ses *Points obscurs* (1877), admet sans discussion le récit de Perrault et l'identification du « maître de pension » avec Georges Pinel (p. 113). G. Mongrédien, dans son *Dictionnaire biographique des comédiens français du XVIIe siècle* (1961), à l'article *La Couture*, se réfère à l'anecdote de Perrault comme à une certitude. Il était moins affirmatif dans son édition de Grimarest (1955), p. 40, note 1, *in fine*.
11. Il ne faut toutefois pas exagérer. Gustave Larroumet dépasse les limites de l'enjolivement lorsqu'il affirme dans sa *Comédie de Molière* (1886), pp. 30-31, que l'argent emprunté par Pinel au père Poquelin était, à l'insu de celui-ci, destiné à payer le premier loyer du jeu de paume où allait débuter la troupe. C'est une parodie des *Fourberies de Scapin :* Pinel-Scapin soutire à Poquelin-Géronte les écus nécessaires à mener à bien les projets de Molière-Léandre ! Rien ne permet de soutenir cette hypothèse farcesque, non plus que celle, sérieuse, d'Auguste Vitu qui, dans *le Jeu de paume des Métayers* (1883), pp. 45 sqq., suppose au contraire, sans preuves, que Poquelin se serait servi de Pinel comme d'un intermédiaire discret pour avancer à son fils (sans paraître encourager l'entreprise qu'il réprouve et dont il n'a pu le dissuader) l'argent qui lui permettra, au moins, de faire face à ses premiers frais.

L'Illustre Théâtre, malgré son nom, n'attira guère le public parisien. Il vivota péniblement, changeant plusieurs fois de salle, et son animateur — qui avait pris en 1644 le pseudonyme de Molière — connut mille difficultés qui le menèrent même en prison pour dettes. Au bout de trois ans, ce fut le désastre complet. Il fallut renoncer et aller chercher fortune ailleurs, en s'associant (ou plutôt en s'accrochant) à d'autres...

Ce fut alors une longue période d'errance qui devait mener Molière et ses compagnons à travers les provinces, où leur troupe connut des hauts et des bas, jouant un jour dans une grange, un autre dans un château, au hasard des circonstances et des recommandations. Période difficile mais génératrice d'expérience. Sous Molière comédien perçait Molière auteur.

A Lyon, en 1655, il créa l'Etourdi, *sa première pièce. Béziers, en 1656, vit la création du* Dépit amoureux.

La réputation venait. Les protections officielles aussi. Celle du prince de Conti valut à la troupe d'être chaleureusement accueillie à plusieurs reprises à Pézenas, où elle séjourna plus longtemps qu'en aucune autre ville. Pézenas en garde un souvenir impérissable...

Le fauteuil du barbier

Durant son séjour à Pézenas, Molière avait pris l'habitude d'aller s'asseoir dans la boutique du barbier Gély, pour y écouter les conversations.

Cette anecdote, une des plus populaires aujourd'hui, fait partie des « Trois grandes », les deux autres étant « Molière lisant ses pièces à sa servante » et « Molière à la table de Louis XIV ».

C'est en 1802 qu'elle fut publiée pour la première fois par J.-F. Cailhava [1] dans ses *Etudes sur Molière* [2]. Cailhava, à qui elle avait été racontée, en avait demandé confirmation par lettre à un érudit de Pézenas, M. Poitevin de Saint-Cristol, dont il transcrivit la réponse datée du 7 ventôse an VII (25 février 1799), laquelle constitue la « version originale » de l'anecdote du fauteuil :

> Il est certain qu'il existe dans cette commune un grand fauteuil de bois, auquel une tradition a conservé le nom de fauteuil de Molière ; sa forme atteste son antiquité ; l'espèce de vénération attachée à son nom l'a suivi chez les divers propriétaires qui en ont fait l'acquisition ; il est en ce moment chez le citoyen Astruc, officier de santé de cette commune.
>
> Voici ce que les Nestors du pays en racontent : ils disent

1. Jean-François Cailhava, dit parfois Cailhava d'Estandoux ou de l'Estandoux (1730-1813), fut un auteur et un critique dramatique mineur. Ce Gascon avait pour Molière une véritable dévotion, poussée en certains cas jusqu'au ridicule. Selon ses biographes, il aurait laissé des *Mémoires* et des *Souvenirs du Languedoc* qui n'ont pas été publiés et dont les manuscrits semblent aujourd'hui perdus.
2. Paris, Debray, 1802, p. 305.

> que pendant le temps que Molière habitoit Pézenas, il se rendoit assidûment, tous les samedis, jours du marché, dans l'après-dînée, chez un barbier de cette ville dont la boutique étoit très achalandée ; elle étoit le rendez-vous des oisifs, des campagnards et des agréables qui alloient s'y faire calamistrer. Or, vous savez qu'avant l'établissement des cafés dans les petites villes, c'étoit chez les barbiers que se débitoient les nouvelles, que l'historiette du jour prenoit du crédit, et que la politique épuisoit ses combinaisons.
>
> Le susdit grand fauteuil de bois occupoit un des angles de la boutique, et Molière s'emparoit de cette place. Un observateur de ce caractère ne pouvoit qu'y faire une ample moisson. Les divers traits de malice, de gaîté, de ridicule ne lui échappoient certainement pas, et qui sait s'ils n'ont pas trouvé leur place dans quelques-uns des chefs-d'œuvre dont il a enrichi la scène française. On croit ici au fauteuil de Molière comme, à Montpellier, à la robe de Rabelais.

Seize ans plus tard, en 1818, Victor-Joseph de Jouy, de l'Académie française, littérateur fécond mais tout aussi oublié aujourd'hui que Cailhava, de l'Institut, relance l'anecdote dans *l'Hermite en province*[3], sans citer Cailhava chez qui il l'a trouvée :

> Dans ce temps-là, les boutiques de barbiers étaient, comme ont été depuis les cabarets, comme sont aujourd'hui les cafés, le rendez-vous des oisifs, des politiques, des originaux du pays, et le foyer de la chronique scandaleuse. Molière, pendant son séjour à Pézenas, se rendait régulièrement chez le barbier en vogue, nommé Gély ; là, il avait coutume de s'asseoir dans un fauteuil qui restait vide lorsqu'il ne venait pas à l'assemblée : ce précieux fauteuil a passé, par droit d'héritage, aux successeurs de Gély, que l'on connaît par noms et prénoms ; il est maintenant entre les mains de M. Astruc, docteur en chirurgie ; je proposerais volontiers aux membres de l'Académie française de se cotiser pour en faire l'achat, bien entendu qu'il resterait vide, comme chez le barbier de Pézenas.

3. Paris, Pillet, 1818-1827, t. II, pp. 273-274.

Les enjolivures commencent : le fauteuil restait vide lorsque Molière ne l'occupait pas ! Il est bien évident que cette marque de déférence a été inventée après coup, quand Molière fut devenu le grand homme qu'il n'était pas au temps de ses tournées dans le Languedoc. Mais de Jouy dut se mettre en quête de renseignements car il apporte une précision que Cailhava — ou plutôt son informateur — n'avait pas donnée, et qui sera confirmée ultérieurement : le nom du barbier.

La véritable consécration de l'anecdote sera donnée par Taschereau qui, en 1825, l'incorpore dans son *Histoire de la vie et des ouvrages de Molière*[4], première biographie sérieusement documentée, appelée à faire autorité. Taschereau indique sa source (Cailhava) et déclare citer les termes mêmes de la lettre de M. de Saint-Cristol, ce qui n'est pas tout à fait vrai car il s'agit d'une paraphrase très fidèle. Dans la troisième édition[5] de son livre (1844), Taschereau ajoute quelques détails trouvés chez de Jouy, qu'il cite.

En 1836, M. François Astruc, propriétaire de la relique, la décrit dans une plaquette publiée à Pézenas, intitulée *Notice sur le fauteuil de Molière*, dans laquelle il cite tous les propriétaires successifs du fauteuil, depuis le barbier Guillaume Gély jusqu'à lui-même. Ce fauteuil, auparavant partie intégrante du lambris de noyer foncé qui garnissait le mur de la boutique, en avait été détaché. En 1873, le fauteuil fut exposé à Paris, au foyer de la Comédie-Française, à l'occasion du bicentenaire de la mort de Molière. Il était alors parvenu par voie d'héritage entre les mains de M. Gonzague Astruc, résidant à Paris. En 1893 on le retrouve à Pézenas. Il y paraît sur la scène du théâtre municipal en 1897 au cours d'une représentation exceptionnelle du *Malade imaginaire* donnée à l'occasion de l'inauguration du monument à Molière, avec Coquelin cadet dans le rôle. En 1908, il se trouve de nouveau à Paris chez une dame Brisepot, née Astruc. En 1922 il est exposé une seconde fois à la Comédie-

4. Paris, Ponthieu, 1825, p. 27.
5. Paris, Hetzel, 1844, pp. 18-19.

Française pour les fêtes du tricentenaire de la naissance de Molière. Depuis, hélas ! sa trace est perdue...

Un érudit languedocien, Léon Galibert, publia en 1858, sous le pseudonyme d'Emmanuel Raymond, une *Histoire des pérégrinations de Molière dans le Languedoc*[6], sur laquelle nous aurons l'occasion de revenir. Il y mentionne, bien entendu, l'anecdote du fauteuil, mais en attribuant à Molière un rôle actif : ne se contentant pas d'observer et d'écouter, il aurait lui-même narré, devant les clients, les incidents survenus au cours de ses déplacements dans le voisinage :

> Malgré les incidents nombreux qui leur survenaient en route, les excursions de nos comédiens étaient de très courte durée ; car, le samedi, Molière était toujours rentré à Pézenas, et ne manquait pas d'aller se faire accommoder chez le perruquier Gély. Là, sur ce fameux fauteuil historique, déposé aujourd'hui au foyer des Français[7], Molière se plaisait à raconter, avec sa verve désopilante, les moindres accidents de ses voyages, au grand ébahissement des habitués de la boutique de Gély ; c'était comme un avant-goût de la représentation qu'il devait donner ; c'était la petite pièce avant la grande ; car à ces scènes recueillies au-dehors s'ajoutaient encore celles que provoquaient les gens naïfs ou bizarres, malotrus ou grotesques, qui venaient à leur insu, chez le barbier-coiffeur, poser devant l'ingénieux portraitiste.
>
> Longtemps après le départ de Molière, on répétait encore dans la boutique de Gély les spirituelles charges dont il avait, en badinant, tracé la silhouette ; puis chaque habitué prit soin de transmettre à son successeur la part des récits que sa mémoire avait retenue ; et ces anecdotes, circulant de bouche en bouche et d'âge en âge, amusèrent pendant un siècle la bonne société de Pézenas.
>
> En 1750, lorsque Cailhava visita, par admiration pour Molière, les lieux où le grand maître avait préludé à ses succès, il retrouva ces anecdotes dans toute leur fraîcheur[8].

---

6. Paris, Dubuisson & Cie.
7. Emmanuel Raymond fait ici une erreur et confond le « fauteuil du barbier » avec le « fauteuil du *Malade* ». Un siècle plus tard, l'érudit Jacques Bourgeat qui, dans *Mille petits faits vrais* (Paris, Hachette, 1966), recopie ou paraphrase Raymond sans le citer, s'est laissé abuser par cette indication qu'il transcrit ainsi (p. 336) : « déposé aujourd'hui à la Comédie-Française », ce qui ne peut que jeter la confusion dans l'esprit de ses lecteurs et perpétuer l'erreur.
8. Pp. 73-74.

Or Emmanuel Raymond, dans sa prime jeunesse, avait connu Cailhava et avait entendu, de sa bouche, les anecdotes ainsi recueillies. En ce qui concerne celle du fauteuil du barbier, l'ancienneté des témoignages, l'existence même du meuble et de la boutique, la survivance locale du nom de Gély sont autant d'éléments qui permettent de conclure à la très grande vraisemblance, sinon à l'authenticité.

L'anecdote n'a jamais été contestée. Acceptons-la donc, et espérons que le malheureux fauteuil, momentanément perdu, sera retrouvé un jour et reviendra prendre à Pézenas la place qui l'attend.

Quant aux autres anecdotes dérivant de celle du fauteuil, évoquées par E. Raymond dans les lignes citées plus haut, elles constituent une sorte de « Suite languedocienne » hautement fantaisiste dans laquelle, comme nous allons le voir, il y a du meilleur et du pire.

1655-1656

La valise perdue

Au cours d'un de ses déplacements autour de Pézenas, Molière perdit une valise qu'il ne retrouva jamais.

C'est en 1818, sous la plume de V.-J. de Jouy [1], qu'apparaît pour la première fois cette anecdote appelée à connaître le succès :

> En face de Paulhan, sur l'autre rive de l'Hérault, se trouve le beau château de Lavagnac, aux environs duquel Molière, allant un jour de Gignac à Pézenas, reconnut que sa valise était égarée. « Ne cherchez pas (dit-il à ceux qui l'accompagnaient) ; je viens de Gignac, je suis à Lavagnac, j'aperçois le clocher de Montagnac ; au milieu de tous ces *gnac* ma valise est perdue. » En effet, il ne la retrouva pas.

Où Jouy avait-il trouvé cette anecdote ? Il n'en dit rien. Son *Hermite en province* est présenté par lui comme une sorte de chronique itinérante des mœurs régionales françaises. On pourrait en déduire qu'il avait recueilli lui-même l'histoire sur place. Mais ses détracteurs contemporains affirment qu'il a écrit son ouvrage sans sortir de son cabinet parisien, et que son informateur pour le Languedoc aurait été le baron de Lamothe-Langon, originaire de Montpellier.

---

1. *L'Hermite en province*, t. II, p. 271. [Victor-Joseph ETIENNE, dit « de JOUY » en raison de sa naissance à Jouy-en-Josas (1764-1846), fut une sorte d'aventurier militaire et politique, doublé d'un polygraphe fécond. Entré à l'Académie française en 1815, il fut, en 1830, maire de Paris pendant quelques jours, puis conservateur du musée du Louvre.]

Admettons, et regrettons que celui-ci, littérateur occitan, n'ait pas eu l'idée d'inclure cette anecdote sans ses propres œuvres.

Après Jouy, Taschereau reprend l'anecdote en 1844 dans la troisième édition de son *Histoire de la vie et des ouvrages de Molière*[2] sans y changer un mot. Mais il y ajoute des précisions qu'il déclare tenir de M. Astruc, le propriétaire du fauteuil de Pézenas :

> Les habitants de Bélarga et de Saint-Pons-de-Mauchiens, villages qui se trouvent sur la grande route, tiennent de leurs aïeux quelques détails suivants sur ce fait. Des femmes étaient occupées à travailler aux champs qui longent le grand chemin lorsque, Molière passant, cette valise tomba de la croupe du cheval qu'il montait. Une de ces paysannes s'en aperçut, quitta ses compagnes et vint couvrir de la rotondité de ses jupes l'objet qu'elle voulait dérober. Molière, revenant sur ses pas, lui adressa la parole, mais, ne soupçonnant pas la ruse, il se remit en route et sa valise fut perdue pour lui.

Quatorze ans plus tard, c'est au tour d'Emmanuel Raymond de revenir sur cette histoire dont il donne une version bien plus élaborée, avec mise en scène et dialogues[3] :

> A Bélarga, à Saint-Pons-de-Mauchiens, que Molière traversa plusieurs fois à cheval, on vous dira les étranges vicissitudes de sa valise où se trouvaient « tant de trésors ! tant de riches habits ! ». Mais écartons ces rêves de pauvres gens qui, dans leurs récits, ont transformé les oripeaux et le strass du comédien en objets de prix, et ne nous occupons que de la partie positive de cette aventure.
>
> A cette époque de parcimonieuse administration et de minces profits, la troupe de Molière voyageait souvent à cheval, et encore n'accordait-on aux femmes qu'un cheval pour deux, et aux hommes un cheval pour trois ; ce qui dit assez que la moitié de la route, hélas ! se faisait à pied ! Seul le directeur, à cause de sa dignité, avait une monture qu'il ne partageait avec personne.
>
> Or il arriva que, dans une de ces chevauchées, la valise de

2. P. 18.
3. *Histoire des pérégrinations...*, pp. 63-66.

Molière, se détachant de la selle, glissa sur la route et excita la convoitise de jeunes villageoises qui travaillaient près de là.

Distrait ou endormi, Molière ne s'aperçut pas d'abord de l'accident et continua son chemin ; de leur côté les scélérates jeunes filles le laissèrent s'éloigner sans l'avertir ; puis une d'elles, s'élançant sur la route, allait s'emparer de la valise lorsque Molière, se retournant brusquement, sans doute pour se rendre compte de ce qui venait de lui arriver, empêcha la drôlesse de consommer son larcin.

Mais, comme celle-ci n'avait pas perdu un seul instant de vue le cavalier, d'un rapide mouvement de hanches elle étale sa jupe, et de ses plis en cache la valise ; puis, à grand renfort de gestes et de « *Ohé ! Moussu !* », elle attire Molière près d'elle et lui fait comprendre que c'est bien plus loin que la valise est tombée !

Confiant en ces paroles, le cavalier pique des deux pour rattraper son bien. Aussitôt la villageoise, d'un vigoureux coup de pied, pousse la valise dans le fossé et se met à courir après le comédien, comme pour l'assister dans ses recherches, tandis qu'au contraire c'était pour mieux le fourvoyer.

En résumé, la valise fut perdue ; et Molière, en racontant cet événement, disait avec un sourire mêlé de regrets : « Comment voulez-vous qu'il en ait été autrement ? Lorsqu'au sortir de Gignac on laisse de côté Brignac pour se diriger sur Montagnac en passant par Lavagnac, et qu'au milieu de ces *gnic* et ces *gnac* viennent s'enchevêtrer, sans motif et sans cesse, des *Agaro Moussu ! — Ah ! boutats Moussu ! — Aoù sabètz pas Moussu ? — Pécaïré Moussu !* les yeux, l'esprit et les oreilles sont tellement abasourdis par ces étranges assonances, accompagnées de gestes plus bizarres encore, que l'on finit inévitablement par perdre ce qui n'était qu'égaré ! »

Jules Loiseleur, reprenant l'anecdote en 1877 dans ses *Points obscurs de la vie de Molière*[4], s'en tient prudemment à la version Taschereau, et c'est sous cette forme qu'elle se répercutera ensuite d'auteur en auteur et qu'elle acquerra sa popularité.

On pouvait la croire stabilisée lorsque, en 1965, elle est uti-

4. Paris, Liseux, p. 196.

lisée par M. Marc de Fontbrune dans un article intitulé « Molière en province » paru dans *le Miroir de l'Histoire*[5]. La voici, dans sa splendeur nouvelle :

> [...] Une autre fois, il égare la précieuse valise qui, entre autres trésors, contient les archives et la comptabilité de l'association. Il ne s'en émeut pas outre mesure et écrit avec humour à un de ses amis : « Je viens de Gignac, je suis à Lavagnac, j'aperçois au loin le clocher de Montagnac ; au milieu de tous ces *gnac*, ma valise a dû se perdre. » Il la retrouvera, d'ailleurs, pour la sécurité des siens et pour notre contentement personnel, car elle renfermait aussi le manuscrit de ses premières pièces, et qui sait si, frustré du fruit de son travail, Molière, dégoûté, eût poursuivi plus loin sa carrière.

Les enjolivements atteignent ici à leur comble. Heureux M. de Fontbrune ! Il connaît le contenu exact de la valise, il a lu la lettre dans laquelle Molière en relate avec insouciance la perte, et enfin il nous apprend, à notre grand soulagement, qu'elle a été retrouvée ! Quelle chance ! On frémit à l'idée que, s'il n'en avait pas été ainsi, nous aurions perdu à la fois l'œuvre déjà produite et l'œuvre à venir... Il est vraiment dommage que M. de Fontbrune n'ait pas cité ses sources !

Soyons sérieux. Examinons la crédibilité de l'anecdote (dans sa version originelle s'entend) : force nous est bien de constater qu'elle ne repose sur rien de solide. Que de Jouy et Raymond l'aient tenue d'informateurs qui l'avaient recueillie sur place ne prouve rien, sinon qu'un jour un voyageur a peut-être réellement perdu une valise sur une route au voisinage de Pézenas, ce qui n'a rien d'extraordinaire. Mais, comme Molière est passé par là, on a renforcé l'anecdote en l'en faisant le héros, voilà tout.

(Rappelons, bien qu'elle n'ait aucun rapport direct avec les pérégrinations de Molière dans le Languedoc, une autre

---

5. N° 186, juin 1965, p. 119.

histoire de valise, inventée au siècle dernier par Edouard Fournier pour les besoins d'une petite comédie [6] qu'il écrivit en y insérant des fragments de Molière — authentiques ou supposés. Fournier a imaginé que des voleurs de grand chemin avaient dérobé une des valises de Molière dans une auberge de la région parisienne.)

6. *La valise de Molière*, Paris, E. Dentu, 1868.

1655

La fontaine de Gignac

Molière donne la traduction — fantaisiste —
d'une inscription latine placée au-dessus de la fontaine
publique du bourg.

C'est Taschereau qui publia le premier cette anecdote en 1844, dans la troisième édition de son *Histoire de la vie et des ouvrages de Molière* [1] :

> On conserve religieusement à Pézenas et dans les environs la tradition de quelques circonstances qui marquèrent le séjour de Molière.
>
> A Gignac, une source avait été détournée, par les soins de M. de Laurès, consul de cette petite ville, d'une prairie où elle serpentait, et, confondue avec un ruisseau, elle avait été conduite dans un grand réservoir destiné à l'usage public. Le magistrat municipal venait provisoirement de faire écrire au-dessus de ce réservoir le vers suivant :
>
> *Quæ fuit ante fugax, arte perennis erit.*
>
> C'en était assez pour occuper les oisifs et les curieux qui, assemblés devant cette inscription, se livraient, avec toute la chaleur et l'abondance méridionales, à des gloses, à des critiques et à des traductions fort diverses. Molière passe, il aperçoit le rassemblement, s'approche et vient écouter et étudier les orateurs. Il est mis au courant du sujet de la discussion et propose de substituer au vers latin le distique suivant, que M. de Laurès fit, dit-on, graver, dans son dépit contre les censures de ses compatriotes :
>
> *Avide observateur, qui voulez tout savoir,*
> *Des ânes de Gignac c'est ici l'abreuvoir.*

1. P. 17.

Taschereau indique sa source : « Note manuscrite de M. Astruc ». C'est l'habitant de Pézenas dont nous avons déjà vu paraître le nom à propos du fauteuil du barbier.

En 1858, c'est au tour d'Emmanuel Raymond de raconter l'histoire[2]. Son récit est de toute évidence une paraphrase de celui de Taschereau :

> Gignac, dont l'esprit malin et ricaneur est proverbial, conserve encore deux vers que Molière fit à son intention.
>
> En 1655, on venait de construire en cette ville une fontaine-abreuvoir, en concentrant dans un bassin les eaux d'un petit ruisseau qui se perdaient autrefois sans utilité.
>
> Fiers de ce résultat, les consuls de Gignac voulurent le constater par une inscription qui transmît leur triomphe à la postérité la plus reculée. Mais le Santeuil[3] de l'endroit, un peu poussif, au lieu d'un distique, ne livra à l'autorité que ce pentamètre tant soit peu énigmatique :
>
> *Quæ fuit ante fugax, arte perennis erit.*
>
> Les savants, les curieux et les malins de Gignac cherchaient à rendre ou à torturer de leur mieux le sens de l'inscription, et les gloses les plus étranges se heurtaient de toute part, lorsque Molière, se mêlant à la préoccupation générale, proposa l'interprétation suivante :
>
> *Avide observateur qui voulez tout savoir,*
> *Des ânes de Gignac c'est ici l'abreuvoir.*
>
> Et cette traduction un peu libre du vers latin fut adoptée à l'unanimité, mais non ciselée.

Sur ce dernier point, Raymond contredit Taschereau. Il semble que ce soit Raymond qui ait raison, car la fontaine en question, qui existe toujours à Gignac, sur la place de la Victoire, ne porte que la seule inscription latine... avec une légère différence par rapport au texte cité :

Quæ fuit ante fugax, arte perennis inest.

---

2. *Histoire des pérégrinations...*, pp. 62-63.
3. *Sic*, pour Santeul (J.-B. de), 1630-1697, poète français d'expression latine, célèbre pour ses épitaphes et inscriptions lapidaires.

Quant à la traduction française de ce vers, l'actuelle municipalité de Gignac propose :

Elle était autrefois dans le sol vagabonde,
Cette source que l'art a rendue si féconde.

Mais ce distique sérieux n'est pas gravé sur le monument, non plus que celui, facétieux, que la tradition attribue à Molière.

Gravé ou non gravé ? Voilà la question.

Elle a stimulé, après plus d'un siècle de silence, l'imagination d'un nouveau commentateur : en 1965, l'anecdote reparaît dans un périodique [4] sous la plume de M. Marc de Fontbrune, à qui nous sommes redevables d'une version enjolivée de la *Valise* et qui là encore donne libre cours à son esprit inventif :

> Il arrive parfois à Molière et à ses compagnons des aventures plaisantes ; c'est ainsi qu'un soir il se rend à Gignac, grosse bourgade située à égale distance de Montpellier, de Pézenas et de Lodève ; il y joue dans une grange devant un public strictement local qui, au début de la représentation, accueille la troupe avec une froideur de mauvais augure, puis devient tout à coup franchement hostile, jusqu'à ce que l'âpreté et la fréquence des sifflets contraignent le directeur-acteur à interrompre complètement la représentation.
>
> Le lendemain, à l'aube, ces perturbateurs obstinés viennent assiéger la grange dans l'intention de poursuivre leurs quolibets. A leur grande stupéfaction le local est vide, mais sur la place principale de la ville, sur la grande fontaine, ils peuvent lire, gravé d'une façon indélébile dans la pierre, un quatrain qui se termine par ce vers : « Des ânes de Gignac c'est ici l'abreuvoir. »

On brode, on invente au point d'en oublier le simple bon sens, la vraisemblance élémentaire ! Imagine-t-on Molière, le burin et le marteau à la main, gravant pendant la nuit une inscription sur la fontaine ? Une inscription vengeresse de *quatre* vers ?

---

4. *Le Miroir de l'Histoire*, n° 186, juin 1965, pp. 118-119.

Quel crédit convient-il d'accorder à l'anecdote, enjolivements mis à part ?

A première vue, on est tenté de l'admettre comme vraie : le passage de Molière à Gignac est assuré, et la fontaine est toujours là, que les habitants appellent communément aujourd'hui « fontaine Molière ».

Oui, mais le raisonnement est trompeur. Les controverses locales à propos de l'inscription sont une chose, l'intervention éventuelle de Molière en est une autre. A l'époque, Molière n'était qu'un très petit personnage, un comédien ambulant dont l'opinion comptait fort peu. Beaucoup plus tard, quand son nom devenu célèbre a rayonné sur la France entière, on s'est remémoré son passage à Gignac et on lui a attribué la paternité d'une boutade qui avait jadis défrayé la chronique locale. Tout ce que l'on peut dire, c'est que l'anecdote, dans la version Astruc-Taschereau-Raymond, n'est pas absolument invraisemblable... et c'est déjà beaucoup !

Quant à la date de l'événement, Taschereau la situe en 1654 et Raymond en 1655. Si, comme le dit Raymond, la fontaine de Gignac a bien été construite en 1655, cette date est admissible. Georges Monval l'admet d'ailleurs dans sa *Chronologie moliéresque* (1897) et précise même le mois : octobre.

La lettre improvisée

Molière lit — à sa manière — la lettre qu'une jeune fille illettrée vient présenter chez le barbier Gély.

Emmanuel Raymond, qui fut le premier à publier cette anecdote [1], déclare la tenir à la fois de Cailhava et d'un notable languedocien :

> Une des plus jolies historiettes que nous ayons entendu raconter à Cailhava, et qu'il n'était pas seul à attribuer à Molière, car M. de Marisy [2], fondé de pouvoirs du dernier président des Etats de Languedoc, en la rapportant, lui assignait la même origine : c'est la *Lettre improvisée.*
>
> Une jeune fille de Pézenas, gentille, fraîche, accorte, ingénue, a son amant [3] au service. Celui-ci vient de lui écrire, et comme la pauvre fille est illettrée, elle accourt chez Gély, où elle espère trouver un interprète complaisant. Elle ouvre timidement la porte et, de sa voix la plus douce, elle réclame ainsi l'assistance :
>
> « *Escusatz, mestré Zély ! Boudriotz pas mé léjji aquesto létro ?*
>
> — Pourquoi pas, mon enfant ? Baille-moi ton poulet. »
>
> Et comme maître Gély était en ce moment occupé à calamistrer ses perruques, il fait passer la lettre à Molière, en ajoutant : « Tiens, voilà un monsieur qui te la lira bien mieux que moi ! »

---

1. *Histoire des pérégrinations...*, pp. 89-92.
2. C'est en vain que j'ai cherché trace de ce personnage dans la monumentale *Histoire de Languedoc* de Devic et Vaissète. Il ne semble pas avoir laissé d'écrits.
3. C'est-à-dire son amoureux.

Molière se prête de bonne grâce à cette substitution, prend la lettre, la décachète, et d'un coup d'œil reconnaît que c'est une de ces épîtres vulgaires comme en écrivent les modernes élèves de Bellone à leurs payses. Mais l'air candide de l'ingénue lui a souri, et aussitôt, rapide comme l'éclair, de remplacer la rédaction du milicien par une improvisation de son cru ; c'est assez dire que la jeune fille ne perdit rien au change. Molière commence donc sa lecture improvisée :

« Le milicien a assisté à une sanglante bataille où il s'est vaillamment distingué ; malheureusement un éclat d'obus lui a fracassé un bras [4]... »

A ces mots, la jeune fille pousse un cri aigu qui interrompt la lecture : « *Aï ! moun Dious ! Jèsus Nostré Seigné !... Lou paouré magnac méou !...* » Ces plaintives exclamations rappellent à Molière qu'il a un peu trop supersaturé sa phrase de fluide électrique, et il s'empresse d'en amortir ainsi les effets :

« Admis à l'hôpital, l'habileté des chirurgiens a triomphé de la gravité de la blessure, et au moment où cette lettre s'écrit, le milicien est en pleine convalescence. »

La jeune fille est heureuse alors ; elle renaît, son visage s'épanouit et respire une douce sérénité. Cependant l'habile magnétiseur ne borne pas là ses expériences : il veut encore faire un essai de son influence mystérieuse, et il attaque ainsi un autre passage de la prétendue lettre :

« La guérison presque miraculeuse du jeune soldat a fait grand bruit et lui a attiré la visite des plus riches personnages et des plus belles dames de la ville, dont une d'elles s'est éprise d'un violent amour pour lui et veut absolument l'épouser. »

Ici nouvelle pâmoison de la jeune fille, nouveaux gémissements et nouvelle interruption de la lecture. Molière dut alors employer toutes les ressources de son art pour ranimer ce cœur qu'il venait de briser ; et, toujours impassible, il lit ou plutôt il improvise le remède au mal qu'il a fait naître :

« Le milicien est resté ferme comme un roc aux brillantes propositions qu'on lui a adressées ; il n'a eu qu'à rapprocher de son cœur les modestes gages d'amour que lui donna son amante en partant ; qu'à se rappeler ses tendres

4. Il y a évidemment là un anachronisme du narrateur ; en 1655 il n'était pas question d'obus mais de boulets.

baisers pour rester insensible à tout et n'aspirer qu'après le jour où ils pourront réaliser les serments qu'ils se sont faits. »

Ce fut la dernière épreuve à laquelle le maître voulut soumettre son sujet. Il lui rendit sa lettre ; et, radieuse, la jeune fille la serra précieusement dans sa gorgerette, en faisant à Molière sa plus humble révérence, qu'elle accompagna de ces mots : *Pla mercio, Moussu !*

Puis, en retournant dans son quartier, la pauvre illusionnée racontait à tous venants la bonne nouvelle qu'elle avait reçue, et l'assurance qu'elle avait de son prochain mariage avec son amant, qui allait revenir sergent ou tout au moins officier. Des lettrés incrédules à qui elle faisait ces confidences ayant voulu, eux aussi, prendre connaissance de la lettre, n'y trouvèrent, hélas ! que l'affreuse vérité ; mais la jeune fille, à son tour plus incrédule qu'eux, leur arrachait vivement le papier des mains en leur disant : « *Laïssats aco ! laïssats aco ! Aou sabètz pas ta pla léjji coumo lou moussu dé can Zély !* » (Laissez cela ! laissez cela ! Vous ne savez pas aussi bien le lire que le monsieur de chez Gély !)

Il est bien évident que rien ne permet d'affirmer ou de nier l'authenticité de cette anecdote. Elle appelle cependant deux remarques. La première, c'est que le facétieux lecteur de la lettre ne s'est guère montré charitable envers la pauvrette qui ne savait pas lire ; si c'est Molière, il ne s'en trouve pas grandi. La seconde remarque est celle-ci : la lettre ne pouvait être écrite qu'en français, car les patois ne s'écrivent pas. (D'ailleurs, elle était fort probablement de la main d'un écrivain public.) Molière pouvait donc la lire. Mais pouvait-il la traduire à sa destinataire qui, apparemment, n'entendait que le languedocien ? Le narrateur de l'historiette, E. Raymond, dit qu'elle avait besoin d'un *interprète*. Dans ce cas, maître Gély aurait bien mieux fait l'affaire. Ou alors veut-on nous faire admettre que Molière avait eu le loisir, au cours de son séjour, d'assimiler et de pratiquer le dialecte de Pézenas dont il introduisit quatorze ans plus tard, dans *Monsieur de Pourceaugnac* [5], un échantillon qui n'était peut-être pas de sa plume ?

---

5. Acte II, sc. VIII (Lucette).

Il ne faut voir là qu'une scène de comédie patoisante passe-partout, qui pourrait être tout aussi bien picarde que languedocienne ou berrichonne [6]. Le nom de Molière ne sert qu'à lui donner un vernis de crédibilité. Tout cela est fort douteux, fort insignifiant, et l'historiette peut sans dommage rester dans l'oubli où elle est tombée.

6. Louis Moland, dans *Molière et la Comédie italienne* (Paris, Didier, 1867, p. 250), a signalé une situation comique analogue dans un canevas de Dominique, *Li due Arlecchini.*

1655-1656

La barbe impossible

Dans la boutique de Gély,
un client prend Molière pour le garçon barbier.

Voici encore une anecdote, ou plutôt une historiette, qui dérive directement de celle du fauteuil. C'est E. Raymond qui l'a publiée le premier [1], toujours sous la caution de Cailhava :

> Maître Gély court la pratique en ville, et Molière est resté seul dans la boutique, rêvant sans doute à son théâtre, à ses artistes, peut-être même à son avenir !
>
> Entre un lourdaud ; c'est le messager d'Aniane, client habituel de maître Gély, qui, prenant Molière pour un garçon nouvellement entré chez son ami, lui dit brusquement de le servir. Molière s'excuse, veut expliquer la méprise ; mais, sans l'écouter, le messager lui tourne le dos, dénoue sa cravate, s'assied et lui intime l'ordre de l'accommoder, et tôt !
>
> En présence d'un original si opiniâtre, Molière feint de se rendre et, familier avec tous les accessoires de la boutique, il apprête les rasoirs, la houppe, passe même la serviette de rigueur. Jusque-là, tout allait pour le mieux. Mais tandis que la savonnette jette sa mousse et que le lourdaud se prélasse sur son siège, Molière entame une lamentable histoire de vol, d'incendie, de brigandage ; histoire à faire envie à Anna Radcliffe [2], histoire à glacer d'effroi le cœur le plus intré-

1. *Histoire des pérégrinations...*, 1858, pp. 86-88.
2. Cette comparaison est évidemment du narrateur, puisque la romancière anglaise Anna Radcliffe, innovatrice de la littérature d'épouvante, vécut de 1764 à 1823.

pide. Ce sont les routiers, les huguenots, les bandouliers qui, descendant des Cévennes, ont envahi le bas pays et mettent tout à feu et à sang !

Absent depuis quelques jours de son domicile, le messager croit à ces désastres ; une émotion profonde l'agite... il pâlit !... les muscles de son visage se crispent !... sa peau devient rugueuse, et le rasoir refuse de glisser !

Mais Molière n'avait pas encore atteint le but qu'il s'était proposé : il assombrit un peu plus les teintes de son tableau, et les derniers paroxysmes de la peur ne tardent pas à s'emparer du messager. Hors de lui, il arrache convulsivement la serviette, se débarbouille comme il peut de la savonnade, abandonne chez Gély sa cravate, en signe de défaite, se sauve et ne reparut que longtemps après dans l'officine du barbier.

Lorsque ensuite Molière raconta aux habitués de Gély ce qui venait de lui arriver, d'un commun accord et riant aux éclats, tout l'aréopage convint d'appeler cette scène la *Barbe impossible*, et c'est sous ce titre qu'elle fut transmise de génération en génération jusqu'à l'époque où Cailhava la recueillit.

Après Raymond, il ne s'est trouvé qu'Albert-Paul Alliès, l'historien de Pézenas, pour reprendre cette anecdote [3]. Evidemment parce qu'elle a pour cadre la boutique du barbier, toujours existante, qui est là pour la valoriser. Et puis, après tout, un jeune comédien de vingt-quatre ans était bien capable de jouer une farce de ce genre à un lourdaud de village.

Puisque nous avons considéré comme très vraisemblable sinon authentique, l'histoire du *Fauteuil du barbier*, mettons la *Barbe impossible* sur le même plan (ou dans le même sac) que la *Lettre improvisée* : accordons-lui le bénéfice du doute, à la faveur de sa joviale insignifiance.

3. A.-P. Alliès, *Une ville d'Etats : Pézenas aux XVIe et XVIIe siècles*, Paris, E. Flammarion, 1908. (Réimpression de Montpellier, Causse et Castelnau, 1963, p. 277.)

1655-1656

Molière et le mari trompé

Surpris par le retour inopiné du mari,
Molière saute par la fenêtre de la dame de Pézenas
avec qui il était en galant entretien.

C'est encore Taschereau qui a publié le premier cette anecdote en 1844 [1] :

> La tradition de Pézenas fait de lui [Molière] le héros d'une aventure amoureuse dans laquelle il fit jouer à un mari le rôle que plus tard il devait être condamné à jouer lui-même. Il fut même, dit-on, surpris en tendre conversation, et obligé, pour échapper à de mauvais traitements, à sauter par une fenêtre.

Voilà qui est bien bref et peu circonstancié. Taschereau cite sa source : « Note manuscrite de M. Astruc », de même que pour l'histoire de la fontaine de Gignac. Il y a tout lieu de croire que ces notes manuscrites sont des réponses à des demandes de renseignements faites par Taschereau après la publication, en 1836, de la *Notice sur le fauteuil* d'Astruc. Taschereau, ayant eu connaissance de cette plaquette, a sans doute cherché à se faire confirmer, par son auteur, les anecdotes rapportées par Cailhava et par Jouy. (La première édition de Taschereau est de 1825, la seconde de 1828 ; les notes d'Astruc ne sont mentionnées que dans la troisième, en 1844.)

Il est curieux de constater que cette anecdote n'a pas été

1. *Histoire de la vie...* (3e édition), p. 18.

reprise par E. Raymond dans son *Histoire des pérégrinations*. Elle semble être ignorée des biographes pendant plus d'un demi-siècle. En 1908, Albert-Paul Alliès la tire de l'oubli, la développe et l'enjolive un peu [2] :

> Son cœur, blessé par les refus de la du Parc, n'était pas resté insensible au charme des femmes de Pézenas... Taschereau raconte une aventure qui faillit tourner au tragique, dont le futur auteur du *Misanthrope* fut, dit-on, le héros à Pézenas. Il la rapporte d'ailleurs d'après une note manuscrite d'un moliériste piscénois, M. François Astruc, qui la tenait lui-même de quelque descendant d'un contemporain de Molière.
>
> Notre jeune comédien s'était épris d'une femme mariée qui ne resta pas longtemps à répondre à ses avances. Pressée de lui accorder un témoignage plus réel de son amour, elle finit par combler ses vœux. Mais la petite ville est potinière et le mari ne tarda pas à connaître toute l'étendue de son infortune. Il résolut de surprendre les amoureux et de se venger. Il attendit donc, en se dissimulant, le retour de l'amant et ferma la porte derrière lui ; puis il se mit à sa poursuite, l'obligeant à chercher son salut par les fenêtres et les toits. Longtemps on raconta l'aventure...

Mais A.-P. Alliès est prudent et ne se laisse pas prendre au piège de sa propre imagination. Après avoir rappelé une autre anecdote du même genre (celle de la belle dame de Lavagnac, que nous allons voir un peu plus loin), il conclut : « Nous n'accordons pas beaucoup de crédit à ces anecdotes qui ne reposent sur aucun document du temps. »

C'est la sagesse même. En l'absence de tout document ou témoignage, il n'est pas possible de tenir les faits pour certains, ni même pour probables. « Ce n'est, dit Alliès, qu'un indice de la faveur populaire que le nom de Molière eut de tout temps à Pézenas [3]. »

2. *Une ville d'Etats...*, p. 263.
3. La faveur populaire est bien forte, en effet, puisque, dans la suite de son livre, Alliès ne peut s'empêcher de rapporter toute la série des anecdotes traditionnelles de Pézenas, d'après Taschereau ou E. Raymond.

1655-1656

La belle dame de Lavagnac

Au cours d'un de ses séjours en Languedoc, Molière aurait été aimé d'une châtelaine.

Le premier auteur à mentionner cette anecdote est Emmanuel Raymond [1] en 1858. Le récit en est bref :

> A Montagnac, on s'entretient encore des amours d'*aou Franciman** avec la belle châtelaine de Lavagnac ; c'est presque une légende.
>
> [* Expression languedocienne qui sert à désigner un homme du Nord, d'origine franke ; ici le mot *Franciman* s'applique à Molière.]

Pas d'autre commentaire, pas de référence, pas de justification. Trente ans après, un autre chroniqueur occitan, Auguste Baluffe [2], ne fait guère que paraphraser Raymond, qu'il cite :

> Une légende locale veut que, pendant le séjour de Molière à Pézenas, une intrigue amoureuse ait existé entre lui et une noble dame des environs, la châtelaine de Lavagnac. La baronne de Florac était bien une des habituées de l'hôtel d'Alfonce [3] ; et peut-être est-ce là, si intrigue il y eut jamais, que la liaison commença.

---

1. *Histoire des pérégrinations...*, p. 63.
2. *Autour de Molière*, Paris, Plon, 1889, pp. 97-98.
3. L'hôtel d'Alfonce est un des plus beaux bâtiments de Pézenas, encore presque intact aujourd'hui. Résidence du baron d'Alfonce de Clairac, grand prévôt de Guyenne, cet hôtel était le lieu de réunion habituel de toute la belle société de

Mais Baluffe ajoute en note :

> Si l'on avait la certitude de cette intrigue entre Molière et Mme de Florac, on pourrait être tenté d'ajouter qu'elle cessa d'être platonique vers la fin, car huit mois après le départ de Molière (il quitta Pézenas le 23 février 1656), on baptisait un enfant nouveau-né au château de Lavagnac. [Suit la transcription de l'acte de baptême.]

Tout cela ne prouve évidemment rien. L'acte de naissance indique que l'enfant, Françoise Gabrielle, est fille de François de Mirmand, baron de Florac, et d'Isabelle de Peyrat son épouse. Comment pourrait-il en être autrement ?

Auguste Baluffe — qui fut pourtant un biographe imaginatif prompt à bondir sur toutes les hypothèses, même les plus hasardeuses — ne pousse pas plus loin le commentaire. Après lui, en 1908, A.-P. Alliès ne fait que rappeler l'anecdote au passage, mais se refuse à lui accorder crédit... avec un soupir de regret.

Est-elle pour autant abandonnée, oubliée ? Non, elle refleurit soixante ans plus tard, dans un album intitulé *Merveilles des Châteaux de Provence* [4] :

> A la fin de l'année 1656, Isabeau de Mirman, baronne de Florac, donnait le jour, en son château de Lavagnac, à un enfant. Qui en était le père ? Une légende tenace cite Molière, alors comédien ordinaire du prince de Conti, gouverneur de Languedoc... Une idylle se noua-t-elle entre le directeur de l'Illustre Théâtre, auteur encore obscur, et la puissante châtelaine de Lavagnac ? Au risque de décevoir les esprits romanesques, il faut reconnaître que cette tradition ne semble reposer sur aucun texte du temps.

Tradition... Légende... On ne sort pas de là. Alors, que faut-il croire ? Tout simplement que la belle dame de Lava-

---

Pézenas. Son propriétaire le mit souvent à la disposition du prince de Conti, gouverneur de Languedoc, qui y donna de fastueuses réceptions pendant les sessions des Etats. Molière y joua *l'Etourdi* et y aurait donné la première représentation du *Médecin volant*.

4. Paris, Hachette-Réalités, 1965. Texte de Claude Frégnac, p. 209.

gnac eut peut-être, un jour, des bontés pour un « Franciman », un homme du Nord distingué, de passage dans la région de Pézenas. On en jasa quelque peu, puis on oublia, puis on en reparla un demi-siècle ou un siècle plus tard... Et comme l'homme du Nord le plus glorieux dont on ait gardé le souvenir à Pézenas est Molière, on en a fait le héros de l'histoire. C'est tout.

1655-1656

L'équipage aveugle

Molière et ses compagnons auraient été abandonnés sur la route par un voiturier peu scrupuleux qui prétendait que son attelage n'était plus en mesure d'avancer.

Cette anecdote apparaît pour la première fois en 1858 sous la plume d'Emmanuel Raymond [1] qui la raconte ainsi :

> Molière s'était, un jour, disposé à aller donner des représentations à Béziers, et pour qu'aucun contre-temps ne le surprît, encore que Béziers ne soit qu'à vingt-quatre kilomètres de Pézenas, dès la veille il se mit en route avec ses compagnons.
>
> Quoique attelée de trois chevaux, la patache roula lentement, suivant l'habitude ; et déjà la nuit répandait ses voiles sur les monts et les vallées, lorsque, la portière s'ouvrant brusquement, le voiturin apparaît aux comédiens et leur dit d'un ton impérieux :
>
> « Il m'est impossible de vous conduire plus loin !
>
> — Mais vous n'y pensez pas ? Nous n'avons pas fait la moitié du chemin, et nous sommes en rase campagne !
>
> — Qu'importe ? Je ne puis aller plus loin, vous dis-je. Il y a force majeure ; un coup de sang vient de paralyser l'œil droit de ma pouline (jeune bête de trente ans) !
>
> — Et pour un si mince accident vous voulez interrompre notre voyage ? Vos deux chevaux de droite et de gauche conduiront suffisamment la pouline ; marchez donc !
>
> — Impossible ! mon cheval de droite et mon cheval de gauche sont tous les deux aveugles ; la pouline seule les

1. *Histoire des pérégrinations...*, pp. 70-71.

entraînait, et avant ce dernier accident, elle était borgne !... »

A cette révélation inattendue, les comédiens se regardèrent stupéfaits et se résignèrent à achever, cahin-caha, la route à pied !

Ici, nous sommes en pleine galéjade, ou plutôt en pleine gasconnade. C'est là une de ces « bien bonnes » qu'on raconte dans les auberges ou les relais de poste, avec des gros rires, et qu'on rabâche ainsi pendant des années. Il y a beau temps que l'histoire n'amuse plus personne, mais on la raconte toujours et elle s'use de plus en plus. Alors, un jour, un petit malin s'avise d'y introduire Molière pour en raviver l'intérêt, et la voilà repartie pour un demi-siècle...

Il suffit pourtant de l'examiner un instant pour constater qu'elle ne tient pas debout, avec ou sans Molière. A supposer même qu'un incident aussi invraisemblable fût survenu, le « voiturin » n'allait pas débarquer ses voyageurs et rester là toute la nuit, immobile en rase campagne auprès de son attelage aveugle ! En attendant quoi ?

La seule solution logique eût été de prendre ses chevaux par la bride et de les mener au pas, avec les voyageurs dans la voiture, en retournant vers Pézenas, puisque l'on n'avait pas encore parcouru la moitié du chemin.

Molière, nous dit-on, s'était mis en route dès la veille de la représentation de Béziers, par précaution. Il pouvait donc exiger d'être ramené à Pézenas, même au pas, où l'on aurait sûrement pu trouver, dès l'aube, une autre voiture ou d'autres chevaux qui eussent permis d'arriver à temps à Béziers.

A qui fera-t-on croire que Molière et sa troupe, hommes et femmes, seraient docilement descendus de voiture et, chargés de leurs bagages et de leurs accessoires, auraient continué la route à pied, pendant treize kilomètres au moins, pour arriver dans la nuit, fourbus, à Béziers où la représentation ne devait avoir lieu que le lendemain ?

Cette histoire est à rayer impitoyablement des anecdotes moliéresques. D'ailleurs, à ma connaissance, elle n'a été reprise qu'une seule fois, en 1908, par A.-P. Alliès [2].

2. *Une ville d'Etats...*, p. 272.

Encore cet auteur n'en donne-t-il qu'une version très écourtée, et sans doute n'est-ce que par souci d'être complet, dans un ouvrage consacré à Pézenas en général et non à Molière en particulier.

1655-1656

Le déjeuner de Mèze

Dans la boutique de Gély, Molière fait le récit comique (?) de son déjeuner à Mèze où l'auberge a été envahie par des marchands provençaux trop bruyants.

Cette historiette, rapportée en 1858 par E. Raymond [1] d'après Cailhava, se rattache directement, comme celle de la « Lettre improvisée », à celle du fauteuil du barbier :

> Voici Molière de retour de Mèze [2], où il a été assailli par une compagnie de marchands provençaux dont le sans-façon et l'âcre gaieté ont désagréablement froissé la sensibilité de sa fibre.
>
> Il est déjà installé dans son fauteuil chez Gély, et à son attitude pensive, à son air soucieux, on reconnaît qu'il a eu une mauvaise journée ; aussi, pour se venger de ceux qui la lui ont infligée, se plaît-il à reproduire, dans le récit consacré à cette rencontre, le ton gausseur de ses commensaux, leurs mensonges insoutenables, leurs épithètes hyperboliques, leur *açent rrocailleux*, leurs intonations provocantes et jusqu'à leurs gestes bizarres et incessants : les roulements d'yeux, les contorsions grotesques, les hochements de tête narquois, les haut-le-corps outrecuidants, accessoires qui, à cette époque, mieux encore qu'aujourd'hui, rehaussaient toujours l'éloquence provençale. La tradition assure que Molière excellait dans la mise en scène de cette charge, que l'on était convenu d'appeler *le Déjeuner de Mèze*.

---

1. *Histoire des pérégrinations...*, pp. 83-84.
2. En un autre passage (p. 61), E. Raymond nous apprend que les comédiens de passage à Mèze descendaient habituellement à l'Auberge du Saint-Esprit qui, pour cette raison, porta encore pendant près d'un demi-siècle le sobriquet d'Auberge des Comédiens. C'était un relais de poste réputé pour sa bonne table.

C'est tout. J'ai pensé qu'il fallait citer cette historiette parce qu'elle fait partie de la « Suite languedocienne », mais que nous apprend-elle ? Que Molière était bon observateur et bon imitateur. C'est certain. Ce qui est tout aussi certain, c'est que les Languedociens qui ont rapporté (ou inventé) cette mince anecdote ont eu surtout dessein de se gausser, par Molière interposé, de leurs voisins les Provençaux. Quoi qu'il en soit, le manque de substance est tel que toute discussion semble superflue.

La « traversée du désert » s'achève. Elle aura duré treize ans ! La réputation durement acquise en province, les recommandations de personnages haut placés permettent à Molière d'envisager un retour à Paris.

Le 24 octobre 1658, il est admis à l'honneur de jouer devant Louis XIV et sa cour, dans la salle des gardes du Louvre, Nicomède *de Corneille et* le Docteur amoureux, *farce en un acte de sa composition. Ce n'est pas la consécration, mais c'est le tremplin vers la notoriété.*

Huit jours plus tard, Molière dispose d'une salle, le Petit-Bourbon, où il joue en alternance avec les comédiens italiens. Le 2 novembre, c'est la grande première parisienne de l'Etourdi. *Le mois suivant, c'est* le Dépit amoureux. *Entretemps, les représentations des tragédies de Corneille n'ont pas enthousiasmé le public. C'est vers le genre comique que doivent s'orienter Molière et sa compagnie, autorisée à s'intituler* Troupe de Monsieur, frère unique du Roy.

(circa) 1658 sqq.

Molière et la « prononciation normande »

Molière exigeait de ses comédiens la prononciation correcte des infinitifs en er, *généralement non respectée par la plupart des gens.*

Nous savons cela par un docte grammairien, très attaché à la phonétique, Jean Hindret, continuateur de Vaugelas, qui publia en 1687 un traité de *l'Art de bien prononcer et de bien parler la langue françoise*, dédié à M. le duc de Bourgogne, qui fut réédité en 1696 et 1711 sous le titre un peu différent de *l'Art de prononcer parfaitement la langue françoise*.

Comment prononçait-on le plus souvent, mais à tort, l'infinitif des verbes en *er ?* On faisait sonner l'*r* final et on ouvrait l'*e* qui le précède, c'est-à-dire que la terminaison sonnait de même que celle d'*enfer, amer* ou *hiver*, par exemple.

C'est contre cette prononciation vicieuse, dite « normande » que Vaugelas s'était déjà élevé en 1647 dans ses *Remarques sur la langue françoise*. Ecoutons-le :

> Je ne m'estonne pas qu'en certaines provinces de France, particulièrement en Normandie, on prononce par exemple l'infinitif *aller* avec l'*e* ouvert, qu'on appelle, comme pour rimer richement avec *l'air*, tout de même que si l'on escrivoit *allair* ; car c'est le vice du pays, qui pour ce qui est de la prononciation manque en une infinité de choses [1].

---

1. Rappelons, au passage, que nous appelons toujours « rime normande », en versification, le cas où deux mots, dont un infinitif en *er*, ne riment plus aujourd'hui que pour l'œil, comme par exemple *aimer* et *mer*.

Quelle est donc la prononciation correcte ? Vaugelas nous le dit un peu plus loin : il faut

> [...] prononcer ces infinitifs *aller, prier, pleurer* comme s'ils n'avoient point d'*r* à la fin, tout de même que l'on prononce le participe *allé, prié, pleuré*, etc. sans aucune différence [...]. La plupart de ceux qui parlent en public, soit dans la chaire ou dans le barreau, quoiqu'ils aient accoustumé de bien prononcer en leur langage ordinaire, font encore sonner cette *r* et cet *e* comme si les paroles prononcées en public demandoient une autre prononciation que celle qu'elles ont en particulier ou dans le commerce du monde [2].

Quarante ans plus tard, Hindret revient sur la question et loue Vaugelas de son action réformatrice :

> M. de Vaugelas a fait une ample remarque sur ces *r* finales et sur la prononciation des *e* qui les précèdent, et je ne doute pas qu'elle n'ait beaucoup contribué à en réformer les abus [3].

Après quoi, quelques lignes plus loin, Hindret rend hommage à l'action efficace de Molière en faveur de la bonne prononciation :

> Ajoutez encore à cette remarque les soins que Molière a pris de la faire valoir en la faisant observer à ses acteurs et en les désaccoutumant peu à peu de la mauvaise habitude qu'ils avoient contractée de jeunesse dans la prononciation de ces syllabes finales. Il a si bien corrigé le défaut de cette manière de prononcer que nous ne voyons pas un homme de théâtre qui ne s'en soit entièrement défait, et qui ne prononce régulièrement les syllabes de nos infinitifs terminés en *er*. Ce qui ne se faisoit pas il y a trente ans, particulièrement parmi les comédiens de province, qui prononçoient très mal cette syllabe finale, et dont ils se sont corrigés [4].

2. Edition originale de 1647, Paris, Camusat et Le Petit, pp. 437-438.
3. Edition de 1696, Paris, Laurent d'Houry, t. II, p. 736.
4. *Ibid.*, pp. 737-738.

Quant à la question de la liaison entre la terminaison *er* et la voyelle initiale d'un mot suivant (ex. : aller à Paris), Hindret est d'avis qu'elle *peut* être faite, à condition qu'elle soit légère, sans insistance, et que la voyelle *e* ait bien le son *é*. Ce qui est, de fait, la prononciation correcte d'aujourd'hui, où nous ne faisons généralement cette sorte de liaison que dans les textes en vers, avec toute la discrétion possible.

Cette anecdote me semble devoir être tenue pour un fait avéré, Molière étant ici cité en exemple par un contemporain parfaitement sérieux, qualifié et digne de foi. De quand faut-il la dater ? Parlant de sa bonne manière de prononcer, Hindret dit, en 1687 : « ce qui ne se faisoit pas il y a trente ans ». Cela nous met donc en 1657, dix ans après la publication des *Remarques* de Vaugelas qui n'avaient évidemment pas encore atteint leur plein effet.

Nous pouvons donc admettre que Molière a commencé à se montrer très attentif à l'élocution de ses comédiens dès qu'il fut un véritable chef de troupe établi à Paris, soucieux de ne pas offusquer les oreilles de la Cour et de la ville par des prononciations provinciales, c'est-à-dire à partir de 1658, sinon plus tôt encore, et qu'il n'a jamais cessé d'y veiller jusqu'à la fin de sa carrière et de sa vie. Mais, exigeant à la scène, il l'était sans doute moins dans son particulier, et ce n'est certainement pas lui qui aurait chassé sa servante

... avec un grand fracas
A cause qu'elle manque à parler Vaugelas.

Le 18 octobre 1659 est une grande date : celle de la création des Précieuses ridicules *qui connurent un succès fracassant.*

Molière était Mascarille, comme dans l'Etourdi *; Jodelet était... Jodelet, comme au théâtre du Marais qu'il venait de quitter ; Madeleine Béjart était Madelon ; Catherine de Brie, Cathos ; deux acteurs nouveaux jouaient leur propre personnage : Du Croisy et La Grange. Ils ne savaient pas encore que leurs noms passeraient à la postérité, l'un parce qu'il fut Tartuffe, l'autre parce qu'il nous laissa son inestimable* Registre.

« Courage, Molière !... »

Un spectateur enthousiaste aurait crié un encouragement à Molière lors d'une des premières représentations des Précieuses ridicules.

Cette anecdote très connue se trouve mentionnée pour la première fois en 1705 dans la *Vie de M. de Molière* de Grimarest [1] :

> Un jour que l'on représentoit cette pièce, un vieillard s'écria du milieu du parterre : « Courage, courage, Molière, voilà la bonne comédie !» Ce qui fait bien connoître que le théâtre comique étoit alors bien négligé, et que l'on étoit fatigué de mauvais ouvrages avant Molière, comme nous l'avons été après l'avoir perdu.

De qui Grimarest tenait-il son information, révélée quarante-six ans après les faits ? On ne sait. En tout cas, l'anecdote ne fut mise en doute par personne. La Serre l'adopta en 1734 [2], Goldoni en 1751 [3], La Harpe en 1799 [4], Petitot en 1812 [5]. Taschereau, qui la reprit à son tour en 1825 [6], a vu dans l'exclamation du spectateur enthousiaste « le jugement de la postérité ». La popularité de l'anecdote est donc bien établie.

---

1. Edition Mongrédien, 1955, p. 48.
2. *Mémoires sur la vie et les ouvrages de Molière*, en tête de la grande édition de la Compagnie des libraires (t. I, p. XXIV).
3. Dans sa comédie *Il Moliere*, représentée d'abord à Venise et à Turin. Une adaptation française, par Louis-Sébastien Mercier, parut en 1776.
4. *Lycée ou Cours de littérature ancienne et moderne* (t. V, p. 398).
5. *Vie de Molière*, en tête de l'édition H. Nicolle, p. 17.
6. *Histoire de la vie et des ouvrages de Molière* pp. 44-45.

La contestation n'apparaît qu'en 1847, dans un article de la *Revue des Deux-Mondes* intitulé « Les commencements de la vie de Molière » [7], et signé A. Bazin. Pour cet historien, l'anecdote « a tout l'air d'avoir été faite après coup ; elle date de 1705 et, ce qui est pis, elle vient de Grimarest ». Car Bazin ne porte pas Grimarest dans son cœur [8].

Pourtant Louis Moland, dans sa notice biographique intitulée *Molière, sa vie et ses ouvrages* [9] (1863), ne peut se résoudre à rejeter l'assertion de Grimarest (dont il ne cite pas le nom), mais trouve une manière habile de garder l'esprit de l'anecdote, à défaut de la lettre :

> La tradition prétend qu'un vieillard se serait écrié : « Courage, Molière ! voilà la bonne comédie ! » C'est tout le parterre qui probablement en jugea ainsi, et dont cette expression peut servir à rendre l'impression.

En 1875, Eugène Despois, dans sa « Notice » des *Précieuses ridicules* [10], cite l'anecdote et sa condamnation par Bazin, mais ne se prononce pas.

Paul Mesnard, dans sa monumentale *Notice biographique* (1889), adopte une attitude analogue à celle de Moland :

> Quand on regarderait comme sorti de l'imagination de Grimarest le vieillard que, dans une représentation des *Précieuses*, il fait s'écrier au milieu du parterre : « Courage, courage, Molière ! voilà la bonne comédie ! », on peut être sûr que tel fut le jugement prononcé par les connaisseurs, par Boileau tout le premier [11].

---

7. *Revue des Deux-Mondes*, 15 juillet 1847 (t. XIX, p. 284). Un second article, intitulé « Les dernières années de Molière », parut le 15 janvier 1848. Les deux études ont été ensuite réunies en un volume sous le titre : *Notes historiques sur la vie de Molière*, Paris, Techener, 1851 (voir p. 61).

8. Signalons en passant qu'il ne se montre pas non plus très tendre à l'égard de Taschereau qu'il qualifie, en ironisant sur son nom, mais sans le citer, de « biographe laborieux » (p. 6).

9. En tête de l'édition des *Œuvres complètes* de Molière, Paris, Garnier, 1863 (t. I, p. XCIV). Le même texte, revu et augmenté, a été réimprimé par la suite à part, sous le titre : *Vie de J.-B. P. Molière*, Paris, Garnier, 1892 (voir p. 126).

10. Edition des « Grands Ecrivains de la France », t. II, p. 13.

11. *Ibid.*, t. X, p. 216.

La grande période du « moliérisme » touche à sa fin. La Belle Epoque flambe et s'éteint dans la guerre. Les études moliéresques, en sommeil, vont cependant reprendre leur essor, avec de nouveaux commentateurs. En 1923, dans *les Débuts de Molière à Paris* [12], Gustave Michaut prononce à l'encontre de Grimarest une nouvelle condamnation, mais il lui accorde des circonstances atténuantes « sur le fond » :

> Laissons de côté l'histoire du « vieillard » qui se serait écrié du milieu du parterre : « Courage, courage, Molière, voilà la bonne comédie ! » C'est une de ces inventions comme Grimarest en a tant : on le verra plus loin mettre de même en scène un « bourgeois », un « connaisseur », un « courtisan », etc., également anonymes. Ici, il a adapté aux *Précieuses* ce que Chalussay avait dit du *Dépit amoureux :*
>
> *Et de tous les côtés chacun cria tout haut :*
> *C'est là faire et jouer des pièces comme il faut* [13].

Il me semble raisonnable d'admettre le jugement de Gustave Michaut, pertinent et motivé, et de conclure que Grimarest a « cristallisé », sur un personnage symbolique, l'opinion générale du moment. En tout cas, ce jugement paraît avoir fait jurisprudence. Ramon Fernandez [14] résiste encore un peu en citant, au conditionnel, l'exclamation du vieillard « que l'on veut légendaire », mais les biographes et commentateurs ultérieurs (Pierre Brisson, Antoine Adam, Georges Bordonove, Pierre Gaxotte) ne mentionnent plus l'anecdote de Grimarest. Mais elle a fait malgré tout une réapparition en 1972, après un détour par la Russie, dans *le Roman de Monsieur de Molière*, de Mikhaïl Boulgakov [15]. Gageons qu'elle reparaîtra encore.

---

12. Paris, Hachette, pp. 22-23.
13. *Elomire hypocondre*, 1670, acte IV, sc. II.
14. *La Vie de Molière*, Paris, Gallimard, 1929, p. 79.
15. Paris, Editions Champ Libre, p. 120. L'œuvre originale en langue russe est de 1933.

1659

Une bouffée d'orgueil ?

Après le succès des Précieuses ridicules,
Molière aurait quelque peu manqué de modestie
en exprimant sa satisfaction.

Soixante-deux ans se sont écoulés entre les faits présumés et leur relation écrite. Celle-ci n'apparaît qu'en 1721, dans le *Segraisiana* [1].

Il est évidemment très regrettable que Segrais — qui fut, comme Ménage, un des habitués de l'hôtel de Rambouillet, temple de la préciosité — n'ait pas laissé un témoignage direct.

Voici ce qu'on lui fait dire :

> Ce furent les *Précieuses* qui mirent Molière en réputation. La pièce ayant eu l'approbation de tout Paris, on l'envoya à la cour, qui étoit alors au voyage des Pyrénées, où elle fut très bien reçue ; cela lui enfla le courage : « Je n'ai plus que faire, dit-il, d'étudier Plaute et Térence, ni d'éplucher les fragments de Ménandre : je n'ai qu'à étudier le monde. »

Il n'y a aujourd'hui aucun moyen de vérifier si la pièce fut ou non envoyée à la cour en déplacement. Ce n'est pas impossible. On peut trouver à cela deux raisons. L'une est que, si l'on en croit Somaize [2], un « alcôviste de qualité » aurait réussi à faire interdire la pièce (par qui ?) dès le

1. *Segraisiana, ou Mélange d'histoire et de littérature, recueilli des entretiens de M. de Segrais*, Paris, Compagnie des libraires associés, 1721, p. 212.
2. *Le Grand dictionnaire des « Précieuses »*, Paris, Ribou, 1661. Réédition de 1856, t. I, pp. 188-189.

lendemain de la première représentation. Dans ce cas, Molière aurait pu solliciter l'intervention de Monsieur, son protecteur officiel, auprès de son royal frère pour faire lever l'interdiction [3]. L'autre raison est que, la pièce connaissant un succès considérable, et la cour étant absente, Molière souhaitait qu'elle eût connaissance au plus vite de cette comédie qui mettait le beau monde en effervescence [4].

Quoi qu'il en soit, admettons que la pièce ait été envoyée à la cour et qu'elle y ait été « très bien reçue ». La joie de Molière est extrême. Il n'y a d'ailleurs qu'à relire, pour s'en convaincre, la préface qu'il a mise en tête de l'édition des *Précieuses* sortie des presses le 29 janvier 1660 : c'est la jubilation !

Cela étant, faut-il admettre aussi que Molière ait fait la déclaration que lui prête le *Segraisiana* ?

Dans sa *Notice biographique sur Molière* (t. X de l'édition des « Grands Ecrivains de la France », p. 217), Paul Mesnard est catégorique : « Comment a-t-on pu lui attribuer de telles hâbleries ?... Pour de si ridicules emportements d'un orgueil qui ne voit plus rien à apprendre des plus grands maîtres, il avait trop de jugement et de bon goût. »

C'est une opinion, ce n'est pas une preuve. Pour ma part, ce n'est pas tant la bouffée d'orgueil qui me fait douter de l'authenticité de cette déclaration, c'est le fait qu'elle semble un peu trop résumer les appréciations des contemporains :

La comparaison avec Térence a été faite par La Fontaine en 1661 :

Nous avons conclu d'une voix
Qu'il alloit ramener en France
Le bon goût et l'air de Térence [5].

Donneau de Visé l'a reprise à son compte en 1663 :

---

3. L'interdiction, si elle a eu lieu, n'a laissé aucune trace écrite. La seule chose certaine est que quatorze jours s'écoulèrent entre la première représentation (18 novembre 1659) et la seconde (2 décembre). La Grange mentionne ces dates dans son *Registre* sans aucun commentaire sur l'interruption.

4. Louis XIV n'assista à une représentation des *Précieuses* que le 29 juillet 1660, à Vincennes.

5. *Lettre à Maucroix*, 22 août 1661.

Il peut passer pour le Térence de notre siècle [6].

Tout cela pouvait être connu du rédacteur du *Segraisiana* [7]. Et surtout je ne peux me défendre de penser que ces lignes ont pu être écrites par quelqu'un qui connaissait l'épitaphe de Molière par La Fontaine :

Sous ce tombeau gisent Plaute et Térence,
Et cependant le seul Molière y gît...

Il faut, je pense, comme le dit si justement Eugène Despois [8], tenir pour suspecte « cette anecdote tant répétée mais de provenance équivoque et de révélation tardive. » [9]

---

6. *Nouvelles nouvelles*, t. III.
7. La paternité de cet ouvrage est attribuée soit à Bernard de La Monnoye (qui contribua à la troisième édition du *Menagiana*, 1715), soit à Antoine Galland.
8. Notice des *Précieuses ridicules*, édition des « Grands Ecrivains de la France », t. II, p. 16, n° 1.
9. Le grand peintre Eugène Delacroix ne semblait guère mettre en doute l'anecdote, car il l'a citée comme un exemple s'appliquant à tous les artistes. Il écrit dans son *Journal*, à la date du 30 septembre 1855 : « Il faut absolument que, dans un moment quelconque de leur carrière, ils [les artistes] arrivent, non pas à mépriser tout ce qui n'est pas eux, mais à dépouiller complètement ce fanatisme, presque toujours aveugle, qui nous pousse tous à l'imitation des grands maîtres et à ne jurer que par leurs ouvrages. [...] Ce qu'ils ont fait les regarde ; rien ne m'enchaîne à celui-ci ou à celui-là. Il faut apprendre à se savoir gré de ce qu'on a trouvé ; une poignée d'inspiration naïve est préférable à tout. Molière, dit-on, ferma un jour Plaute et Térence ; il dit à ses amis : « J'ai assez de ces modèles : je regarde à présent en moi et autour de moi. » (Eugène Delacroix, *Journal*, Paris, Plon, Nourrit et Cie, 1893. Réédition Plon, 1981.)

Molière et sa servante

Molière lisait ses nouvelles pièces à sa servante afin de mieux juger, par avance, de l'effet qu'elles devaient produire sur le « grand public ».

C'est une des plus célèbres anecdotes moliéresques, et peut-être la plus populaire de toutes, celle dont se souviennent même les personnes qui n'ont qu'une connaissance vague ou lointaine de l'auteur et de son œuvre.

On a lu et relu cette anecdote dans tant de manuels scolaires, de biographies (romancées ou non), d'études diverses, que l'on oublie facilement qui l'a racontée pour la première fois, et où. C'est Boileau, dans un ouvrage que l'on n'a pas souvent sous les yeux : il s'agit des *Réflexions sur Longin* [1].

L'anecdote se trouve dans la *Réflexion I*, datée de 1693. La voici, au milieu de son contexte que personne ne cite jamais, ce qui à mon avis est un grand tort : la connaissance de celui-ci permet de porter un jugement sérieux sur la véracité de l'anecdote.

> Longin nous donne, par son exemple, un des plus importans préceptes de la rhétorique, qui est de consulter nos amis sur nos ouvrages, et de les accoutumer de bonne heure à ne

1. Ces *Réflexions* ont été insérées par Boileau dans l'édition de 1694 de ses œuvres, en annexe à sa traduction du *Traité du Sublime* de Longin (Cassius Longinus) qu'il avait publiée pour la première fois en 1674. Bien plus que des commentaires sur l'ouvrage du rhéteur grec, elles constituent une riposte, souvent très acerbe, aux attaques portées par Charles Perrault contre les Anciens dans ses *Parallèles*. Le titre complet, d'ailleurs, est explicite : *Réflexions critiques sur quelques passages du rhéteur Longin, où, par occasion, on répond à plusieurs objections de M. Perrault contre Homère et contre Pindare, et tout nouvellement à la dissertation de M. Leclerc contre Longin, et à quelques critiques faites contre M. Racine.*

nous point flatter. Horace et Quintilien nous donnent le même conseil en plusieurs endroits ; et Vaugelas, le plus sage, à mon avis, des écrivains de notre langue, confesse que c'est à cette salutaire pratique qu'il doit ce qu'il a de meilleur dans ses écrits. Nous avons beau être éclairés par nous-mêmes, les yeux d'autrui voient toujours plus loin que nous dans nos défauts ; et un esprit médiocre fera quelquefois apercevoir le plus habile homme d'une méprise qu'il ne voyoit pas. On dit que Malherbe consultait sur ses vers jusqu'à l'oreille de sa servante ; et *je me souviens que Molière m'a montré aussi plusieurs fois une vieille servante qu'il avoit chez lui, à qui il lisoit, disoit-il, quelquefois ses comédies ; et il m'assuroit que lorsque des endroits de plaisanterie ne l'avoient point frappée, il les corrigeoit, parce qu'il avoit plusieurs fois éprouvé sur son théâtre que ces endroits n'y réussissoient point.* Ces exemples sont un peu singuliers et je ne voudrois pas conseiller à tout le monde de les imiter. Ce qui est certain, c'est que nous ne saurions trop consulter nos amis.

On le voit, le contexte éclaire l'anecdote. Elle n'est pas citée là par Boileau comme un potin, un trait plaisant qu'il rapporte, mais comme un exemple, un argument à l'appui d'une thèse qu'il soutient. Elle n'est pas insérée dans un recueil d'historiettes qui ne vise qu'à divertir, mais dans un ouvrage qui veut prouver. C'est pourquoi je pense qu'il y a tout lieu de conclure à l'authenticité du fait, que Boileau déclare tenir de Molière lui-même. Qui plus est, j'irais volontiers jusqu'à admettre que l'anecdote était déjà répandue dans le public bien avant que Boileau l'eût consignée par écrit, et peut-être même du vivant de Molière.

Onze ans après Boileau, c'était au tour de Grimarest de citer l'anecdote en ces termes [2] :

Molière n'épargnoit ni soins ni veilles pour soutenir et augmenter la réputation qu'il s'étoit acquise... Il consultoit ses amis ; il examinoit avec attention ce qu'il travailloit ; *on sait même que lorsqu'il vouloit que quelque scène prît le peuple*

2. *La Vie de M. de Molière*, 1705, éd. Mongrédien, 1955, p. 70.

des spectateurs[3]*, comme les autres, il la lisoit à sa servante pour voir si elle en seroit touchée.*

Grimarest ne nous dit rien de plus que Boileau. Mais l'expression qu'il emploie : « on sait même que... » montre bien qu'il tient le fait pour avéré, connu du public, et qu'il se borne à le rappeler. Cette servante, Grimarest est le premier biographe à citer son nom — ou plutôt son surnom : on l'appelait Laforêt[4].

Brossette, dans l'édition des œuvres de Boileau qu'il donna en 1716, cite en note le nom de Laforêt (que Boileau n'avait pas mentionné) et complète l'anecdote par cette remarque :

> Un jour, Molière, pour éprouver le goût de cette servante, lui lut quelques scènes d'une comédie qu'il disoit être de lui, mais qui étoit de Brécourt, comédien[5]. La servante ne prit point le change ; et, après en avoir ouï quelques mots, elle soutint que son maître n'avoit pas fait cette pièce[6].

Cette déclaration n'est confirmée, à ma connaissance, par aucun autre document. Malgré cela, je pense qu'il y a lieu de faire confiance à Brossette dont les assertions, en bien d'autres points, se sont trouvées vérifiées. Et nous admettrons volontiers que Molière était bien homme à se livrer, histoire de rire un brin, à cette mise à l'épreuve.

En tout cas, si l'on veut bien se donner la peine d'aller dans une bibliothèque consulter *la Noce de village* (jouée en 1666 à l'Hôtel de Bourgogne), on pourra voir que le style et l'esprit sont loin de ceux de Molière. C'est l'avis de M. Georges Mongrédien : « En effet la lecture est bien monotone de cette bouffonnerie qui n'a ni l'entrain ni la verve endiablée d'une farce comme *la Jalousie du barbouillé*[7]. » Suivons Molière, et fions-nous au bon sens de Laforêt.

3. Nous dirions aujourd'hui « le public populaire ». Quant aux « autres », ce sont évidemment les spectateurs d'élite, les gens de qualité.
4. « La Forest étoit une servante qui fesoit alors tout son domestique... » *Ibid.*, p. 79.
5. Il s'agit de *la Noce de village*.
6. *Œuvres de M. Boileau Despréaux, avec des éclaircissements historiques*, Genève, 1716, t. II, p. 114, n° 1.
7. *Les Grands Comédiens du XVIIe siècle*, 1927, p. 271.

En 1719 paraît un ouvrage important : les *Réflexions critiques sur la poésie et la peinture*[8], par l'abbé Du Bos qui allait entrer à l'Académie française l'année suivante et en devenir, en 1722, le secrétaire perpétuel. On y lit :

> Des artisans éclairez consultent quelquefois des personnes qui ne sçavent point les règles de leurs arts, mais qui sont capables néanmoins de donner des décisions sur l'effet d'un ouvrage composé pour toucher les hommes parce qu'elles sont douées d'un naturel très sensible. [...] Elles deviennent, pour ainsi dire, une pierre de touche qui donne à connoître distinctement si le mérite principal manque ou non dans l'ouvrage qu'on leur montre ou qu'on leur lit.
>
> Ainsi quoique ces personnes ne soient point capables de contribuer à la perfection d'un ouvrage par leur avis ni même de rendre méthodiquement raison de leur sentiment, leur décision ne laisse pas d'être juste et sûre. On sait plusieurs exemples de ce que je viens d'avancer, et que Malherbe et Molière mettoient même leurs servantes de cuisine au nombre de ces personnes auxquelles ils lisoient leurs vers pour éprouver *si ces vers prenoient*. Qu'on me pardonne l'expression favorite de nos poètes dramatiques[9].

L'abbé Du Bos soutient ici Boileau dans sa théorie, qui est aussi celle de l'abbé d'Aubignac que Du Bos cite dans un autre passage : « Il en est du théâtre comme de l'éloquence ; les perfections n'en sont pas moins sensibles aux ignorans qu'aux sçavans, bien que la raison ne leur en soit pas également connue[10]. » Et comme *preuve* de ce qu'il affirme, Du Bos cite l'anecdote de la servante de Molière (et de celle de Malherbe). C'est donc qu'il la considère elle-même comme véritablement *prouvée*. L'ouvrage de l'abbé Du Bos aura un grand retentissement, et ses nombreuses rééditions continueront à propager et fortifier encore l'anecdote pendant des décennies.

Toujours présente à l'esprit du public, presque déjà passée en proverbe, elle est mentionnée comme un fait acquis

8. Paris, P.J. Mariette, 1719, 2 vol. in-12.
9. Edition de 1733, t. II, pp. 332-333.
10. *Ibid.*

par Alexis Piron dans une de ses œuvres, *la Métromanie*, comédie en cinq actes, en vers, représentée en 1738. On y voit un poète mondain, Damis, discuter avec son valet Mondor, lequel lui paraît raisonner de manière étonnamment sensée pour un homme de sa condition (acte III, sc. XI) :

DAMIS

Le bon sens du maraud quelquefois m'épouvante.

MONDOR

Molière avec raison consultoit sa servante.

La popularité continue. Vient alors ce grincheux de Jean-Jacques Rousseau qui ne nie pas l'anecdote, mais qui se montre rétif à admettre qu'une servante puisse être sensible à autre chose que le comique appuyé. Les domestiques sont des êtres inférieurs, bornés, incapables d'apprécier ce qui est beau. Voici ce qu'il écrivait au père Le Sage, en 1754, dans une lettre où il est surtout question de musique et, en particulier, de celle qui ne peut plaire qu'aux gens cultivés et n'est pas à la portée du « populaire » :

> Si Molière a consulté sa servante, c'est sans doute sur le *Médecin malgré lui*, sur les saillies de Nicole, et la querelle de Sosie et de Cléanthis : mais, à moins que la servante de Molière ne fût une personne fort extraordinaire, je parierois bien que ce grand homme ne la consultoit pas sur le *Misanthrope* ni sur le *Tartuffe*, ni sur la belle scène d'Alcmène et d'Amphitryon. Les musiciens ne doivent consulter les ignorans qu'avec le même discernement, d'autant plus que l'imitation musicale est plus détournée, moins immédiate, et demande plus de finesse de sentiment pour être aperçue que celle de la comédie [11].

Cailhava, qui était un homme de théâtre, se garde bien de suivre Rousseau dans son pari. Il savait, lui, que les « igno-

---

11. *Correspondances*, LXXIX, dans : *Œuvres complètes* de J.-J. Rousseau, Paris, Hachette, 1910, t. X, p. 85. — Bret exprimera un peu plus tard un avis analogue dans le « Supplément à la vie de Molière », placé en tête de son édition des *Œuvres* de Molière, 1773, t. I, pp. 63-64.

rans » ne sont pas forcément des imbéciles et que les nuances peuvent leur être perceptibles. Il réplique, dans son étude sur *le Médecin malgré lui* :

> Voilà, disent bien des personnes, voilà une de ces pièces que Molière lisoit à sa servante, et non ses chefs-d'œuvre. Pourquoi pas ? Je demande si la bonne La Forêt n'auroit pas senti tout le piquant des bons conseils dont Célimène paye ceux d'Arsinoé [12].

Taschereau prend le parti de Rousseau et répond à Cailhava :

> Non, elle ne l'aurait pas senti ; à moins toutefois que la servante Laforêt ne fût pas seulement *bonne*, mais qu'elle fût en même temps une *personne fort extraordinaire* pour le rang où elle se trouvait [13].

« Si elle l'aurait senti ! » réplique Musset, homme de théâtre lui aussi, en douze vers bien frappés :

> Ah ! pauvre Laforêt qui ne savais pas lire,
> Quels vigoureux soufflets ton nom seul a donnés
> Au peuple travailleur des discuteurs damnés !
> Molière t'écoutait lorsqu'il venait d'écrire.
> Quel mépris des humains dans le simple et gros rire
> Dont tu lui baptisais ses hardis nouveau-nés !
>
> Il ne te lisait pas, dit-on [14], les vers d'Alceste ;
> Si je les avais faits, je te les aurais lus.
> L'esprit et les bons mots auraient été perdus,
> Mais les meilleurs accords de l'instrument céleste
> Seraient allés au cœur comme ils en sont venus.
> J'aurais dit aux bavards du siècle :« A vous le reste. » [15]

Il faut maintenant conclure. Je crois que nous devons tenir

---

12. *Etudes sur Molière*, 1802, p. 155.
13. *Histoire de la vie et des ouvrages de Molière*, 1825, p. 160.
14. « On », c'est évidemment Rousseau.
15. *Namouna* (1832), Chant. II, st. X et XI. Dix ans plus tard, Musset s'écriera : « Vive le mélodrame où Margot a pleuré ! »

pour assuré que Molière — même s'il n'en faisait pas une règle générale — a souvent lu à sa servante au moins des fragments des pièces qu'il était en train d'écrire, et qu'il a tenu compte de ses réactions. Boileau, qui a le premier consigné l'anecdote par écrit, était un ami de Molière ; Grimarest, qui fut le second à la citer, en avait eu confirmation par son informateur Baron, acteur de la troupe et familier du maître. Peu d'anecdotes moliéresques ont un tel « coefficient d'authenticité ».

Boileau et Grimarest ont donné à Laforêt la notoriété. Musset lui a conféré l'immortalité. Ayons pour elle une pensée émue, en nous disant qu'elle fut peut-être la seule personne au monde à avoir entendu certaines scènes de Molière qui n'ont pas vu les feux de la rampe, et dont nous n'aurons jamais la moindre idée.

L'âne récalcitrant

Molière, dans le rôle de Sancho Pança, eut fort à faire avec un âne qui voulait à toute force entrer en scène trop tôt.

Grimarest, le premier, raconte l'incident en ces termes :

> Quelque temps après le retour de Baron, on joua une pièce intitulée *Don Quixote* (je n'ai pu savoir de quel auteur). On l'avoit prise dans le temps que Don Quixote installe Sancho Pança dans son gouvernement.
>
> Molière faisoit Sancho ; et comme il devoit paraître sur le théâtre monté sur un âne, il se mit dans la coulisse pour être prêt à entrer dans le moment que la scène le demanderoit.
>
> Mais l'âne, qui ne savoit point le rôle par cœur, n'observa point ce moment, et dès qu'il fut dans la coulisse il voulut entrer, quelques efforts que Molière employât pour qu'il n'en fît rien. Sancho tiroit le licou de toute sa force ; l'âne n'obéissoit point ; il vouloit absolument paroître. Molière appeloit : « Baron, Laforêt, à moi ! Ce maudit âne veut entrer ! »
>
> Laforêt étoit une servante qui faisoit alors tout son domestique, quoiqu'il eût près de trente mille livres de rente. Cette femme étoit dans la coulisse opposée, d'où elle ne pouvoit passer par-dessus le théâtre pour arrêter l'âne ; et elle rioit de tout son cœur de voir son maître renversé sur le derrière de cet animal, tant il mettoit de force à tirer son licou pour le retenir.
>
> Enfin, destitué de tout secours, et désespérant de pouvoir vaincre l'opiniâtreté de son âne, il prit le parti de se retenir

> aux ailes du théâtre [1], et de laisser glisser l'animal entre ses jambes pour aller faire telle scène qu'il jugeroit à propos.
>
> Quand on fait réflexion au caractère d'esprit de Molière, à la gravité de sa conduite et de sa conversation, il est risible que ce philosophe fût exposé à de pareilles aventures, et prît sur lui les personnages les plus comiques [2].

L'anecdote a été reprise, presque mot pour mot, par Bruzen de La Martinière dans la « Vie de l'auteur » placée en tête de l'édition des *Œuvres de M. de Molière* de 1725 (Amsterdam). On la retrouve ensuite, toujours identique à quelques mots près, dans le *Molierana* de 1801 (pp. 106-107). Ce ne sont pas là des recoupements, mais des copies ou des paraphrases, et nous n'avons en définitive que la parole de Grimarest, lui-même informé par Baron.

En ce qui concerne la véracité de l'anecdote, je dirai qu'elle me paraît tout à fait admissible. Les incidents de coulisses de ce genre ont toujours été fréquents dans les théâtres où, pour les besoins de l'action, il est nécessaire de faire paraître un animal en scène ; surtout quand il s'agit d'un âne, animal réputé pour son obstination à faire le contraire de ce que l'on voudrait qu'il fît.

Mais, considérée comme vraisemblable et même vraie, l'anecdote telle qu'elle est rapportée par Grimarest n'en appelle pas moins quelques remarques.

D'abord, de quelle pièce s'agit-il ? Si Grimarest dit qu'il n'a pas pu savoir de quel auteur elle était, c'est que Baron l'ignorait lui-même. Nous savons aujourd'hui qu'il s'agissait, selon toute probabilité, du *Dom Quixote de la Manche* de Guérin de Bouscal, œuvre publiée en 1639, ou plutôt d'une « adaptation » de cette pièce sous le titre : *le Gouvernement de Sancho Pansa*. Molière et sa troupe l'avaient sans doute jouée au cours de leurs années d'errance en province. Elle apparaît pour la première fois dans le *Registre* de La Grange à la date du 5 juillet 1659 sous le titre (sans doute abrégé par La Grange) de *Sanche Panse*, et continua d'être jouée assez régulièrement au cours de l'année 1659 et jusqu'au 18 janvier

1. C'est-à-dire à la charpente des coulisses.
2. *Vie de M. de Molière*, 1705, éd. Mongrédien, p. 79.

1660. Le 30 du même mois, La Grange écrit un nouveau titre : *D. Guichot ou les Enchantements de Merlin*, et il ajoute en marge : « Pièce raccommodée par Mlle Béjart ». Il s'agit sans nul doute d'un nouvel « arrangement ». Le surlendemain, 1er février, le titre est abrégé par La Grange et devient : *Les Enchantements*, tout court. Le 3 février : *Idem*. Et le 9 février nous retrouvons *Sanche Panse*, qui va continuer son petit bonhomme de chemin, d'année en année, jusqu'au 20 novembre 1665. La pièce ne sera alors plus jouée pendant treize ans, pour connaître une unique reprise, après la mort de Molière, le 19 juillet 1678, sous le titre *Sancho Pansa*. Sous un titre ou sous un autre, c'est assurément toujours la même pièce, diversement arrangée, remaniée, selon les nécessités du moment.

L'examen de cette chronologie fait apparaître une inexactitude dans le récit de Grimarest : ce n'est pas « quelque temps après le retour de Baron », comme il le dit, que l'on joua cette pièce, mais bien avant, puisque Baron fut incorporé dans la troupe à Pâques 1670. Si d'autre part on admet (selon Grimarest) que Baron fit un premier séjour chez Molière à la fin de l'année 1666, c'était malgré tout après la cessation des représentations de *Sanche Panse*.

Il faut conclure de tout cela que Molière-Sancho, en fâcheuse posture sur son âne récalcitrant, n'a pas pu appeler Baron à l'aide, comme l'écrit Grimarest, puisque Baron n'était pas là.

Mais le souvenir de l'aventure, c'est bien évident, est resté vivace dans les coulisses du Palais-Royal, où elle dut être souvent évoquée au cours des années ; car on aime bien, au théâtre, rappeler et même rabâcher les événements burlesques de ce genre, ou les farces des comédiens entre eux, les bévues et les « incidents techniques ».

Baron aura eu dix occasions pour une d'entendre conter cette anecdote — par ses camarades, par Laforêt, et pourquoi pas par Molière lui-même ? — et, quand il la raconta plus tard à Grimarest, c'est tout naturellement qu'il s'y incorpora, ou que le biographe l'y introduisit de bonne foi. Mais on remarquera que, si le récit mentionne l'impuissance où se trouvait Laforêt de porter secours à son maître, rien n'est dit de ce qu'a fait ou n'a pas fait Baron.

Il me semble donc, je le répète, que l'on doive considérer l'anecdote comme vraie dans le fait principal. Elle nous apprend encore que Laforêt accompagnait Molière au théâtre, les jours de représentation, sans doute pour lui servir d'habilleuse, et peut-être même quelquefois pour faire de la figuration [3]. Il faut voir, je pense, dans cette fréquentation des coulisses une raison de plus pour admettre que Molière l'ait consultée sur l'effet que pouvait produire telle réplique ou tel jeu de scène qu'il préparait.

Notons encore au passage que Grimarest se contredit quand il déclare que Laforêt « faisoit alors tout son domestique », puisqu'il écrit plus loin [4] : « Il y avoit peu de domestiques qu'il ne trouvât en défaut ; et la vieille servante Laforêt y étoit prise aussi souvent que les autres. » Et, parmi « les autres », il faut compter ce laquais qui s'obstinait à lui enfiler ses bas à l'envers [5], et celui qui l'aida, toujours selon Grimarest [6], à mettre à la raison la dame Raisin, organisatrice de spectacles, première employeuse de Baron enfant, qui avait fait irruption chez Molière, pistolets au poing, un matin de 1666, pour réclamer son petit prodige [7].

Il reste enfin à dater l'anecdote. De la chronologie que nous avons examinée plus haut il ressort que le fait doit se situer entre juillet 1659 et novembre 1665, sans qu'il soit possible d'atteindre plus de précision.

---

3. Voir le *Second registre de La Thorillière*, à la date du 19 décembre 1664.
4. Ed. Mongrédien, p. 109.
5. Voir p. 213 du présent ouvrage.
6. Ed. Mongrédien, p. 69.
7. Il est peut-être utile de rappeler ici que Michel Baron, né en 1653, fils de comédiens, entra vers l'âge de onze ans (en 1664 ou 1665) dans une troupe d'enfants dirigée par une dame Raisin, sous le nom des « Comédiens de Monsieur le Dauphin ». Molière prêta son théâtre à cette troupe pour trois représentations qui connurent un grand succès, et où le petit Baron se distingua. Molière, enthousiasmé par ce jeune talent, aurait obtenu un ordre exprès du roi pour que Baron lui fût confié afin de lui donner une véritable éducation artistique. D'où la colère de la Raisin, qui fut malgré tout forcée de se soumettre. Baron vécut alors chez Molière. Des rumeurs médisantes coururent, évoquant des relations suspectes entre Molière et Baron, aussi bien qu'entre Baron et Armande Béjart. (Baron avait alors entre treize et quatorze ans.) Baron aurait joué le rôle de Myrtil dans *Mélicerte* (2 décembre 1666), puis se serait querellé avec Armande qui l'aurait souffleté. Il aurait alors quitté Molière pour retourner chez la Raisin. Trois ans plus tard, Molière aurait obtenu de Louis XIV un nouvel ordre pour réintégrer Baron dans sa troupe. Baron accourut de la province où il se trouvait alors. Rien de tout cela n'est véritablement certain, si ce n'est que l'entrée de Baron dans la troupe, « après avoir reçu une lettre de cachet », est officiellement notée dans le *Registre* de La Grange à Pâques 1670.

1662

Le lit du roi

Un des valets de chambre de Louis XIV aurait refusé de faire avec Molière le lit du roi. Un autre aurait alors demandé cet honneur.

Nous savons tous que Molière avait repris de son père l'office de « tapissier-valet de chambre du Roy ». Nous savons aussi que cette charge ne fut pas purement honorifique, et qu'il l'exerça réellement.

Chappuzeau signale le fait dès 1674 dans son *Théâtre françois* : « Molière ayant esté valet de chambre du Roy, ayant fait le lit du Roy [1]... » La Grange ne manque pas de le mentionner dans la préface des *Œuvres* de 1682 :

> Son exercice de la comédie ne l'empêchoit pas de servir le Roi dans sa charge de valet de chambre, où il se rendoit très assidu [2]. Ainsi il se fit remarquer à la cour pour un homme civil et honnête, ne se prévalant point de son mérite et de son crédit, s'accommodant à l'humeur de ceux avec qui il étoit obligé de vivre...

Pourtant, un jour, un incident survint. La première mention écrite de ce fait apparaît en 1732, dans la seconde édition de la *Description du Parnasse français*, de Titon du Tillet [3] :

---

1. Samuel Chappuzeau, *le Théâtre françois*, Paris, R. Guignard, 1674. (Réédition par Georges Monval, Paris, J. Bonnassies, 1876, p. 93.)
2. Rappelons qu'il y avait huit tapissiers-valets de chambre titulaires, dont le service se faisait à raison de deux par « quartier », c'est-à-dire par trimestre.
3. P. 311. La première édition (1727) ne contient pas cette anecdote.

Molière exerçoit toujours la charge de tapissier-valet de chambre, et le Roi le gracieusoit en toute occasion.

Voici un trait que j'ai appris de feu Bellocq, valet de chambre du roi, homme de beaucoup d'esprit et qui faisoit de très jolis vers. Un jour que Molière se présenta pour faire le lit du Roi, R..., aussi valet de chambre de Sa Majesté, qui devoit faire le lit avec lui, se retira brusquement en disant qu'il ne le feroit pas avec un comédien ; Bellocq s'approcha dans le moment et dit : « Monsieur de Molière, vous voulez bien que j'aie l'honneur de faire le lit du Roi avec vous ? »

Cette aventure vint aux oreilles du Roi, qui fut très mécontent du procédé de R..., et lui en fit de vives réprimandes.

L'anecdote fut ensuite reprise sans discussion par Bret dans son *Supplément à la Vie de Molière*, qui accompagne l'édition des *Œuvres* de 1773 [4], puis par Beffara dans *l'Esprit de Molière* [5]. En 1801 elle est recueillie dans le *Molierana* [6]. Vient ensuite Taschereau qui, en 1825, l'insère comme un fait authentique dans son *Histoire de la vie et des ouvrages de Molière* [7]. A quelques mots près, c'est toujours le texte de Titon du Tillet qui est reproduit : mais l'auteur n'en est jamais cité.

Le premier commentateur à citer Titon du Tillet est Eugène Despois, en 1874, dans *le Théâtre français sous Louis XIV* [8]. Pas un instant Despois ne met en doute l'authenticité de l'anecdote. Il en est même si bien persuadé qu'il en tire argument pour réfuter celle de l'*En-cas de nuit*. Si celle-ci était vraie, dit-il en substance, Bellocq l'aurait forcément connue et l'aurait racontée, tout comme celle du *Lit du roi*, à Titon du Tillet qui n'aurait pas manqué de la reproduire aussi. Enfin, dans *la Comédie de Molière* (1886), Gustave

4. Tome I, p. 75. — Bret ajoute à l'anecdote un curieux complément dont il ne cite pas la source : « Molière eut encore plus d'une fois à souffrir du même préjugé avec sa famille. En vain engagea-t-il sa troupe à donner à son théâtre les entrées libres aux Poquelins qui s'y présenteroient. Il n'y en eut que très peu qui en profitèrent. »

5. Paris, Lacombe, 1777, t. I, p. 43.

6. P. 37.

7. P. 91. (3e éd, 1844, p. 58.)

8. Pp. 317-318.

Larroumet déclare l'anecdote de Bellocq « très acceptable[9] ».

Il semble donc que la cause soit entendue, et que l'anecdote, rapportée de première main par Titon du Tillet, écrivain sérieux chez qui peu d'inexactitudes ont été relevées, et que personne n'a contestée, doive être considérée comme vraie.

A quelle époque de la vie de Molière se place-t-elle ? Taschereau la situe en 1664 sans explication. Nous savons que Molière, titulaire-survivancier de l'office de tapissier-valet de chambre du Roi acquis par son père en 1637, y avait renoncé en 1643 en faveur de son frère cadet Jean, puis l'avait repris à la mort de celui-ci, en 1660, pour le conserver sa vie durant. L'anecdote ne peut donc se situer qu'après cette date. L'examen de l'*Etat général des officiers de la maison du Roi*, conservé aux Archives nationales, où le nom de Pocquelin se rencontre avec celui de Bellocq, fait préférer la date de 1662 comme plus probable.

9. P. 268, n° 1.

Le succès continue. Après tant d'années de déboires et de pérégrinations, Molière connaît enfin la notoriété, la stabilité et l'aisance.

En 1660 une nouvelle pièce voit les feux de la rampe : le Cocu imaginaire. *Les comédies et les farces de Molière continuent d'être plus appréciées du public que les tragédies même célèbres où la troupe et son chef n'excellent pas.*

Un contretemps survient : la démolition de la salle du Petit-Bourbon. Le roi accorde à Molière un autre théâtre : celui du Palais-Royal, bien mieux situé que le premier. C'est là que Molière, en 1661, va donner sa grande pièce « noble », Dom Garcie de Navarre, *qui connaîtra l'échec. Heureusement, quelques mois plus tard,* l'Ecole des maris, *franche comédie, fera refleurir le succès au Palais-Royal.*

Les grands seigneurs, les hauts dignitaires comme Fouquet, surintendant des Finances, invitent Molière et sa compagnie à venir se produire dans leurs somptueuses résidences. C'est ainsi que les Fâcheux, *comédie satirique, est représentée pour la première fois au château de Vaux-le-Vicomte dans l'été de 1661.*

Mais sa réussite vaut à Molière la jalousie des autres auteurs, « à présent mes confrères », comme il l'écrit avec une pointe d'autosatisfaction dans la préface des Précieuses *qui paraissent en librairie.*

Des propos médisants sont tenus à l'égard de Molière. Des échotiers les rapportent…

Tablettes et cartes à jouer

Molière avait toujours dans ses poches ce qu'il fallait pour prendre des notes à tout instant.

La première allusion à cette habitude se rencontre en 1663 sous la plume de Donneau de Visé dans ses *Nouvelles nouvelles*[1]. Cet auteur, toujours mi-figue, mi-raisin à l'égard de Molière, déclare que Molière a profité de la sottise des gens de qualité qu'il raillait et qui, loin de se fâcher, s'empressèrent, après *les Précieuses ridicules*, de lui fournir des « mémoires » où ils lui signalaient les travers ou les turpitudes de leurs contemporains, pour qu'il les portât à la scène.

> Il fit, après les *Précieuses*, le *Cocu imaginaire* [...] Notre auteur, après avoir fait cette pièce, reçut des gens de qualité plus de mémoires que jamais, dont l'on le pria de se servir dans celles qu'il devoit faire ensuite, et je le vis bien embarrassé un soir après la comédie, qui cherchoit partout des tablettes pour écrire ce que lui disoient plusieurs personnes de condition dont il étoit environné ; tellement qu'on peut dire qu'il travailloit sous les gens de qualité pour leur apprendre après à vivre à leurs dépens, et qu'il étoit en ce temps, et est encore présentement, leur écolier et leur maître tout ensemble.

La même année, le même auteur revient sur la question

---

1. Paris, P. Bienfaict, 1663, 3e part., p. 217.

dans sa comédie satirique *Zélinde*, où Molière est évoqué sous le nom d'Elomire [2]. On y lit (scène VI) :

ARGIMONT

Je l'ai trouvé appuyé sur ma boutique dans la posture d'un homme qui rêve. Il avoit les yeux collés sur trois ou quatre personnes de qualité qui marchandoient des dentelles ; il paroissoit attentif à leurs discours, et il sembloit, par le mouvement de ses yeux, qu'il regardoit jusques au fond de leurs âmes pour y voir ce qu'elles ne disoient pas. Je crois même qu'il avoit des tablettes, et qu'à la faveur de son manteau, il a écrit, sans être aperçu, ce qu'elles ont dit de plus remarquable.

ORIANE

Peut-être que c'étoit un crayon [3], et qu'il dessinoit leurs grimaces, pour les faire représenter au naturel sur son théâtre.

ARGIMONT

S'il ne les a dessinées sur ses tablettes, je ne doute point qu'il ne les ait imprimées dans son imagination. C'est un dangereux personnage ; il y en a qui ne vont point sans leurs mains, mais l'on peut dire de lui qu'il ne va point sans ses yeux, ni ses oreilles.

Dans un texte comme dans l'autre, Donneau de Visé ne donne pas l'impression d'inventer. Il a eu souvent l'occasion de voir Molière, en public et en privé, et de l'observer attentivement. Critique et nouvelliste, auteur rival, « jeune loup », il a posé des questions, il a suscité des confidences, il s'est montré indiscret. Bref, il était bien renseigné, et je pense qu'il faut le croire quand il affirme que Molière avait l'habitude de prendre des notes à tout moment et en tout lieu.

Il avait donc des tablettes dans ses poches [4]. Mais quel

---

2. Cette anagrame sera réutilisée en 1670 par un autre auteur dans son *Elomire hypocondre*.
3. C'est-à-dire un *croquis*.
4. Il en avait aussi chez lui, c'est une certitude, car son inventaire après décès fait mention de celles où il avait noté ses dépenses de mobilier pour l'appartement de la rue de Richelieu. Voir E. Soulié, *Recherches sur Molière*, Paris, Hachette, 1863, p. 290, ou M. Jurgens et E. Maxfield-Miller, *Cent ans de recherches sur Molière*, Paris, Imprimerie nationale, 1963, p. 582.

genre de tablettes ? Feuilles d'ivoire, carnet de parchemin ou de papier ? Titon du Tillet nous apporte une réponse à cette question :

> Il parloit peu [...], mais toujours avec beaucoup de justesse ; il écoutoit attentivement les pensées ingénieuses et les saillies de l'esprit des personnes agréables qui étoient en liaison avec lui, et il les écrivoit souvent avec un craiion sur des cartes à jouer qu'il mettoit dans sa poche pour cet usage [5].

Voilà qui est inattendu, car personne ne nous a jamais rapporté que Molière fût grand joueur de cartes [6]. D'où tenait-il celles-ci, usagées sans doute, dont il se servait pour griffonner des notes ? Il y a là un petit mystère... si le fait est vrai. Le témoignage de Titon du Tillet, un peu tardif, n'est recoupé par aucun autre. Faut-il pour cela l'écarter ? Je ne le crois pas, car il ne s'agit que d'un mince détail qui ne paraît pas tendancieux.

L'érudit Edouard Fournier, au siècle dernier, croyait fermement à la véracité de ce détail. Il rêvait de pouvoir constituer un jour un Musée Molière où il aurait souhaité faire figurer, entre autres reliques, « si l'on pouvait la trouver, une de ces cartes sur lesquelles Molière écrivait au vol les pensées ingénieuses et les mots heureux qui jaillissaient du tourbillon de paroles faisant rumeur d'esprit dans sa chambre, chaque fois qu'il y rassemblait ses amis. Il n'ignorait rien du jeu — la partie de piquet des *Fâcheux* le prouve de reste — mais il ne l'aimait pas. Les cartes à jouer ne lui servaient que pour écrire... Qui retrouvera, qui nous rendra le jeu de cartes de Molière ? » [7]

La question d'Edouard Fournier, c'est à craindre, restera encore longtemps sans réponse. Mais il ne faut pas désespérer.

---

5. *Description du Parnasse français*, 1727, p. 256.
6. Au contraire, Grimarest affirme : « Il n'aimoit point le jeu. » (*Vie de Molière*, éd. Mongrédien, p. 109).
7. Edouard Fournier, *Le Roman de Molière*, Paris, E. Dentu, 1863, p. 156.

Le 20 février 1662 est un grand jour dans la vie de Molière. C'est celui de son mariage avec Armande Béjart, « âgée de vingt ans ou environ », officiellement sœur mais probablement fille de Madeleine Béjart, sa première maîtresse et sa toujours très fidèle amie. Ce mariage fit beaucoup jaser.

A la fin de la même année, le 26 décembre, a lieu au Palais-Royal la première représentation de l'Ecole des femmes *dont le succès allait réveiller les jalousies et les inimitiés. Les pamphlétaires, les échotiers s'en donnèrent à cœur joie.*

Pour répondre à ses détracteurs, Molière donna, le 1er juin 1663, la Critique de l'Ecole des femmes. *La « querelle » qui agitait la ville et la cour aussi bien que les milieux littéraires prit un nouvel élan. Les attaques contre Molière redoublèrent. On en vint même à des voies de fait...*

L'incident de « Tarte à la crème ! »

Un grand seigneur se serait un jour livré, devant témoins, à des voies de fait sur la personne de Molière.

C'est une très curieuse anecdote que celle-là, dont la première mention écrite connue consiste en une simple allusion, preuve évidente de ce que l'incident, à l'époque, même où il survint, avait fait un certain bruit et s'était largement répandu dans le public. Qu'il ait été déformé, c'est possible ; mais on peut tenir pour certain qu'il a eu lieu.

Le 4 août 1663 (sur privilège délivré le 15 juillet), paraît en librairie une comédie intitulée *Zélinde, ou la Véritable Critique de l'Ecole des femmes, et la Critique de la Critique*. Donneau de Visé, l'auteur de cette pièce qui ne fut jamais représentée, fait évoquer par un de ses personnages, Oriane,

> [...] l'aventure de *tarte à la crème* arrivée depuis peu à Elomire [1]. Je crois qu'elle lui fera dorénavant bien mal au cœur, et qu'il n'en entendra jamais parler ni ne mettra sa perruque sans se ressouvenir qu'il ne fait pas bon jouer les princes, et qu'ils ne sont pas si insensibles que les marquis turlupins.

A quoi répond Zélinde :

---

1. Anagramme transparente de Molière.

— Vous avez raison, et cette aventure fait voir que ce prince qui blâma d'abord *l'Ecole des femmes* avoit plus de lumières que les autres [2].

Que s'est-il passé exactement ? Estimant le fait connu de tous ses lecteurs, Visé juge suffisant de procéder par allusion. Quant à l'auteur de l'affront, puisque c'est un « prince », il n'est pas question de citer son nom dans un écrit public.

Il faut attendre 1670 pour avoir des précisions. Dans *Elomire hypocondre*, autre pièce dirigée contre Molière, Le Boulanger de Chalussay ne se contente pas de faire une allusion orale à l'incident, il le met en scène. A bout d'arguments dans la discussion qui l'oppose à Elomire, l'Orviétan lui lance : « Tarte à la crème ! » Le jeu de scène accompagnant cette réplique est ainsi indiqué entre parenthèses :

En disant Tarte à la crème, *il prend un bout du chapeau d'Elomire et luy fait faire un tour sur sa teste* [3].

Pour que, sept ans après l'incident, on l'utilise ainsi dans une comédie satirique, il faut que le souvenir en soit resté très vif. Nouvelle confirmation de la réalité et de la notoriété des faits.

En quoi consistent-ils ? Peu à peu, nous les reconstituons : un personnage haut placé, qui avait violemment blâmé *l'Ecole des femmes*, crut se reconnaître dans le marquis ridicule de *la Critique* qui ne sait que répéter « Tarte à la crème ! » pour tout argument. Rencontrant un jour Molière, il lui lança cette même réplique et lui mit sa perruque ou son chapeau devant derrière, ou les deux à la fois.

Boileau, à son tour, va faire une allusion à l'incident. Elle se trouve dans l'*Epitre VII* (à Racine), écrite en 1677 et qui sera publiée en 1683. Dans le passage célèbre consacré à Molière (« Avant qu'un peu de terre obtenu par prière... »),

---

2. *Zélinde*, sc. VIII. (On trouvera le texte complet de cette comédie, ainsi que de toutes celles qui ont attaqué ou soutenu Molière à l'époque, dans l'excellent recueil critique qu'en a donné M. Georges Mongrédien sous le titre : *la Querelle de l'Ecole des femmes*, Paris, Didier, 1971, 2 vol.)

3. Acte I, scène III.

où Boileau fustige les « sots esprits » qui avaient « diffamé » le grand comique, on lit ces deux vers :

> L'autre, fougueux marquis, lui déclarant la guerre,
> Vouloit venger la cour immolée au parterre.

C'est vague, mais le commentateur de Boileau, Brossette, donne quelques précisions dans une note manuscrite qu'il rédigea en 1702 et qui ne fut pas publiée de son vivant :

> M. Despréaux m'a dit que les faux marquis de la Cour étaient enragés contre Molière, parce qu'il les jouait et qu'il mettait leurs mots aussi bien que leurs manières dans ses comédies. L'on avait même dit que M. le Grand avait insulté Molière et lui avait fait tourner sa perruque sur la tête par injure. Mais M. Despréaux m'a dit que cela n'était pas vrai [4].

L'avanie faite à Molière ne diffère guère, dans cette version, de celle qu'ont rapportée Visé et Chalussay. Quant à celui qui la lui aurait infligée, rappelons que « M. le Grand » désigne Louis de Lorraine, comte d'Armagnac, pair et grand écuyer de France. Mais que faut-il penser de la dernière phrase, si malheureusement ambiguë ? Le démenti de Boileau s'applique-t-il seulement à l'identité de l'insulteur, ou à la véracité de l'anecdote entière ? Il est impossible de le déterminer avec certitude, mais tout porte à croire que Boileau a surtout voulu jeter le voile de l'oubli sur l'affront subi par Molière. Hélas ! nous venons de voir qu'il n'est pas niable [5].

En 1705, Grimarest ne raconte que les préliminaires de l'incident, c'est-à-dire les propos acerbes tenus par un homme de cour contre *l'Ecole des femmes* [6] :

---

4. *Correspondance entre Boileau-Despréaux et Brossette*, édition établie par Auguste Laverdet, Paris, Techener, 1858, p. 556.

5. Gustave Michaut, dans *les Débuts de Molière à Paris*, p. 233, n.l., se demande « s'il ne s'agirait pas d'une menace en l'air faite par quelque marquis, à qui on aurait dit que Molière le raillait, et non exécutée, mais dont le bruit aurait couru ? » Je ne le crois pas. On menace de faire bastonner quelqu'un, voire de le faire assassiner ; on ne menace pas de le décoiffer. Le revers de main qui fait voler un chapeau ou une perruque est un geste spontané. Ce n'est pas un affront prémédité.

6. Edition Mongrédien, p. 52.

« Mais que trouvez-vous à redire d'essentiel à cette pièce ? disoit un connoisseur à un courtisan de distinction.

— Ah parbleu ! ce que j'y trouve à redire est plaisant ! s'écria l'homme de cour : *Tarte à la crème*, morbleu, *tarte à la crème !*

— Mais *Tarte à la crème* n'est point un défaut, répondit le bon esprit, pour décrier une pièce comme vous le faites.

— *Tarte à la crème* est exécrable ! répliqua le courtisan. *Tarte à la crème*, bon Dieu ! Avec du sens commun, peut-on soutenir une pièce où l'on ait mis *tarte à la crème* ? »

Cette expression se répétoit en écho parmi tous les petits esprits de la cour et de la ville, qui ne se prêtent jamais à rien, et qui, incapables de sentir le bon d'un ouvrage, saisissent un trait faible pour attaquer un auteur beaucoup au-dessus de leur portée.

Quant au « courtisan de distinction », à l'« homme de cour », Grimarest ne le nomme pas plus que Donneau de Visé n'avait nommé le « prince ». Pourtant il n'est guère tendre avec lui puisqu'il le range, implicitement, parmi les « petits esprits ». On peut donc tenir pour assuré qu'il s'agissait d'un personnage de très haut rang.

Vingt ans après, en 1725, paraît en Hollande une édition des *Œuvres de M. de Molière*[7] précédée d'une *Vie de l'Auteur* par Bruzen de La Martinière[8]. Celui-ci déclare, en parlant de son prédécesseur Grimarest à qui il a fait de larges emprunts :

J'ai été surpris de ne pas trouver dans son livre des faits qu'il lui étoit aisé d'apprendre et que je tiens de personnes contemporaines qui ont vu et fréquenté Molière et qui n'avoient aucun intérêt personnel à composer des romans sur son compte.

Mon but est de rassembler tout ce que je trouve dans ces différents ouvrages[9], d'en faire un tout suivi et complet,

7. Amsterdam, Pierre Brunel, 1725, 4 vol. in-16.

8. Son nom ne figure pas sur le volume. Mais tous les commentateurs sont d'accord pour reconnaître à La Martinière la paternité de cette biographie. Antoine Bruzen de La Martinière (1683-1749), érudit et polygraphe, est surtout connu pour son *Grand Dictionnaire géographique, historique et critique* en 13 volumes in-folio.

9. Les biographies de Molière déjà parues.

> en y joignant ce que mes mémoires particuliers me fournissent. Pour garantir au lecteur ma fidélité, je citerai les livres déjà imprimés, et, pour des faits qui ne le sont pas encore, j'avertirai en les insérant [10].

Parvenu, dans sa *Vie de l'Auteur*, à la querelle de *l'Ecole des femmes*, le nouveau biographe rapporte l'anecdote selon Grimarest, qu'il cite. Mais, où celui-ci ne parlait que d'un « courtisan de distinction », La Martinière nomme le personnage :

> Le Duc de La Feuillade ne fut pas un des moins zélés censeurs de cette pièce [11].

Et, deux lignes plus loin, au lieu de « s'écria l'homme de cour », on trouve : « s'écria le Duc ». Voilà qui est net. Ensuite, La Martinière reprend mot pour mot, jusqu'à la fin, le texte de Grimarest auquel il ajoute, signalé en note par l'abréviation *Addit.*, un complément dans lequel on trouve ce nouveau rebondissement de l'anecdote, à propos de la première représentation, le 1er juin 1663, de *la Critique de l'Ecole des femmes* :

> La *tarte à la crème* n'y étoit pas oubliée, et quoique, ce mot étant devenu proverbe, la raillerie que Molière en fit dans la *Critique* fût partagée entre tous ceux qui l'avoient répété, le grand Seigneur [12] qui se sentoit d'autant plus vivement outragé de ce qu'on l'avoit mis sur le théâtre qu'il savoit en être l'original, s'avisa d'une vengeance aussi indigne d'un homme de sa qualité qu'elle étoit imprudente.
>
> Un jour qu'il vit passer Molière par un appartement où il étoit, il l'aborda avec des démonstrations d'un homme qui veut lui faire caresse. Molière s'étant incliné, il lui prit la tête

10. Tome I, pp. 9-10.
11. *Ibid.*, p. 25. — François d'Aubusson, duc de la Feuillade (1625-1691), fut aussi brillant homme de guerre que zélé courtisan. Après s'être illustré dans la campagne de Flandre, puis en Hongrie contre les Turcs, puis dans la conquête de la Franche-Comté, il fut nommé maréchal de France en 1675. Il contribua à l'édification de la place des Victoires, à Paris, au centre de laquelle il fit ériger, à ses frais, une statue de Louis XIV.
12. C'est indubitablement celui qui a été nommé dans la première partie de l'anecdote, c'est-à-dire le duc de la Feuillade.

et, en lui disant : « *Tarte à la crème*, Molière, *tarte à la crème* ! » il lui frotta le visage contre ses boutons qui, étant fort durs et fort tranchants, lui mirent le visage en sang.

Le Roi, qui vit Molière le même jour, apprit la chose avec indignation et la marqua au Duc [13] qui apprit à ses dépens combien Molière étoit dans les bonnes grâces de Sa Majesté. Je tiens ce fait d'une personne contemporaine qui m'a assuré l'avoir vu de ses propres yeux.

Nous constatons que, à mesure que les années passent, l'anecdote se développe et se précise à la fois. Faut-il en conclure que chaque auteur l'embellit à sa façon, ou bien que certains obstacles qui s'opposaient à sa publication intégrale se sont trouvés levés ? Tout le mystère est là.

Il est à remarquer que, au moment où Grimarest écrivait, le maréchal duc de La Feuillade était mort, mais que son fils, second maréchal du nom, était encore vivant, alors qu'il ne l'était plus quand parut le texte de La Martinière. On pouvait donc parler librement et citer un nom sans crainte d'encourir les foudres d'un puissant. Le mutisme de Grimarest ne permet donc pas d'inférer que les voies de fait n'ont pas eu lieu, ni qu'il ignorait le nom de celui qui s'y serait livré.

Cinquante ans après sa publication par La Martinière, l'anecdote est reprise, textuellement, dans les *Anecdotes dramatiques* [14]. Seule variante : le nom de La Feuillade n'est pas imprimé. On y lit : « Le Duc de... ne fut pas un des moins zélés censeurs de cette pièce. »

En 1801, le *Molierana* utilise une version abrégée de la précédente, où les trois points sont remplacés par trois astérisques : « Le duc de *** ».

Jules Taschereau, dans son *Histoire de la vie et des ouvrages de Molière*, parue en 1825, donne de l'anecdote une version qui n'est que le démarquage de celle de La Martinière (dont il cite en note la référence), mais à laquelle il ajoute

---

13. L'identification du « grand seigneur » et du « Duc » est réitérée ici.

14. Paris, Vve Duchesne, 1775, 3 vol. in-8°. Les auteurs, dont les noms ne figurent pas sur l'ouvrage, sont J.M. Clément et l'abbé J. de Laporte (t. I, p. 282, à l'article *Ecole des femmes*).

un détail. Quand La Martinière dit : « Un jour qu'il vit passer Molière par un appartement où il étoit... », Taschereau déclare : « Voyant un jour Molière traverser une des galeries de Versailles... [15] »

Cette précision semble bien être de l'invention de Taschereau. En effet, si l'offense faite à Molière avait eu lieu dans les appartements royaux, elle aurait atteint le roi lui-même, au point que l'on aurait pu parler de lèse-majesté. Dans ce cas, le retentissement de l'affaire eût été considérable, et La Martinière n'aurait sûrement pas manqué de signaler en quel lieu s'était produit l'incident.

Remarquons, en passant, que cette manie d'ajouter est toujours solidement implantée chez les biographes. En 1967, M. Georges Bordonove, racontant à son tour l'histoire dans son *Molière génial et familier* [16], nous apprend que le duc de La Feuillade portait un pourpoint « dont les boutons sont des diamants taillés en pointe [17] », et que l'incident eut lieu « en plein Louvre, et devant la Cour assemblée [18]. » D'où peuvent venir de telles précisions ?

Enfin, pour compléter la série, il faut mentionner cette dernière version de l'anecdote, citée pour la première fois par Taschereau [19] en 1844, d'après un document du XVIIe siècle :

> Le fait relatif au duc de La Feuillade et les habitudes de langage des personnages mis en scène se trouvent dénaturés de la façon suivante dans un manuscrit intitulé : *Mélanges de M. Philibert de Lamare, conseiller au parlement de Dijon*, commencés en 1673 [20] (fonds Bouhier, XXXIV, p. 327) :
>
> « Molière, fameux comédien, ayant fait et représenté une pièce de théâtre ayant pour titre *le Marquis étourdi* [21], dans

---

15. 1re édition : Paris, Ponthieu, 1825, p. 79 ; 3e édition : Paris, Hetzel, 1844, p. 51.
16. Paris, Robert Laffont, 1967.
17. P. 211.
18. P. 206.
19. 3e édition, pp. 229-230, note 8 du livre II.
20. Selon Arthur Desfeuilles (*Notice bibliographique*, t. XI de l'édition des « Grands Ecrivains de la France », 1893), ce manuscrit est une copie de l'original datant de 1670. M. Georges Mongrédien, dans son *Recueil des textes et des documents du XVIIe siècle relatifs à Molière* (Paris, CNRS, 1965, t. II, p. 610), donne pour date à ce document « avant 1687 ».
21. Est-il besoin de faire remarquer qu'il n'existe aucune pièce de Molière portant ce titre ? Philibert de Lamare aura confondu avec le rôle du Marquis dans *la Critique*.

laquelle il avait, avec une exactitude non pareille, représenté les gestes, actions et paroles ordinaires du comte de La Feuillade, duc de Roannais, ce comte, piqué au vif de cette injure, fit dessein de faire assassiner Molière ; et, étant au petit coucher du Roi, où l'on parlait de Molière, il dit au Roi : "Sire, Votre Majesté se pourrait-elle passer de Molière ?" Le Roi, qui savait le mal que ce comte voulait au comédien, et jugeant de son dessein, lui répondit : "La Feuillade, je vous entends bien. Je vous demande la grâce de Molière." Ce mot désarma la colère du comte [22]. »

Cet échange de répliques mesurées, entre le roi et un duc, est une merveille de sous-entendus de cour. Cela revient à dire :

« Sire, je tiens à vous faire savoir que j'ai l'intention de faire assommer Molière, d'un coup de bûche, par un laquais [23].

— La Feuillade, si vous faisiez cela, il pourrait vous en cuire. Tenez-vous-le pour dit. »

Quel que soit le crédit que l'on puisse accorder aux paroles rapportées par Philibert de Lamare, il faut cependant remarquer que, dans ce texte qui n'était pas destiné à être publié, l'auteur n'a pas hésité à écrire le nom du grand personnage qui voulait se venger de Molière.

Alors, que faut-il conclure ? Que le duc de La Feuillade est, presque à coup sûr, l'auteur de l'avanie faite à Molière [24]. En quoi celle-ci a-t-elle exactement consisté, c'est ce qu'il est très difficile de déterminer. Je crois qu'il n'y a pas lieu de retenir la version Chalussay, c'est-à-dire le chapeau mis devant derrière : Molière, en présence de M. le duc de La Feuillade, ne *pouvait pas* avoir le chapeau sur la tête. Reste le choix entre la perruque et les boutons du pourpoint. Je serais tenté, pour ma part, d'accorder crédit au récit de La Martinière, biographe qui n'a aucune raison d'être défa-

---

22. La référence actuelle de ce texte est : Bibl. nat., manus. fonds français, n° 23251, p. 327, n. 1034.

23. Nous sommes en droit d'imaginer cela, puisque c'est ce qui était arrivé, neuf ans plus tôt, à Cyrano de Bergerac.

24. Rien ne vient confirmer la version de Brossette qui attribue cet acte à M. d'Armagnac.

vorable à Molière, de préférence à celui de Visé, qui ne cherchait qu'à lui nuire.

Si l'on admet que La Feuillade a pris la tête de Molière à deux mains pour lui frotter le visage contre le devant de son pourpoint, on admettra que la perruque du comédien n'a pas dû sortir indemne de cette empoignade. Il est parfaitement admissible que le roi, apprenant l'incident, ait vertement réprimandé La Feuillade. Il est donc admissible aussi que les ennemis de Molière, les de Visé, les Chalussay, se soient bornés à le ridiculiser en ne parlant que de la perruque et aient passé sous silence des brutalités qui déshonoraient bien moins celui qui les avait subies que le grand seigneur qui les avait commises, et dont par conséquent ils ont aussi passé le nom sous silence.

Quant à la date de l'incident, elle se situe nécessairement entre le 1er juin 1663 (première représentation de *la Critique*) et le 15 juillet de la même année (date du privilège de *Zélinde*), mais il semble impossible de préciser davantage.

1663

Le pauvre homme !

Au cours d'un voyage en Lorraine, à la suite du roi, Molière aurait entendu Louis XIV répéter plusieurs fois, sur un ton ironique : « Le pauvre homme ! », et il aurait retenu cette expression pour l'utiliser dans Tartuffe

Cette anecdote n'a fait son apparition qu'un siècle après la mort de Molière. C'est bien tard ! Elle a été publiée pour la première fois en 1773, par Antoine Bret dans son édition des *Œuvres de Molière* (Compagnie des libraires associés). On lit dans les notes qui accompagnent *le Tartuffe*[1] :

> *(Scène V*[2]*).* — Plusieurs personnes ont ouï conter à M. l'abbé d'Olivet, de l'Académie française, un fait qui sera nouveau pour le plus grand nombre des lecteurs. Il ne peut qu'augmenter la célébrité du refrain ingénieux *Le pauvre homme !* qui fait le charme de cette scène.
>
> Louis XIV, disoit le célèbre académicien, marchoit vers la Lorraine sur la fin de l'été 1662. Accoutumé dans ses premières campagnes à ne faire qu'un repas le soir, il alloit se mettre à table, la veille de saint Laurent, lorsqu'il conseilla à M. de Rhod..., qui avoit été son précepteur[3], d'aller en faire autant.
>
> Le prélat, avant de se retirer, lui fit observer, peut-être avec trop d'affectation, qu'il n'avoit qu'une collation légère à faire un jour de vigile et de jeûne. Cette réponse ayant

1. Tome IV, pp. 402-404.
2. La scène était ainsi numérotée dans l'édition de 1734, dont Bret a suivi le texte. C'est aujourd'hui la scène IV.
3. Il s'agit de Mgr Hardouin de Péréfixe, qui fut successivement évêque de Rodez et archevêque de Paris. C'est lui qui, le 11 août 1667, lancera la fameuse ordonnance contre *l'Imposteur* après l'unique représentation de la pièce sous ce titre.

excité de la part de quelqu'un un rire qui, quoique retenu, n'avoit pas échappé à Louis XIV, il voulut en savoir le motif.

Le rieur répondit à Sa Majesté qu'Elle pouvait se tranquilliser sur le compte de M. de Rh..., et lui fit un détail exact de son dîner, dont il avoit été témoin. A chaque mets exquis et recherché que le conteur faisoit passer sur la table de M. de Rh..., Louis XIV s'écrioit : *Le pauvre homme !* Et chaque fois il assaisonnoit ce mot d'un ton de voix différent, qui le rendoit extrêmement plaisant.

Molière, en qualité de valet de chambre, avoit fait ce voyage ; il fut témoin de cette scène, et, comme il travailloit alors à son *Imposteur*, il en fit l'heureux usage que nous voyons.

Louis XIV, en écoutant, l'année suivante, les trois premiers actes du *Tartuffe*, ne se rappeloit point la part qu'il avoit à cette scène. Molière l'en fit ressouvenir, et ne lui déplut point. Qui sait si ce fait, qui associoit, pour ainsi dire, le prince et le poète, ne contribua pas à sauver ce chef-d'œuvre de l'oubli dans lequel une cabale puissante s'efforça pendant quatre années de le faire tomber ?

Remarquons d'abord qu'il y a dans ce texte une erreur de date : ce n'est pas en 1662, mais en 1663 que Louis XIV se rendit à l'armée de Lorraine. Cette erreur passa inaperçue à l'époque, car, deux ans après la publication de l'édition Bret, l'historiette fut reprise dans les *Anecdotes dramatiques* de Clément et Delaporte [4]. Les auteurs, sans corriger l'erreur de Bret (et sans le citer), ont condensé son texte, dont des passages entiers subsistent mot pour mot. Petitot fit de même en 1822, dans son édition des *Œuvres* [5].

En 1824, un académicien aujourd'hui oublié, Charles-Guillaume Etienne, est chargé de présenter *Tartuffe* dans une nouvelle édition des *Œuvres* de Molière. Dans sa « Notice », il récrit l'historiette à sa manière, sans dire qu'il l'a trouvée chez Bret ou chez Petitot, sans rectifier la date inexacte, sans apporter de preuves, et il conclut avec une superbe assurance :

---

4. Paris, Vve Duchesne, 1775, t. II, pp. 203-204.
5. Paris, H. Nicolle et Gide fils, 1812-1828, t. IV, pp. 239-240.

Molière était du voyage ; il écouta et il écrivit [6].

Quand Taschereau, l'année suivante (1825), publia la première édition de son *Histoire de la vie et des ouvrages de Molière*, il y incorpora l'anecdote, à l'année 1662, sans s'aviser lui non plus de l'erreur. Son récit [7] est une paraphrase de ceux de ses devanciers, mais il a la probité de les citer tous, y compris Etienne. Pas un instant il ne met en doute l'authenticité des faits rapportés en premier lieu par Bret s'appuyant — sans preuves réelles — sur l'autorité pourtant bien incertaine de l'abbé d'Olivet, né en 1682, et qui n'aurait donc pu connaître les faits que par ouï-dire. Le livre de Taschereau, qui connut quatre éditions entre 1825 et 1844, contribua pour beaucoup à répandre l'anecdote dans le public.

C'est seulement en 1848 que surgit la contestation. Dans un article de la *Revue des Deux-Mondes* [8] qui sera repris ensuite en volume sous le titre *Notes historiques sur la vie de Molière* [9], A. Bazin, ayant constaté que la date de 1662 n'était pas soutenable, en tire argument pour réfuter l'ensemble de l'histoire telle que l'a racontée Taschereau :

> Nous lisons bien, dans un livre estimé, que, cette année 1662, le roi fit un voyage en Lorraine, et que Molière, qui l'y suivit, eut l'occasion de ramasser sur son chemin la plaisante exclamation dont il fit si bon usage dans le *Tartuffe* : « Le pauvre homme ! »
>
> Mais il manque seulement à cette historiette que le roi soit allé en Lorraine, que Molière ait eu à l'y suivre, et que l'évêque de Rhodez, nommé archevêque de Paris, auquel on donne un rôle dans l'anecdote, ait pu être d'un voyage qui ne se fit pas.

Bazin conclut un peu trop hâtivement. Il devait dire : « un voyage qui ne se fit pas *cette année-là* ». Car le voyage se

---

6. Molière, *le Tartuffe, avec de nouvelles notices historiques, critiques et littéraires*, par M. Etienne, Paris, Panckoucke, 1824 (non paginé).
7. P. 70. (4e édition, 1844, p. 45.)
8. 15 janvier 1848.
9. Paris, Techener, 1851, voir pp. 96-97.

fit, mais l'année suivante. Louis XIV avait un compte personnel à régler avec le duc Charles IV de Lorraine. Il partit de Vincennes le 25 août 1663 au matin et y fut de retour le 5 septembre à midi, après avoir parcouru 200 lieues en onze jours et avoir obtenu ce qu'il voulait, c'est-à-dire la remise de la place-forte de Marsal. Et Mgr Hardouin de Péréfixe, confesseur du roi, ancien évêque de Rodez et nouvel archevêque de Paris, fut bel et bien du voyage. Mais, hélas ! aucun document connu, administratif ou autre, ne permet de déterminer avec certitude si Molière — toujours titulaire de sa charge de tapissier-valet de chambre de Sa Majesté — faisait ou non partie de la suite du roi. Nous reviendrons tout à l'heure sur cette question.

Taschereau réagit à la critique de Bazin. Dans la cinquième et ultime édition de son ouvrage [10], il transposa de 1662 à 1663 le récit de l'anecdote, en le modifiant légèrement, et sans faire aucune allusion à Bazin. Mais il entreprit, ce qu'il n'avait pas fait jusqu'alors, de démontrer la présence de Molière dans la suite du roi allant aux armées : « Molière l'avait accompagné, ou plutôt précédé, en sa qualité de tapissier-valet de chambre. » Et, comme justification, il ajoute en note : « Le théâtre du Palais-Royal fit relâche du 17 au 24 août, et ne donna ensuite, jusqu'au 11 septembre, que des pièces où Molière ne jouait pas. »

Consultons le *Registre* de La Grange [11], et nous constaterons que Taschereau a quelque peu « tiré » sur les dates : le théâtre ne fit pas exactement *relâche* du 17 au 24 août. Rappelons-nous que la troupe de Molière ne jouait que les mardis, vendredis et dimanches. Or elle joua le vendredi 17 et le vendredi 24. Dans l'intervalle, La Grange signale une « interruption » qui ne porte en fait que sur deux jours de représentation : le dimanche 19 et le mardi 21 août. La Grange n'accompagne le mot « interruption » d'aucun commentaire, d'aucune explication. La Thorillière, dont nous avons aussi le registre [12] pour la même période, ne dit rien

10. Paris, Furne, 1863. Cette édition constitue le tome I des *Œuvres complètes* de Molière publiées la même année chez Furne. Il existe un tirage à part de ce tome. (Voir pp. 79-80.)

11. *Le Registre de La Grange*, éd. B.E. Young, Paris, Droz, 1947, p. 59.

12. *Premier registre de La Thorillière*, éd. G. Monval, Paris, Jouaust, 1890, pp. 63-64.

non plus. C'est vraiment insuffisant pour en conclure, comme le fait implicitement Taschereau, qu'on avait interrompu les représentations parce que Molière était parti avec un détachement avant-courrier pour préparer les cantonnements du roi.

Après le 24 août, la troupe n'aurait donné, selon Taschereau, que des pièces où Molière ne jouait pas. C'est un peu trop vite dit. Rouvrons le *Registre* de La Grange : le dimanche 26 août, on donna *Venceslas*, de Rotrou, avec *l'Ecole des maris*. Le mardi 28 : *Don Japhet d'Arménie*, de Scarron. Le vendredi 31 août, de même que le dimanche 2 et le mardi 4 septembre : *Sertorius*, de Corneille, avec *le Cocu imaginaire*.

Admettons que Molière n'ait pas tenu de rôle dans *Venceslas*, tragédie. Mais certains affirment qu'il joua *Sertorius* jusqu'en 1671. Il ne jouait probablement pas dans *Don Japhet*, comédie dont le rôle-titre avait été créé par Jodelet, décédé en 1660 et remplacé par du Parc. Quant au *Cocu imaginaire* et à *l'Ecole des maris*, créations de Molière, nous savons qu'il y incarnait le personnage principal, qui se nomme Sganarelle dans l'une et l'autre pièce.

Comment, dans ces conditions, aurait-il pu s'absenter, puisqu'il devait participer, en tant que premier rôle, à quatre spectacles sur cinq ?

Se faire remplacer ? A notre connaissance, Molière ne s'est fait remplacer qu'en un seul cas dans une de ses pièces : par Baron, dans le rôle d'Alceste, fin octobre et début novembre 1672, moins de six mois avant sa mort.

Mais consultons encore le registre de La Thorillière, plus complet que celui de La Grange en ce qu'il donne, pour chaque jour, le détail des dépenses et des recettes. Nous y lisons à la date du 2 septembre 1663 : « Il est dû à M. de Molière 10 s. » Et, le 4 septembre : « A M. de Molière, 13 s. » N'est-ce pas là la preuve formelle de sa présence, puisqu'il lui était dû, ces deux jours-là, une somme minime sur sa part ou sur ses frais ?

Il faut donc tenir pour certain que Molière n'a pas quitté son théâtre du 25 août au 4 septembre 1663, et que par conséquent il n'a pas pu, à cette même période, accompagner le roi dans son périple en Lorraine.

Cette impossibilité étant démontrée, revenons au texte de Bret. Que faut-il en retenir ? Que la seule chose certaine est la réalité du séjour de Louis XIV en Lorraine... un an plus tard que ne l'indique l'auteur ; que Molière, qui n'y participa pas, n'a donc pas pu entendre, à cette occasion, Louis XIV ironiser sur « le pauvre homme ! », si tant est que le roi ait jamais lancé cette boutade. Remarquons enfin que Bret situe les faits « la veille de saint Laurent », c'est-à-dire le 9 août, date qui ne se trouve pas dans la période considérée. Eugène Despois pense que « ce petit détail a été glissé dans le récit par artifice, pour donner au tout un air d'exactitude » [13], et il a sûrement raison.

Oui, l'anecdote n'a d'exactitude que l'apparence, par l'effet des précisions de temps, de lieu et de circonstances dont on l'a entourée lorsqu'on l'a inventée un siècle après les faits, parce que l'on a trouvé piquant d'attribuer à Louis XIV une petite part de collaboration dans cette pièce que certains ont cru avoir été écrite sinon sur son ordre, du moins sur sa suggestion [14].

Bien avant que cette anecdote ne fût lancée, il en avait circulé une autre, assez voisine, due à Tallemant des Réaux. Elle a pour objet le père Joseph, capucin, conseiller intime du cardinal de Richelieu, et surnommé l'*Eminence grise*. Dans l'historiette de Tallemant [15], un gentilhomme de la cour, visitant en province un couvent de capucins, s'entend demander des nouvelles du père Joseph. A chaque détail donné par le visiteur, montrant combien l'existence du père est douce et enviable, le supérieur du couvent s'exclame, apitoyé : *Le pauvre homme !* Et Tallemant déclare en conclusion : « C'est de ce conte-là que Molière a pris ce qu'il a mis dans son *Tartuffe*, où le mari, coiffé du bigot, répète plusieurs fois : *Le pauvre homme !* »

---

13. *Œuvres de Molière*, édition des « Grands Ecrivains de la France », Hachette, 1878, t. IV, p. 414, note 1 [b].

14. Voir Louis Lacour de la Pijardière, *le Tartuffe par ordre de Louis XIV*, Paris, Claudin, 1877.

15. Tallemant des Réaux, *Historiettes*. Edition 1854-1860, t. II, p. 133. Edition 1932-1934, t. II, p. 89.

C'est parfaitement possible. Comme il est aussi parfaitement possible que Tallemant des Réaux ait inventé cette historiette *après* la création de *Tartuffe*. Molière, Tallemant et Louis XIV ont peut-être puisé à la même source, c'est-à-dire au domaine public. Avec ou sans le père Joseph, la plaisanterie du « pauvre homme ! » pouvait courir les rues depuis longtemps, et Molière n'a sûrement pas eu besoin, pour la connaître, d'attendre que Louis XIV ait eu l'occasion d'en faire l'application, un soir qu'il se trouvait d'humeur badine, en passant par la Lorraine...

L'anecdote est jolie, certes, mais on ne saurait accepter comme vrai le récit qu'en a donné Bret cent dix ans après les faits allégués.

(circa) 1664

La « déclamation notée »

Molière aurait imaginé un procédé lui permettant de noter les intonations de ses rôles.

La première mention de ce fait apparaît en 1733 sous la plume de l'abbé Du Bos dans la seconde édition de ses *Réflexions sur la poésie et la peinture*.

Mais, pour mieux situer l'anecdote, commençons par nous reporter à la première édition (1719)... où elle ne figure pas. Après avoir fait l'éloge des anciens acteurs latins qui observaient, pour la tragédie, une « déclamation notée », Du Bos rappelle la façon dont fut interprété le rôle de Phèdre lors de la création de cette tragédie :

> On sçait avec quel succès la Champmeslé récita le rôle de Phèdre, dont Racine lui avoit enseigné la déclamation vers par vers. Despréaux en daigna parler, et notre scène a même conservé quelques vestiges ou quelques restes de cette déclamation qu'on auroit pu écrire si l'on avoit eu des caractères propres à le faire, tant il est vrai que le bon se fait remarquer sans peine dans toutes les productions dont on peut juger par sentiment, et qu'on ne l'oublie point même quoiqu'on n'ait point pensé à le retenir.
>
> Enfin une tragédie dont la déclamation seroit écrite en notes auroit le même mérite qu'un Opéra. Des acteurs médiocres pourroient l'exécuter passablement. Ils ne pourroient plus faire la dixième partie des fautes qu'ils font, soit en manquant les tons, et par conséquent l'action propre aux vers qu'ils récitent, soit en mettant du pathétique dans plusieurs endroits qui n'en sont pas susceptibles. Voilà ce qui

> tous les jours arrive sur nos théâtres, où les comédiens [1] les plus ignorants, et qui la plupart n'étudièrent même jamais leur métier, composent à leur fantaisie la déclamation d'un rolle dont souvent ils n'entendent pas plusieurs vers [2].

Suit une dissertation un peu longuette, après quoi l'abbé Du Bos reprend :

> Pourquoi les anciens, qui connoissoient le mérite de la déclamation arbitraire [3] aussi bien que nous, se seroient-ils déterminés, après l'expérience, en faveur de la déclamation notée ?
>
> Mais, me dira-t-on, la plupart des gens du métier se soulèvent contre l'usage de composer et d'écrire en notes la déclamation, sur la première exposition de cet usage [4].

On peut penser que des protestations, ou tout au moins des observations furent adressées à l'auteur par des « gens du métier », car dans l'édition suivante de son ouvrage, l'abbé Du Bos inséra, aussitôt après le paragraphe ci-dessus, le complément que voici :

> Je répondrai en premier lieu que plusieurs personnes dignes de foi m'ont assuré que Molière, guidé par la force de son génie, et sans avoir jamais sçu apparemment tout ce qui vient d'être exposé concernant la musique des anciens, faisoit quelque chose d'approchant de ce que faisoient les anciens, et qu'il avoit imaginé des notes pour marquer les tons qu'il devoit prendre en déclamant les rolles qu'il récitoit toujours de la même manière. J'ai encore ouï dire que Beaubourg [5] et quelques autres acteurs de notre théâtre en avoient usé ainsi [6].

---

1. Il faut bien entendu prendre le mot *comédiens* au sens large d'*acteurs*, puisqu'il s'agit ici de la tragédie.
2. *Réflexions sur la poésie, etc.*, Paris, P.J. Mariette, 1719, pp. 576-577.
3. C'est-à-dire laissée à l'initiative de l'acteur.
4. *Ibid.*, p. 586.
5. Beaubourg, après avoir appartenu à diverses troupes, fut sociétaire de la Comédie-Française de 1692 à 1718.
6. *Réflexions, etc.*, 2e et 3e édition : 1733 ; 4e édition : 1740 ; t. III, p. 321.

Aucun recoupement n'est possible pour contrôler la véracité du fait, puisque Du Bos est le seul à l'avoir signalé. Mais nous nous trouvons ici dans une situation analogue à celle que nous avons constatée à propos de « Molière et sa servante [7] » : l'auteur se sert de l'exemple de Molière pour appuyer ses dires. C'est donc qu'il considère le fait comme vrai, ou suffisamment prouvé. Et l'abbé Du Bos est un auteur sérieux. Il semble que l'on doive lui faire confiance.

C'est en tout cas ce qu'a fait Edouard Fournier qui, dans ses *Etudes sur la vie et les œuvres de Molière* [8], demande : « Où passa ce manuel d'accentuation ? On l'ignore [...] S'il eût laissé ce guide, cette loi de la justesse et de la vérité dans le bien-dire, nous ne serions pas obligés d'entrer continuellement en luttes pénibles avec les contresens dont, sur la scène même où la tradition de son esprit devrait être le mieux maintenue et respectée, on fausse de plus en plus cet esprit et cette tradition. »

Je crois qu'Edouard Fournier va trop loin dans ses regrets. D'abord, il déplore la perte d'un « manuel d'accentuation » dont l'existence est loin d'être prouvée. Tout ce que nous dit l'abbé Du Bos, d'après les « personnes dignes de foi » qui l'ont renseigné, c'est que Molière avait imaginé des notes pour marquer ses intonations. Il n'est pas question d'un manuel ou d'un traité de déclamation notée, mais, me semble-t-il, d'un petit système à usage personnel, d'un ensemble de signes que l'acteur inscrivait, à la plume ou au crayon, dans les marges ou les interlignes du texte de la pièce. Ensuite, il me semble, à lire attentivement l'abbé Du Bos, qu'il n'était question que de la tragédie, genre propre à une véritable déclamation comparable à une forme de chant.

Je suis tout disposé à admettre que Molière ait usé d'un tel procédé pour les rôles tragiques qu'il joua (César de *la Mort de Pompée*, par exemple), mais non pour les rôles comiques qu'il tenait dans ses propres pièces en vers. Je ne pense pas qu'il ait eu besoin de « noter » ainsi Arnolphe, Orgon, Chrysale ou même Alceste.

---

7. Voir p. 68 du présent ouvrage.
8. Paris, Laplace, Sanchez et Cie, 1885, pp. 281-282.

Il ne faut donc pas, selon moi, compter retrouver un jour le « manuel d'accentuation » dont parlait Edouard Fournier et qui n'a probablement jamais existé. Tout ce que l'on peut espérer, c'est de mettre par hasard la main sur des exemplaires de tragédies portant de bizarres annotations, sorte de hiéroglyphes phonétiques qui pourraient être de la main de Molière...

Si l'on veut essayer de dater l'anecdote, je pense qu'il convient de la situer vers 1664, au moment où, en pleine « Querelle de *l'Ecole des femmes* », paraît la comédie satirique d'Antoine Montfleury, *l'Impromptu de l'Hôtel de Condé*, dans laquelle est raillée la diction tragique de Molière, qui

> *... débitant ses rôles*
> *D'un hoquet éternel sépare ses paroles.*

Ce hoquet n'est pas une légende. Les contemporains l'avaient remarqué. Grimarest en a parlé : « Dans les commencements qu'il monta sur le théâtre, il reconnut qu'il avoit une volubilité de langue dont il n'étoit pas le maître et qui rendoit son jeu désagréable. Et des efforts qu'il se fesoit pour se retenir dans la prononciation, il s'en forma un hoquet, qui lui demeura jusqu'à la fin [9]. »

Il n'est peut-être pas trop hasardeux de penser que les fameuses « notes » aient pu être utilisées par Molière pour s'aider à vaincre ce défaut et à régler de façon précise sa déclamation tragique.

---

9. *La Vie de M. de Molière* (1705), éd. Mongrédien, 1955, p. 99.

La « Querelle de l'Ecole des femmes » *n'est toujours pas terminée. Le 18 octobre 1663, Molière contre-attaque avec* l'Impromptu de Versailles *joué devant le roi et la cour. Cette fois, il se fâche et répond à ceux qui font des allusions blessantes à ses difficultés conjugales.*

Heureusement, le roi continue de l'honorer de sa protection. Il lui accorde une pension de « bel esprit ». Il accepte d'être le parrain de son premier-né, Louis Poquelin, dont la vie, hélas ! sera brève. Il multiplie les marques de bienveillance à l'auteur-acteur... qui est aussi tapissier-valet de chambre au palais.

Molière à la table de Louis XIV ou L'en-cas de nuit

Le Roi-Soleil aurait, un jour, fait asseoir Molière à sa table et l'aurait servi de ses mains.

Cette anecdote est l'une des « Trois Grandes », les deux autres étant *Molière chez le barbier de Pézenas* et *Molière lisant ses pièces à sa servante*. C'est aussi l'une des plus contestées, car son apparition tardive l'a rendue suspecte.

En effet, c'est seulement en 1822 qu'elle apparaît, dans les *Mémoires* de Mme Campan. D'abord lectrice de Mesdames de France, filles de Louis XV, puis dame de compagnie de la reine Marie-Antoinette, Mme Campan (1752-1822) avait vécu à la cour de Versailles depuis l'âge de quinze ans. Elle a laissé trois volumes [1] où ses souvenirs personnels se mêlent à de nombreuses anecdotes recueillies à la cour et à la ville. La première partie du tome III, consacrée aux *Anecdotes du règne de Louis XIV*, débute par celle de « L'en-cas de nuit ».

Le texte en a presque toujours été cité de manière incomplète ou déformée. Je crois indispensable de ne pas en retrancher le premier paragraphe, trop souvent omis.

> Il existait à Versailles, avant la révolution, des usages et même des mots dont peu de gens ont connaissance [...] Tous les services de prévoyance s'appelaient des *en-cas*. Quelques chemises et des mouchoirs, conservés dans une corbeille chez

1. *Mémoires sur la vie privée de Marie-Antoinette, reine de France et de Navarre, suivis de souvenirs et anecdotes historiques sur les règnes de Louis XIV, Louis XV et Louis XVI*, Paris, Baudouin, 1822.

le roi ou chez la reine, en cas que Leurs Majestés voulussent changer de linge sans envoyer à leur garde-robe, formaient le paquet d'*en-cas* [...] Le soir, on apportait chez la reine un grand bol de bouillon, un poulet rôti froid, une bouteille de vin, une d'orgeat, une de limonade et quelques autres objets : cela s'appelait l'*en-cas* de la nuit.

Un vieux médecin ordinaire de Louis XIV, qui existait encore lors du mariage de Louis XV, raconta au père de M. Campan une anecdote trop marquante pour qu'elle soit restée inconnue. Cependant ce vieux médecin, nommé M. Lafosse, était un homme d'esprit, d'honneur, et incapable d'inventer cette histoire. Il disait que Louis XIV, ayant su que les officiers de sa chambre [2] témoignaient, par des dédains offensants, combien ils étaient blessés de manger à la table du contrôleur de la bouche avec Molière, valet de chambre du roi, parce qu'il avait joué la comédie, cet homme célèbre s'abstenait de se présenter à cette table [3].

Louis XIV, voulant faire cesser des outrages qui ne devaient pas s'adresser à un des plus grands génies de son siècle, dit un matin à Molière à l'heure de son petit lever :

« On dit que vous faites maigre chère ici, Molière, et que les officiers de ma chambre ne vous trouvent pas fait pour manger avec eux. Vous avez peut-être faim ; moi-même je m'éveille avec un très bon appétit : mettez-vous à cette table, et que l'on me serve mon en-cas de nuit. »

Alors le roi, coupant sa volaille et ayant ordonné à Molière de s'asseoir, lui sert une aile, en prend en même temps une pour lui, et ordonne que l'on introduise les entrées familières, qui se composaient des personnes les plus marquantes et les plus favorisées de la cour.

« Vous me voyez, leur dit le roi, occupé de faire manger Molière, que mes valets de chambre ne trouvent pas assez bonne compagnie pour eux. »

De ce moment, Molière n'eut plus besoin de se présenter à cette table de service ; toute la cour s'empressa de lui faire des invitations.

---

2. Le mot *officiers* ne doit évidemment pas être pris au sens militaire, mais dans celui de « titulaires d'un office », en l'occurrence celui de valet de chambre.

3. Cette longue phrase est incorrectement construite. Mais elle est reproduite ici telle qu'elle figure dans l'original.

Trois ans après la publication des *Mémoires* de Mme Campan, l'anecdote de l'en-cas de nuit y est puisée par Jules Taschereau, le premier biographe complet de Molière, qui l'insère, presque textuellement et en citant sa source, dans son *Histoire de la vie et des ouvrages de Molière*[4]. Il la maintient sans modification et sans discussion dans les éditions successives de son livre dont la dernière est de 1844 et, restée très longtemps dans le commerce, eut d'innombrables lecteurs[5].

Sainte-Beuve, après Taschereau, utilise l'anecdote sans la mettre en doute dans ses *Portraits littéraires* (1832). Son texte est fréquemment repris, sous forme de notice ou de préface, en tête de diverses éditions des œuvres de Molière.

Ainsi cautionnée par Sainte-Beuve, qui ne passait pas pour un plaisantin, voilà l'anecdote bien lancée. On la retrouve dès lors dans une multitude de résumés biographiques, notes, commentaires, articles de toute sorte qu'il serait impossible d'énumérer. Enjolivée, amplifiée, elle fait son chemin et atteint très vite la grande popularité.

Les peintres s'en emparent. Ingres, le premier, en fait le sujet d'un tableau pour l'impératrice Eugénie, en 1857. Au Salon de 1863, Gérôme expose un « Louis XIV et Molière ». En 1864, c'est au tour de H.J. Vetter de présenter un « Molière et Louis XIV ». Bientôt les graveurs reproduisent

---

4. Paris, Ponthieu, 1825 (1re édition), p. 92. *Id.*, 1828 (2e édition). Paris, Hetzel, 1844 (3e édition, revue et augmentée), p. 58.

5. Notons en passant que Taschereau situe l'anecdote en 1664, s'appuyant en particulier sur le fait que l'on voit Louis XIV, en janvier de cette année, donner une autre marque d'estime à Molière en acceptant d'être le parrain de son premier enfant, en dépit de la fameuse « requête » de Montfleury.

Nous savons en outre que Racine, écrivant en novembre 1663 à l'abbé Le Vasseur, lui dit avoir rencontré Molière au lever du roi, lequel a donné des paroles louangeuses au comédien-tapissier, qui sembla heureux que Racine se trouvât là pour les entendre.

D'autre part, l'anecdote ne peut guère se situer avant le milieu de l'année 1660, puisque c'est seulement à cette date que Molière reprit, au décès de son frère cadet, les fonctions de tapissier-valet de chambre dont il lui avait jusqu'alors laissé l'exercice, conjointement avec leur père, titulaire de la charge survivancière.

Enfin, la période qui s'étend de janvier 1663 à février 1664 est celle de la « Querelle de *l'Ecole des femmes* », au cours de laquelle Molière fut en butte à de nombreuses avanies, au nombre desquelles peut se placer celle que lui auraient faite les « officiers de la chambre ».

C'est pour l'ensemble de ces raisons que la date 1663-1664 a été placée en tête du présent récit.

ces œuvres [6] dont la diffusion est alors générale. Elles illustrent les biographies de Molière et donnent elles-mêmes naissance à d'autres gravures, signées ou anonymes, qui contribuent à accroître encore la popularité de l'anecdote. En 1868, Louis Nicolardot l'incorpore dans sa très érudite *Histoire de la table*. « Molière à la table de Louis XIV » acquiert désormais la valeur d'un fait historique indiscutable.

Il reste indiscuté pendant un peu plus d'un demi-siècle. C'est en 1874 que se produit la première attaque. Elle est lancée par Eugène Despois dans *le Théâtre français sous Louis XIV* [7]. N'hésitant pas à qualifier l'anecdote de « légende », il constate et réprouve son évolution :

> Dans les discours académiques et ailleurs, l'anecdote s'abrège et s'embellit : « Ce roi qui admettait Molière à sa table ! » Voilà ce qu'on arrive à dire et à imprimer couramment, comme une chose toute simple et qui ne fait pas de difficulté.

La réfutation de l'anecdote de Mme Campan paraît de prime abord assez aisée : comment est-il possible qu'aucun des chroniqueurs officiels ou officieux de la cour, continuellement à l'affût des moindres détails des occupations quotidiennes du roi, et surtout des questions d'étiquette, comment se fait-il qu'aucun gazetier, aucun mémorialiste contemporain n'ait mentionné un fait aussi surprenant ?

L'argument est de poids, surtout quand on y ajoute cette déclaration de Saint-Simon qui semble couper court à toute discussion : « Ailleurs qu'à l'armée, le roi n'a jamais mangé avec aucun homme, en quelque cas que ç'ait été, non pas même avec aucuns princes du sang... » [8]

---

6. La tableau d'Ingres a été détruit en 1871 dans l'incendie du palais des Tuileries, mais la Comédie-Française en possède une esquisse signée de l'artiste ; elle orne aujourd'hui le cabinet de l'administrateur. Le tableau de Gérôme, par le jeu des ventes et des successions, n'est plus en France. Celui de Vetter, après avoir été longtemps au musée du Luxembourg, à Paris, est passé dans les collections du Louvre.

7. Paris, Hachette, 1874, p. 311 sqq. L'auteur (normalien, professeur, publiciste) collabora à l'édition des œuvres de Molière dans la collection des « Grands Ecrivais de la France ».

8. Saint-Simon, *Mémoires*, ch. CDXVII. (Il est important de noter que, dans un passage voisin, Saint-Simon contredit lui-même cette affirmation, en signalant qu'il arrivait assez souvent que Monsieur, frère du roi, prît part au dîner de Sa Majesté.)

Après avoir cité le passage que l'on vient de lire, Despois poursuit :

> Il me semble que c'est net. Dira-t-on que Saint-Simon, si soucieux de l'étiquette, aurait été indifférent à une anecdote de ce genre, que la tradition ne lui eût pas laissé ignorer ?... Notez que cette affirmation si absolue vient après deux pages de détails très minutieux sur les personnes qui, à l'armée seulement, ont été admises à la table du roi. « Tout le clergé en fut toujours exclu, excepté les cardinaux et les évêques pairs, ou les ecclésiastiques ayant le rang de prince étranger. » Et l'on se figure que le roi eût accordé à un comédien une distinction qu'il eût refusée à Bossuet ?

Quand on a lu le raisonnement d'Eugène Despois — qui se poursuit sur huit pages serrées —, on a tendance à se laisser convaincre par ses arguments et à conclure avec lui : « Tant qu'on ne pourra nous citer une autorité plus ancienne et plus sûre que Mme Campan pour donner quelque créance à cette anecdote, on peut en toute sécurité la déclarer fausse. »

L'anecdote trouve pourtant un défenseur en la personne d'Edouard Fournier. Dans un article écrit en 1873, et repris par la suite dans le recueil posthume intitulé *Etudes sur Molière*[9], Fournier relève dans le jugement de Despois quelques inexactitudes, et surtout récuse le juge[10] :

> Sincère d'esprit, mais d'opinion partiale, Despois trouvait toujours entre la vérité et son regard le verre opaque de la politique, et il en arrivait à ne pouvoir même plus lire au travers. Le fait qui nous occupe suffira comme exemple de sa myopie plus qu'excessive lorsqu'il s'agissait de quelque action, fût-ce la plus vulgaire, si elle était à la gloire d'un roi.

Les débats sont rouverts en 1885 par Louis Moland dans sa très complète *Vie de Molière* placée en tête d'une nouvelle

---

9. Paris, Laplace, Sanchez et Cie, 1885.
10. P. 443.

édition des *Œuvres*[11]. Il y conteste à son tour la réfutation catégorique de Despois[12] :

> Que l'anecdote soit venue au jour tardivement, c'est ce qui ne peut être nié, et Mme Campan prévoit elle-même la critique lorsqu'elle s'étonne qu'un trait aussi marquant soit demeuré inconnu... L'anecdote ne saurait avoir l'authenticité que donne un témoignage contemporain. Mais doit-on la rayer impitoyablement de toutes les biographies sérieuses du poète ? Il nous semble que ce serait aller trop loin et pousser les choses à l'extrême rigueur.

Commentant lui aussi le passage de Saint-Simon cité plus haut, Moland fait remarquer[13] :

> Les protocoles les plus positifs souffrent des exceptions. N'y a-t-il pas, dans l'existence la plus souverainement réglée par le cérémonial, des heures où l'étiquette chôme ou se relâche ? A Versailles, à Saint-Germain ou à Fontainebleau, au petit jour, Louis XIV, voulant venger d'injustes mépris un serviteur dont il appréciait les talents et le zèle, n'a-t-il pas pu avoir un de ces moments où il redevenait homme ?

Et, après avoir émis l'hypothèse que « sans doute, le roi n'a pas voulu faire une manifestation, comme on dit à présent », Moland conclut[14] :

> On a tort de s'armer en guerre contre ces traditions, ces sortes de légendes... Ne leur accordons pas plus d'autorité qu'elles n'en ont ; acceptons-les sous toutes réserves, mais acceptons-les. Elles ont presque toujours l'avantage d'exprimer quelque idée vraie, quelque fait réel sous une forme saisissante qui se grave dans la mémoire. Ainsi l'anecdote de l'en-cas de nuit exprime d'une façon pittoresque la protection que Louis XIV donna à Molière, non seulement contre ses nombreux rivaux et ennemis, mais aussi contre les tra-

---

11. Paris, Garnier. Le texte de la *Vie de Molière* a été réédité à part, chez le même éditeur, en 1887 et en 1892.
12. Edition de 1892, p. 157
13. *Id.*
14. P. 158.

casseries subalternes, qui ne devaient pas être les moins pénibles.

Mais les opposants de l'anecdote ne désarment pas. Gustave Larroumet, dans *la Comédie de Molière* [15], attaque de nouveau l'anecdote. Il donne pleine approbation au raisonnement d'Eugène Despois, auquel il ajoute deux arguments : d'une part l'*Etat de la France* ne mentionne pas de « médecin ordinaire » nommé Lafosse, on n'y trouve de ce nom qu'un simple « chirurgien servant par quartier [16] ». Voilà mise en doute l'existence même de la plus ancienne autorité citée. D'autre part, dit encore le critique, seuls les valets de chambre proprement dits, ceux qui faisaient partie du personnel permanent au service du roi, avaient « bouche à la cour », c'est-à-dire étaient nourris au palais. Tel n'était pas, administrativement, le cas de Molière, tapissier-valet de chambre extérieur, « contractuel » pourrait-on dire. « Molière, conclut alors Larroumet, n'eut donc pas à manger avec les orgueilleux convives dont parle Mme Campan, et l'anecdote perd ainsi son point de départ. »

Logiquement, sous de tels coups, l'anecdote devrait succomber. Mais Despois avait vu juste lorsque, après l'avoir combattue le premier, il la déclarait « indestructible [17] ». Après lui, après Larroumet, peut-être un peu grâce à Fournier et à Moland, elle se relève et poursuit gaillardement son chemin. De temps en temps, on tire dessus, comme l'a fait le duc de la Force, de l'Académie française, dans un article publié en 1951 dans *les Nouvelles littéraires* [18] sous le titre « Molière s'est-il assis à la table de Louis XIV ? » L'académicien n'ajoute aucun argument nouveau à ceux de Despois et de Larroumet, qu'il rappelle, citations de Saint-Simon à l'appui, et conclut, avec ses prédécesseurs, que « l'anecdote ne manque pas de piquant, mais elle est fausse ».

De telles escarmouches, loin d'abattre l'anecdote, ont sur-

---

15. Paris, Hachette, 1886, pp. 266-268.
16. C'est-à-dire par trimestre. Les Poquelin père et fils, tapissiers-valets de chambre, servaient également par quartier.
17. P. 311.
18. Numéro du 15 février 1951.

tout pour effet de la remettre en lumière et de lui donner un nouvel élan.

L'érudit Jacques Bourgeat la reprend en 1963 dans son ouvrage intitulé *les Plaisirs de la table en France, des Gaulois à nos jours* [19], et en résume la discussion de manière concise et efficace.

Contrairement à l'avis de Despois et de ses continuateurs, Bourgeat déclare que « tout, dans le récit de Mme Campan, milite en faveur de la vraisemblance ». Le nommé Lafosse, que Larroumet traite par le mépris au point d'en nier implicitement l'existence, tout au moins en tant que médecin, n'est ni un mythe ni un négligeable subalterne [20] : « Un sieur François Chaban de Lafosse était effectivement chirurgien de Louis XIV en 1712. Trabouillet le mentionne (*Etat de la France pour 1712*, t. III, p. 8). » N'en déplaise à Larroumet, la charge de tapissier-valet de chambre donnait bel et bien « bouche à la cour », dit encore Bourgeat qui cite la référence exacte : *Etat général des officiers, domestiques et commensaux de la maison du Roy*, 1745, t. VII, p. 83.

(Notons, à propos de ce dernier point, que même si Larroumet avait raison contre Bourgeat dans l'interprétation des règlements, ce serait, en définitive, de peu d'importance. En effet, qui pourrait aujourd'hui affirmer avec une certitude absolue que Molière, soit en qualité de tapissier du roi, soit en qualité de comédien et chef de troupe, jouant au palais, n'a jamais eu l'occasion de prendre son repas à la table du contrôleur de la bouche, et par conséquent d'y subir des avanies ?)

Enfin Jacques Bourgeat souligne l'incompatibilité que nous avons déjà relevée plus haut entre deux passages de Saint-Simon, laquelle ruine son affirmation que « ailleurs qu'à l'armée, le roi n'a jamais mangé avec aucun homme ». En outre, la preuve explicite du contraire est donnée par la *Correspondance* de la princesse Palatine [21] et par les *Mémoires* de

---

19. Paris, Hachette, pp. 199-201.
20. Signalons, en passant, la parfaite mauvaise foi de Despois qui affirme (p. 314) que Mme Campan ne nomme pas le vieux médecin dont elle invoque le témoignage, alors qu'il suffit de se reporter aux *Mémoires* pour avoir la preuve du contraire.
21. Lettre du 15 octobre 1719.

Brienne[22] qui, sans en tirer vanité, rapporte qu'il a mangé deux fois avec le roi. L'affirmation de Saint-Simon, conclut Bourgeat, « ne sert qu'à nous prouver que ce vaniteux gentilhomme n'a jamais pris part au repas du roi ».

Il est évident que l'excellent Jacques Bourgeat aimerait pouvoir soutenir la véracité de cette anecdote qui, grâce à l'imagerie, connut « un chaud accueil dans le cœur populaire ». Seul son souci d'impartiale objectivité l'en empêche. Alors il se résout à admettre que l'on ne peut rien contre l'objection que constitue le silence des chroniqueurs : « Qu'aucun n'ait consacré la moindre ligne à l'anecdote me paraît être un argument sans réplique. » Mais on sent bien que ce n'est pas de gaieté de cœur que Bourgeat se résigne à cette attitude à laquelle le contraint sa probité d'historien et de critique.

Que l'on me pardonne d'avoir longuement cité cette polémique qui s'étend sur un siècle. Mais cela m'a paru nécessaire de mettre les choses sous leur vrai jour.

Il me semble, en effet, que l'on a combattu l'anecdote avec des arguments mal appropriés. On s'élève d'abord — avec raison — contre ceux qui transforment un fait divers en une affaire d'Etat, qui profitent de ce que Louis XIV aurait offert à Molière une collation impromptue pour dire « Ce roi qui admettait Molière à sa table », bref, contre ceux qui déforment l'anecdote de *L'en-cas de nuit* pour en faire celle de *Molière à la table de Louis XIV*.

Mais ensuite, pour combattre la première, on emploie des arguments propres à réfuter la seconde. On en appelle à Saint-Simon, à l'étiquette, aux règles de la préséance nobiliaire et ecclésiastique pour démontrer que jamais Molière n'a pu être convié à un repas royal... et l'on en conclut qu'il est impossible que Louis XIV, un matin, lui ait fait manger un morceau de poulet froid sur un coin de table !

Considérée sous cet aspect, l'anecdote est tout aussi vraisemblable que d'autres, qui évoquent des cas où le Roi-Soleil a délibérément ignoré l'étiquette, parce que tel était son bon plaisir.

22. Tome II, p. 202. (Ces deux références sont citées par Bourgeat.)

Il y a celle, souvent et diversement racontée, de Scaramouche à qui Louis XIV versa un jour à boire de sa propre main [23].

Il y a celle de la femme du médecin Vallot, que Louis XIV invita à prendre place à sa table au cours de la collation qui lui fut offerte lors d'une visite au Jardin des Plantes [24].

Ces anecdotes sont sœurs jumelles, ou cousines germaines, de celle de l'en-cas de nuit. Elles n'ont pas été contestées parce qu'elles ont toutes les chances d'être vraies. Pour la seconde, publiée au lendemain même des faits, c'est une quasi-certitude.

Je cite ici à décharge deux anecdotes qui ont déjà été citées à charge par Despois et ses partisans disant en substance : « Puisque la petite histoire a retenu ces menus faits, pourquoi n'a-t-elle pas retenu celui de l'en-cas de nuit ? Si c'était vrai, on en aurait parlé, cela aurait même fait grand bruit ! »

Le raisonnement est assurément persuasif (et Despois l'a développé avec une grande habileté dialectique), mais il n'est pas absolument péremptoire.

On peut objecter ceci : qui, à l'époque, avait intérêt à ce qu'on en parlât ? Certainement pas les « officiers de la chambre » que le roi venait d'humilier devant témoins. Certainement pas non plus les témoins, plats courtisans habitués du petit lever, qui n'avaient aucune raison d'être agréables à ce Molière qui les raillait jusqu'à les ridiculiser, et pour qui Louis XIV était bien trop indulgent à leur gré. Pas non plus les chroniqueurs d'antichambres, les gazetiers de ruelles, qui, en répandant l'anecdote, se fussent attirés l'inimitié des précédents. Reste alors Molière lui-même, qui jugea peut-être préférable de rester discret, tant par modestie que par prudence.

J'espère que l'on voudra bien admettre avec moi qu'il n'est pas impossible que l'histoire soit authentique, qu'elle ait circulé à l'époque, mais sans qu'aucun homme de plume ait jugé opportun de la publier, d'en faire une chose écrite.

---

23. Angelo Constantini, *Vie de Scaramouche*, Paris, 1665.
24. Jean Loret, *la Muse historique*, à la date du 14 juin 1659.
(On trouvera le texte complet de ces deux anecdotes en annexe, à la fin du présent récit.)

Molière avait trop d'ennemis haut placés. N'oublions pas que nous sommes en pleine querelle de *l'Ecole des femmes* où il avait contre lui gens de lettres, gens de cour et gens d'Eglise, où se déchaînaient contre lui la satire, la malveillance, la médisance, la calomnie et la vengeance, et où les attaques allèrent jusqu'aux voies de fait.

Il est temps maintenant de conclure. Messieurs les jurés, l'anecdote est-elle vraie ou fausse ?

Tout ce que je peux me résoudre à répondre, en mon âme et conscience, c'est qu'elle n'est *pas prouvée.*

Je ne crois pas au pompeux *Molière à la table de Louis XIV* tel que l'ont représenté, croyant bien faire, les peintres du XIXe siècle. Mais je crois à l'*En-cas de nuit* à la bonne franquette, tel que je peux l'imaginer, toujours en mon âme et conscience : « Mettez-vous là, Molière, et mangez avec moi. » [25]

ANNEXES

MOT PLAISANT DE SCARAMOUCHE [26]

Le roy, ayant un jour aperçu Scaramouche à son dîner, voulut bien prendre la peine de lui verser à boire de sa propre main d'un vin étranger pour voir s'il estoit bon gourmet. Scaramouche eut bientôt avalé le verre de vin, et comme le roy lui eut demandé de quel pays il le croyoit, Scaramouche répondit que le plaisir qu'il avoit eu en le buvant l'avoit empêché d'y réfléchir.

Le roy lui en redonna une seconde fois, en lui disant : « Il faut que tu y penses à présent, car tu n'en auras pas davantage. » Scaramouche devina au second coup que c'estoit du vin de Piémont.

---

25. Cette phrase est, bien entendu, de pure supposition. Mais, si l'on admet qu'elle a pu être prononcée, Molière aurait pu en évoquer le souvenir lorsqu'il écrivit le rôle de Mme Jourdain.

26. Extrait de la *Vie de Scaramouche*, par le sieur Angelo Constantini, « comédien ordinaire du Roy dans sa Troupe Italienne, sous le nom de Mezzetin », Paris, Cl. Barbin, 1665, chap. XXV. Réimprimé en 1695 et 1698.

(Il existe une réimpression de l'originale de 1665 par les soins de Louis Moland, Paris, Bonnassies, 1876.)

Le cardinal Mazarin, l'ayant tiré à part, lui dit : « Scaramouche, tu peux te vanter que le plus grand monarque du monde t'a versé à boire. »

Ceux qui estoient auprès du cardinal s'estant pris à rire de la réponse que Scaramouche lui fit, le Roy voulut savoir ce que c'estoit, mais personne ne l'ayant osé dire, Scaramouche prit la parole et dit à Sa Majesté que, Son Eminence lui ayant dit qu'il se pouvait vanter que le plus grand monarque du monde lui avoit versé à boire, il avoit répondu qu'il ne manqueroit pas de le dire à son boulanger.

Le Roy, comprenant par ce discours que l'honneur qu'il avoit fait à Scaramouche ne lui donnoit pas du pain, repartit aussitôt avec une générosité sans pareille : « Tu lui diras aussi que j'augmente ta pension de cent pistoles. »

Scaramouche remercia Sa Majesté et se retira fort content.

UNE BOURGEOISE A LA TABLE DU ROI

Par un beau dimanche du mois de juin 1659, Louis XIV, accompagné de Monsieur et d'une suite élégante et nombreuse, alla visiter le Jardin royal des Herbes médicinales (aujourd'hui Jardin des Plantes).

Les honneurs lui en furent faits par Antoine Vallot [27], qui cumulait alors les fonctions de premier médecin du Roi et de surintendant du Jardin.

L'événement fut relaté par Loret dans sa *Muse historique* [28]. Le gazetier nous apprend qu'après la visite, Vallot offrit à Sa Majesté et à sa suite une « collation » somptueuse, véritable banquet dont il donne une description alléchante et fort détaillée. Après cette rabelaisienne énumération gastronomique, Loret ajoute :

Monsieur Vallot servit le Roy
Et, dans ce repas, eut la gloire
De lui donner trois fois à boire ;

---

27. Antoine Vallot (1594-1671). — D'abord médecin de la reine-mère Anne d'Autriche, Vallot fut médecin du roi de 1652 à sa mort. Il avait participé à la fameuse « consultation de Calais » lorsque le roi, en 1658, contracta à l'armée la fièvre scarlatine dont il faillit mourir.

28. Loret, *la Muse historique*, à la date du 14 juin 1659.

De plus, cet absolu seigneur
Voulut que sa femme eût l'honneur
(Honneur certes considérable)
De repaître à sa propre table.
Elle s'en excusa dix fois ;
Mais enfin, ce meilleur des Rois,
Qui ce qui lui plaît favorise,
Ordonna qu'elle y fût assise.

Le gazetier rimeur est formel : la dame Vallot fut bel et bien conviée par le roi à s'asseoir à sa table.

1664

Molière, éternel insatisfait

Molière, qui devait, au cours d'une réception, donner lecture de sa traduction de Lucrèce, y renonça par modestie après que Boileau eut récité la fameuse Satire à sa louange.

Nous devons cette information à Brossette, qui l'incorpora dans les *Notes* accompagnant l'édition de 1716 des œuvres de Boileau [1].

A propos de la *Satire II, à M. de Molière* (« Rare et fameux esprit... »), il écrit :

> Elle fut faite en 1664. La même année, l'auteur étant chez M. du Broussin, avec M. le duc de Vitry et Molière, ce dernier y devoit lire une traduction de Lucrèce en vers françois, qu'il avoit faite dans sa jeunesse [2].
>
> En attendant le dîner, on pria M. Despréaux de réciter la satire adressée à Molière ; mais, après ce récit, Molière ne voulut plus lire sa traduction, craignant qu'elle ne fût pas assez belle pour soutenir les louanges qu'il venoit de recevoir.
>
> Il se contenta de lire le premier acte du *Misanthrope*, auquel il travailloit en ce temps-là, disant qu'on ne devoit pas s'attendre à des vers aussi parfaits et aussi achevés que ceux de M. Despréaux, parce qu'il lui faudroit un temps infini, s'il vouloit travailler ses ouvrages comme lui.

---

1. *Œuvres de M. Boileau Despréaux, avec des éclaircissement historiques*, Genève, 1716, t. I, p. 21.
2. L'existence de cette traduction, en même temps que sa qualité, avait été signalée dès 1659 par l'abbé de Marolles dans la préface de sa propre traduction du *De Natura rerum*. En 1662, Chapelain la mentionne avec éloge dans une lettre au médecin voyageur François Bernier qui se trouvait alors... à Delhi.

Un peu plus loin, à propos de ces deux vers de la satire de Boileau :

> Et, toujours mécontent de ce qu'il vient de faire
> Il plaît à tout le monde et ne saurait se plaire,

le commentateur souligne encore la modestie en même temps que l'éternelle insatisfaction de Molière :

> En cet endroit, Molière dit à notre auteur, en lui serrant la main : « Voilà la plus belle vérité que vous ayez jamais dite. Je ne suis pas du nombre de ces esprits sublimes dont vous parlez, mais tel que je suis je n'ai jamais rien fait en ma vie dont je sois véritablement content. »

Je pense qu'il n'y a aucune raison de douter de ce que dit Brossette, qui tenait son information directement de Boileau et qui n'avait d'autre souci, en rapportant l'anecdote, que celui d'être « documentaire ».

Les esprits sont un peu calmés. Molière présente, le 29 janvier 1664, le Mariage forcé, *comédie-ballet qui ne donne pas matière à controverse.*

Puis ce sont, en mai, les grandes fêtes des jardins de Versailles pour lesquelles Molière, mis à contribution par le roi, compose la Princesse d'Elide, *aimable divertissement.*

Mais il a aussi écrit une autre pièce — ou tout au moins le début d'une autre pièce — qui va faire un énorme bruit. Il en donne la primeur à Versailles, le 12 mai 1664.

La pièce est intitulée Tartuffe.

1664

Le costume d'Elmire

Quelques instants avant la première représentation de Tartuffe, *Molière obligea Armande Béjart à quitter le costume trop riche qu'elle prétendait mettre.*

Cette anecdote est rapportée pour la première fois par Grimarest en 1705. Après avoir raconté l'histoire du chapeau de Rohaut, dont Molière aurait voulu coiffer le maître de philosophie du *Bourgeois gentilhomme* (nous la verrons plus loin), Grimarest poursuit :

> Cette inquiétude de Molière sur tout ce qui pouvoit contribuer au succès de ses pièces, causa de la mortification à sa femme à la première représentation du *Tartuffe*. Comme cette pièce promettoit beaucoup, elle voulut y briller par l'ajustement ; elle se fit faire un habit magnifique, sans en rien dire à son mari, et du temps à l'avance elle étoit occupée du plaisir de le mettre.
>
> Molière alla dans sa loge une demi-heure avant qu'on commençât la pièce. « Comment donc, Mademoiselle, dit-il en la voyant si parée, que voulez-vous dire avec cet ajustement ? Ne savez-vous pas que vous êtes incommodée dans la pièce ? Et vous voilà éveillée et ornée comme si vous alliez à une fête ? Déshabillez-vous vite, et prenez un habit convenable à la situation où vous devez être. »
>
> Peu s'en fallut que la Molière ne voulût pas jouer, tant elle étoit désolée de ne pouvoir faire parade d'un habit qui lui tenoit plus au cœur que la pièce [1].

1. *La Vie de M. de Molière*, éd. Mongrédien, p. 112.

Personne ne semble avoir, à l'époque, contesté cette anecdote. Soixante-dix ans après, toujours florissante, elle est incorporée dans les *Anecdotes dramatiques* de Clément et Delaporte (1775), sous une forme un peu abrégée mais sans changement notable :

> Molière se donnoit beaucoup de peines pour la représentation de ses pièces, et pour former le jeu de ses camarades. On en voit une image fidèle dans *l'Impromptu de Versailles*. Rien de ce qui pouvoit rendre l'imitation plus vraie et plus sensible n'échappoit à son attention. Il obligea sa femme, qui étoit extrêmement parée, à changer d'habit parce que la parure ne convenoit pas au rôle d'Elmire convalescente, qu'elle devoit représenter dans le *Tartuffe* [2].

Un demi-siècle s'écoule, et l'historiette, que les *Anecdotes dramatiques* ont continué de populariser, est reprise sans contestation par Taschereau dans son *Histoire de la vie et des ouvrages de Molière* (1825). Après un autre demi-siècle, Jules Loiseleur l'insère dans *les Points obscurs de la vie de Molière* (1877), où il l'utilise pour illustrer une certaine folie des grandeurs qu'il décèle chez Armande :

> Mlle Molière, esprit opiniâtre et de petit jugement, ne comprenait rien aux exigences de son mari, et riait volontiers de ses remontrances. L'honneur d'être la femme d'un poète choyé à la cour, la perspective de ce baptême où le Roi-Soleil allait devenir le parrain de l'enfant qu'elle portait en son sein, celle des fêtes où elle comptait figurer bientôt côte à côte avec la plus illustre noblesse de France, toutes ces hautes visées troublaient sa faible tête. Elle faisait la duchesse, comme dit Grimarest [3], et tel est bien, en effet, le reproche que son mari lui adresse, dans le *Tartuffe*, par la bouche de Mme Pernelle :

---

2. T. II, p. 206.
3. « Celle-ci ne fut pas plutôt Mademoiselle de Molière qu'elle crut être au rang d'une duchesse... Les soins extraordinaires qu'elle prenoit de sa parure... » (éd. Mongrédien, p. 59.)

Vous êtes dépensière, et cet état me blesse
Que vous alliez vêtue ainsi qu'une princesse.
Quiconque à son mari veut plaire seulement,
Ma bru, n'a pas besoin de tant d'ajustement.

Le jour de la première représentation de cette pièce, quand il la vit paraître, parée en effet comme une princesse, pour jouer le rôle d'Elmire : « Oubliez-vous, lui dit-il, que vous faites le personnage d'une honnête femme ?» Et il la força de revêtir une toilette d'un luxe moins extravagant, suffisant toutefois pour justifier encore les objurgations de Mme Pernelle [4].

Si les termes ont quelque peu varié au cours des ans, l'idée générale est restée la même : non-conformité du costume et du rôle.

C'est peu après que certains moliéristes ont commencé à chicaner.

Dans *le Moliériste* du 1er février 1880 [5], Charles-Louis Livet, étudiant la question des costumes de la pièce en général, rappelle qu'Orgon est gentilhomme, qu'il semble jouir d'une certaine fortune et qu'on mène chez lui un assez grand train de vie mondaine qui déplaît fort à Mme Pernelle.

« Tout donne à penser que cette anecdote est fausse, dit Ch.-L. Livet. En effet, si Elmire n'est pas malade, elle n'a aucune raison de n'avoir pas son costume habituel. Or elle n'est plus malade ; elle n'a même eu qu'une légère indisposition qui remonte à deux jours [...] Molière, en parlant dans la pièce du fichu de dentelle que porte Elmire, de ce "point" dont "l'ouvrage est merveilleux" prête à la femme d'Orgon un vêtement qui ne peut pas ne pas être riche.

« Armande appuyait donc son élégance sur les vers mêmes de la pièce qui l'exigeaient ; sur quoi donc se serait appuyé le blâme de Molière, puisqu'il est faux qu'Elmire soit encore malade au moment où se passe l'action ?

« D'où il faut conclure, à ce qu'il semble, que l'anecdote

---

4. Pp. 289-290.
5. T. I, pp. 337-338.

[...] ne présente pas des caractères suffisants de vérité pour résister à un examen critique. »

Dans le numéro suivant du *Moliériste* (1er mars 1880[6]), Auguste Vitu approuve l'argumentation de Ch.-L. Livet et, citant la version Loiseleur : « Il la força de revêtir une toilette d'un luxe moins extravagant, suffisant toutefois pour justifier encore les objurgations de Mme Pernelle », il ajoute : « C'est-à-dire qu'après avoir pris une toilette plus simple, elle restait encore vêtue ainsi qu'une princesse. Comment donc était-elle vêtue auparavant ? »

Je crois que la réponse est toute simple : elle était vêtue avec un luxe *excessif*. Elle n'est plus malade, comme le fait remarquer Livet, mais elle est tout de même convalescente[7], on nous le dit dans la pièce. Et la *Lettre sur la Comédie de l'Imposteur* définit ainsi la situation : « Quoique la dame se trouvât assez mal, elle étoit descendue avec bien de l'incommodité dans cette salle basse pour accompagner sa belle-mère. » En cet état, en ce début de journée, elle ne pouvait pas être parée comme pour une soirée mondaine, une de ces visites reçues ou rendues contre lesquelles Mme Pernelle s'insurge. Et il semble bien, selon la première version de l'anecdote, que c'est précisément ce qu'Armande avait fait, et que Molière ne toléra pas.

Le reproche d'aller « vêtue ainsi qu'une princesse » qu'adresse Mme Pernelle à Elmire est d'ordre général. Il ne signifie pas qu'Elmire soit, à ce moment, parée comme une châsse. C'est une allusion à son habituel excès de luxe vestimentaire au cours des visites avec carrosses et laquais que sa belle-mère blâme aux vers 86-90.

Comme Ch.-L. Livet, Auguste Vitu tire argument de « l'étoffe moelleuse » de l'habit d'Elmire, du « point merveilleux » de son fichu. Mais une femme de sa condition peut avoir des vêtements de très belle qualité et de très bonne façon sans qu'ils soient pour cela d'un luxe ostentatoire.

---

6. T. I, pp. 363-364.
7. Le mot *convalescence* est prononcé à deux reprises (Acte I, sc. v, vers 258, Dorine ; et Acte III, sc. III, vers 890, Tartuffe).

« Les costumes de théâtre sont réglés aux répétitions et non pas abandonnés aux caprices des acteurs ou des actrices », dit encore Auguste Vitu. Rien n'est plus vrai, et, si l'on en croit la première version de l'anecdote, Armande, à qui le costume qu'on voulait lui faire porter ne plaisait pas, s'en fit faire un autre, magnifique, *en cachette*, dans l'espoir de mettre son mari devant le fait accompli, ce qui ne se réalisa pas.

Georges Mongrédien, dans son édition de Grimarest [8], fait en note ce commentaire : « Cette anecdote paraît bien invraisemblable : il faudrait admettre que Molière ne réglait pas la question des costumes avant la première représentation de ses pièces. Les dernières répétitions devaient bien, comme de nos jours, être données en costumes. Il faut cependant peut-être tenir compte d'un caprice de dernière heure de la part de la comédienne. »

Hé oui ! C'est un fait avéré que les comédiennes, au XVIIe siècle comme aux suivants jusqu'à nos jours, ont toujours cherché à briller personnellement par la toilette et la parure. Certaines vedettes, avant d'accepter un rôle, commencent par s'enquérir du costume. Lors de la création d'une pièce nouvelle (ou de la reprise d'une pièce ancienne dans une nouvelle présentation), on assiste souvent à des discussions orageuses entre telle comédienne et le directeur, l'auteur et le metteur en scène à propos du costume et des bijoux. La vanité et la jalousie ont leur part dans ces négociations délicates. Un compromis n'est parfois trouvé qu'à la dernière seconde. Et, une fois les « couturières », la « générale » et les premières représentations passées, il n'est pas rare de voir les comédiennes transgresser les accords, et rajouter subrepticement et progressivement un accessoire vestimentaire, une ceinture ou une écharpe, un clip, un collier, des bracelets...

Le récit de Grimarest est précis et circonstancié. Il le tenait sans doute de son principal informateur Baron, entré dans la troupe de Molière en 1670 et qui reprit dans *Tartuffe* le rôle de Damis créé par Hubert.

Tout cela fait que, malgré les arguments contraires, je suis

---

8. P. 112, note 1.

enclin à admettre la véracité de l'anecdote [9]. Et je voudrais, pour finir, citer Mme Dussane, toujours si intuitive, qui, dans *Un comédien nommé Molière* [10], a ainsi fait parler le mari d'Armande au cours de la soirée des *Plaisirs de l'Ile enchantée* du 12 mai 1664 :

> On vient de me montrer l'habit que vous avez commandé pour jouer Elmire dans *Tartuffe*. Je pense que vous avez perdu l'esprit de vouloir habiller une bourgeoise qui garde la chambre aussi richement que la magicienne Alcine. J'ai renvoyé cette parure d'Opéra. Vous prendrez votre robe de velours vert, c'est juste ce qu'il faut...

9. On trouve d'ailleurs un argument à l'appui chez Charles Perrault qui dit dans ses *Hommes illustres* (1696) : « Il [Molière] a aussi entendu admirablement les costumes des acteurs en leur donnant leur véritable caractère. » (T. I, p. 80.)
10. Paris, Plon, 1936, p. 205.

La « Querelle de l'Ecole des femmes *» à peine éteinte, c'est la « Bataille de* Tartuffe *» qui commence.*

Au lendemain de la première, Louis XIV, sous la pression de l'archevêque de Paris, a dû refuser l'autorisation de jouer la pièce en public. Molière s'est incliné, mais n'a pas capitulé.

Il reprend son répertoire habituel. Il soutient les attaques. Il cherche des alliés. Il présente au roi un placet en faveur de Tartuffe. *Et le 15 février 1665, il donne sur son théâtre une nouvelle pièce :* Dom Juan, *qui fait repartir les hostilités. Il la jouera tout de même quinze fois de suite avant de la retirer à jamais de l'affiche, sans doute selon un « conseil » du roi.*

Si Louis XIV s'est laissé là-dessus forcer la main, il n'en manifeste pas moins une bienveillance accrue pour Molière : il augmente sa pension et autorise sa troupe à s'intituler « Troupe du Roy, au Palais-Royal ».

Molière continue de produire. Le 14 septembre, il présente l'Amour médecin, *une comédie-ballet sans prétention, mais dans laquelle il brave un nouvel adversaire : la Faculté.*

1664

La « bataille de dames » de *l'Amour médecin*

La propriétaire de la maison où logeaient Molière et sa femme leur ayant abusivement donné congé, Armande se vengea en la faisant, un jour, expulser de la comédie.

L'anecdote a couru du vivant de Molière. Elle est évoquée en 1670 par Le Boulanger de Chalussay dans son *Elomire hypocondre* (acte II, sc. III). L'auteur fait ainsi parler Elomire (Molière), qui évoque ses ennemis les médecins :

[...] L'un d'entre eux, dont je tiens ma maison,
Sans vouloir m'alléguer prétexte ni raison,
Dit qu'il veut que j'en sorte et me le signifie.
Mais n'en pouvant sortir ainsi sans infamie,
Et d'ailleurs ne voulant m'éloigner du quartier,
Je pare cette insulte, augmentant mon loyer [1].
Dieu sait si cette dent que mon hôte m'arrache
Excite mon courroux ; toutefois je le cache.
Mais quelque temps après que tout fut terminé,
Quand mon bail fut refait, quand nous l'eûmes signé,
Je cherche à me venger, et ma bonne fortune
M'en fait d'abord trouver la rencontre opportune.
Nous avions résolu, mes compagnons et moi,
De ne jouer jamais — excepté chez le Roi —
Devant ce médecin, ni devant sa séquelle.
Pourtant, soit à dessein de nous faire querelle,
Soit pour d'autres motifs, la femme de ce fat
Vint pour nous voir jouer ; mais elle prit un rat [2],

1. C'est-à-dire « j'échappe à l'expulsion en acceptant une augmentation ».
2. Elle rata son coup.

Car la mienne aussitôt en étant avertie
Lui fit danser d'abord un branle de sortie...

En 1705, Grimarest reprend l'anecdote sous une forme un peu différente dans sa *Vie de Molière :*

> Il logeoit chez un médecin dont la femme, qui étoit extrêmement avare, dit plusieurs fois à la Molière qu'elle vouloit augmenter le loyer de la maison qu'elle occupoit. Celle-ci, qui croyoit encore trop honorer la femme du médecin de loger chez elle, ne daigna seulement pas l'écouter : de sorte que son appartement fut loué à la du Parc ; et on donna congé à la Molière.
>
> C'en fut assez pour former de la dissension entre ces trois femmes. La du Parc, pour se mettre bien avec sa nouvelle hôtesse, lui donna un billet de comédie : celle-ci s'en servit avec joie parce qu'il ne lui en coûtoit rien pour voir le spectacle.
>
> Elle n'y fut pas plutôt, que la Molière envoya deux gardes pour la faire sortir de l'amphithéâtre, et se donna le plaisir d'aller lui dire elle-même que, puisqu'elle la chassoit de sa maison, elle pouvoit bien à son tour la faire sortir d'un lieu où elle étoit la maîtresse. La femme du médecin, plus avare que susceptible de honte, aima mieux se retirer que de payer sa place [3].

Les deux versions, bien que séparées par un intervalle de trente-cinq ans, sont concordantes à un détail près : celui de l'intervention de Mlle du Parc.

Il est bien certain qu'aujourd'hui personne ne peut espérer prouver de façon certaine qu'Armande Béjart fit expulser de son théâtre, *manu militari*, la propriétaire qu'elle jugeait s'être indignement conduite envers elle. Nous devons sur ce point nous en remettre au récit de l'auteur d'*Elomire*, contemporain des faits, et à celui de Grimarest, qui n'a pas manqué de sources bien informées.

Pourquoi ne pas les croire ? Car ce que nous savons aujourd'hui de certain, à l'appui de cette anecdote, c'est que

---

3. Edition Mongrédien, 1955, p. 61.

Molière a bel et bien occupé, dès 1661, un appartement dans une maison de la rue Saint-Thomas-du-Louvre dont le propriétaire était Louis-Henri Daquin, médecin ordinaire du roi. Molière occupa ce logement jusqu'en juin 1664, date à laquelle il le quitta pour prendre en sous-location deux étages d'un autre corps de bâtiment de la même maison de la rue Saint-Thomas-du-Louvre appartenant au même Daquin, qui avait loué ce bâtiment en totalité à Nicolas de Boulainvilliers [4]. Pour le premier de ces deux logements, seule l'existence du bail est connue ; pour le second, le bail lui-même est parvenu jusqu'à nous [5].

Les conditions d'une querelle entre Armande Béjart et la femme du médecin-propriétaire semblent donc bien établies, et tout porte à croire qu'elle a eu lieu. Ce qui est douteux, c'est le fait que Marquise du Parc ait succédé au ménage Molière dans l'appartement qu'il venait de quitter. L'étude de Joseph Girard citée en note montre que c'est fort improbable, en tout cas non prouvé. Il semble qu'il y ait là un « embellissement » de Grimarest.

Dater l'anecdote est aisé : elle doit se situer dans le second semestre de 1664, après le déménagement.

Reste un point à élucider. Dans *Elomire hypocondre*, Le Boulanger de Chalussay prétend que c'est la comédie de *l'Amour médecin* qui valut à Molière l'inimitié des *savantissimi doctores* en général et de Daquin, son propriétaire, en particulier. C'est ce qu'il dit dans les vers qui précèdent ceux qui ont été cités plus haut :

> Mon *Amour médecin*, cette illustre satire
> Qui plut tant à la cour et qui la fit tant rire,
> Ce chef-d'œuvre qui fut le fleau des médecins,
> Me fit des ennemis de tous ces assassins ;
> Et, du depuis, leur haine à ma perte obstinée
> A toujours conspiré contre ma destinée.

---

4. Voir sur cette question Joseph Girard : *Molière et Louis-Henri Daquin*, Paris, Editions des Amis des vieux logis parisiens, 1948 ; et Pierre Mélèse : « Les demeures de Molière », in *Mercure de France*, février 1957.

5. Voir Jurgens/Maxfield-Miller : *Cent ans de recherches sur Molière*, Paris, Imprimerie nationale, 1963, p. 361 et p. 387.

Pour Grimarest, c'est le contraire : après avoir relaté la « bataille de dames », il déclare :

> Un traitement si offensant causa de la rumeur. Les maris prirent parti trop vivement : de sorte que Molière, qui étoit très facile à entraîner par les personnes qui le touchoient, irrité contre le médecin, pour se venger de lui, fit en cinq jours de temps la comédie de *l'Amour médecin.*

Pour l'un, *l'Amour médecin* provoqua la colère du propriétaire Daquin et valut à Molière son congé ; pour l'autre, Molière abusivement congédié riposta par *l'Amour médecin.*

La comédie fut-elle la cause ou la conséquence de la querelle ? Ce n'est plus là une anecdote, c'est une question d'histoire littéraire qui a déjà été discutée — et le sera encore — par des voix plus autorisées que la mienne, et qui sort du domaine de ce recueil.

Après 1664

Les papillotes

Un domestique de Molière aurait pris par mégarde un cahier de sa traduction de Lucrèce pour en faire des papillotes.

La traduction française que Molière avait faite d'une grande partie de l'œuvre du poète latin Lucrèce, notamment le *De natura rerum* (et dont il est question dans une anecdote précédente, « Molière, éternel insatisfait », p. 143), n'est pas parvenue jusqu'à nous [1]. Pourquoi ?

C'est l'abbé Laurent Bordelon qui est le premier à nous l'apprendre, dans ses *Diversités curieuses* [2] publiées en 1694 :

> On m'a dit que Molière avoit traduit Lucrèce en vers françois et que son valet, sans sçavoir ce que c'étoit que le papier sur lequel cette traduction étoit écrite, en fit des papillotes pour ses cheveux. Heureuse perte !

L'information se limite à ces cinq lignes, dépourvues de tout contexte.

En 1705, Grimarest raconte à peu près la même chose, sans dire d'où lui est venue l'information :

> Cet auteur avoit traduit presque tout Lucrèce ; et il auroit achevé ce travail, sans un malheur qui arriva à son ouvrage.

---

1. Sauf, chacun le sait, un vestige délicat : les quelques vers qui forment, au deuxième acte du *Misanthrope*, le « couplet d'Eliante ».
2. Le titre complet est *Diversités curieuses pour servir de récréation à l'esprit*. Paris, Urbain Coustelier, 1694-1697, 5 vol., t. II, p. 183.

> Un de ses domestiques, à qui il avoit ordonné de mettre sa perruque sous le papier, prit un cahier de sa traduction pour faire des papillotes. Molière n'étoit pas heureux en domestiques, les siens étoient sujets aux étourderies, ou celle-ci doit être encore imputée à celui qui le chaussoit à l'envers [3]. Molière, qui étoit facile à s'indigner, fut si piqué de la destinée de son cahier de traduction que dans la colère il jeta sur-le-champ le reste au feu [4].

Etant donné le rapprochement des dates de publication, il semble que Bordelon et Grimarest aient puisé leur information à la même source, c'est-à-dire auprès de quelqu'un qui ait vécu dans l'entourage immédiat de Molière. Il y a donc une assez forte présomption pour que l'informateur de l'un comme de l'autre ait été Baron et que l'anecdote soit vraie, tout au moins dans sa première phase : le manuscrit a été utilisé pour faire des papillotes.

En totalité ou en partie ? Bordelon semble pencher pour la première hypothèse, puisqu'il conclut à la perte, qu'il qualifie de heureuse (sans doute parce qu'il considérait l'œuvre de Lucrèce comme condamnable, et non parce qu'il supposait la traduction mauvaise). Grimarest limite les dégâts à un cahier — ce qui paraît plus vraisemblable — mais tient pour acquise la destruction du reste par le feu — ce qui est moins croyable.

En effet, il faut tenir compte de ce que dit, dans ses notes manuscrites, Jean Nicolas de Tralage, neveu du lieutenant de police La Reynie, quelque temps après la parution de l'édition des *Œuvres* de 1682 :

> Le sieur Molière a traduit quelques endroits du poète Lucrèce en beaux vers françois. On les vouloit joindre à la nouvelle édition de ses œuvres faite à Paris, l'an 1682, en huit volumes in-12, chez Thierry, mais le libraire, les ayant trouvés trop forts contre l'immortalité de l'âme, ne les a pas voulu imprimer [5].

---

3. Voir l'anecdote à la p. 213 du présent ouvrage.
4. *La vie de M. de Molière*, éd. Mongrédien, p. 127.
5. *Recueil de Tralage*, Bibl. de l'Arsenal, Paris, manus. 6544, IV, p. 226.

Un peu plus loin, Tralage revient sur la question, à propos des inédits de Molière :

> Le sieur Thierry a payé cinq cents écus, ou quinze cents livres, à la veuve de Molière pour les pièces qui n'avoient pas été imprimées du vivant de l'auteur, comme sont *le Festin de pierre, le Malade imaginaire, les Amants magnifiques, la Comtesse d'Escarbagnas*, etc. Le sieur Thierry n'a point voulu imprimer ce que Molière avoit traduit de Lucrèce. Cela étoit trop fort contre l'immortalité de l'âme, à ce qu'il dit [6].

Ces deux passages paraissent bien indiquer que la traduction de Lucrèce, ou du moins une partie, figurait parmi les manuscrits remis à Thierry aux fins d'impression. Dans ce cas, la destruction signalée par Grimarest n'aurait pas eu lieu. D'ailleurs on imagine mal Molière (ou tout autre auteur) anéantissant dans un accès de rage la totalité d'une œuvre de longue haleine, à laquelle il attachait de l'importance, parce qu'une partie — peut-être minime — a été détruite par un valet étourdi. On l'imagine bien mieux rossant le valet.

Malgré Taschereau, qui déclare que Grimarest « a bâti sur la perte de ce manuscrit un de ces contes dont il ne se montre pas avare » [7], il semble raisonnable d'admettre que l'incident des papillotes a bien eu lieu, mais que les dégâts en ont été limités.

Si ce qui restait du manuscrit après cette malencontreuse affaire a subsisté, la trace s'en perd après 1682, comme celle de tous les papiers de Molière.

Mais ceci est une autre histoire...

---

6. *Ibid.*, p. 241.

7. *Histoire de la vie et des ouvrages de Molière*, 1re édition : 1825, pp. 106-107 ; 3e édition : 1844, p. 67.

(circa) 1664-1672

Molière amphitryon

Malgré sa mauvaise santé et le régime qu'il était obligé de suivre, Molière aimait recevoir à sa table.

Ce fait est mentionné pour la première fois en 1727 par Evrard Titon du Tillet (1677-1762), « Commissaire provincial des Guerres, ci-devant capitaine de dragons, et maître d'hôtel de Madame la Dauphine, mère du Roy », dans un ouvrage intitulé *Description du Parnasse françois* [1]. Voici ce qu'il écrit dans une assez longue notice consacrée à Molière :

> Il faisoit un excellent usage de tout son bien, étant fort libéral et aidant les comédiens qui avoient quelque talent [2]. Il tenoit une bonne table, où les Chapelles, les Fourcrois et plusieurs autres gens d'esprit et bons convives étoient bienvenus. Quoique son tempérament très délicat l'ait obligé de vivre de lait pendant plus de dix ans de sa vie, il restoit cependant quelquefois des cinq et six heures à table avec les meilleurs convives et les plus grands buveurs, qui faisoient chère entière, tandis qu'il n'avoit d'autre mets et d'autre boisson que son lait, avec un peu de pain ou de biscuit [3].

Il n'y a aucune raison, ce me semble, de ne pas admettre la véracité de cette anecdote. Nous savons que Molière aimait la joyeuse compagnie, et les agapes de sa « bande » à la

1. Paris, J.-B. Coignard fils, 1727.
2. On peut voir ici une allusion à son geste généreux envers Mondorge, rapporté par Grimarest (voir p. 218 du présent ouvrage).
3. Le texte reproduit ici est celui de la seconde édition (1732) p.312, plus complet que celui de la première (1727) p. 256.

Pomme de pin et au *Mouton blanc* sont restées dans les mémoires. Nous savons aussi, par Grimarest[4] et par Robinet[5], que sa « fluxion de poitrine » l'avait contraint de se mettre (ou de se soumettre ?) au régime lacté prescrit par la Faculté, sans doute dès 1664, et de s'y maintenir en permanence — ou presque — jusqu'à la fin de sa vie. Quelquefois, comme le montre l'anecdote célèbre du « Souper d'Auteuil[6] » (qui corrobore celle-ci), Molière n'avait pas la force, ou le courage, de rester toute la soirée avec ses invités : il prenait son lait en leur compagnie, puis allait se coucher.

Dans le cas de l'anecdote rapportée par Titon du Tillet, nous ne pouvons qu'éprouver un sentiment d'admiration pour la force de caractère de Molière, amphitryon stoïque et gentil compagnon.

---

4. *La Vie de M. de Molière*, éd. Mongrédien, pp. 80, 83 et 118.
5. *Lettre en vers* du 12 juin 1667.
6. Voir p. 184 du présent ouvrage.

Molière distrait

Molière aurait un jour, par distraction,
poussé la « brouette » qui le menait au théâtre.

Cette anecdote apparaît pour la première fois en 1786 (c'est-à-dire plus d'un siècle après la mort de Molière), dans un recueil anonyme intitulé *Galerie de l'Ancienne Cour, ou Mémoires anecdotes pour servir à l'histoire des règnes de Louis XIV et de Louis XV*, à l'article « Molière [1] ».

> Cet inimitable auteur étoit sujet à de fréquentes distractions. On rapporte de lui ce trait que je n'ose garantir :
> Un jour qu'il étoit pressé par l'heure du spectacle, il prit une brouette [2], mais cette voiture n'alloit pas assez vite à son gré. Il en sort, et se met à la pousser par derrière. Il ne s'aperçut de son étourderie que par le ris inextinguible du brouetteur, et parce qu'il se vit tout crotté en arrivant.

L'auteur du recueil prend d'emblée ses précautions : il avoue ne pas oser garantir l'authenticité de ce qu'il raconte, sans référence, d'après un « on » non identifiable. Cela n'empêche pas, en 1801, Cousin d'Avalon d'insérer l'anecdote dans son *Molierana* [3]. Il la reprend mot pour mot, en y ajoutant quelques menus détails, mais en omettant soigneusement le « que je n'ose garantir ».

---

1. Tome II, p. 111.
2. Espèce de chaise à porteurs, dite aussi « vinaigrette », montée sur deux roues et traînée à bras. C'est cette brouette qui fut perfectionnée par Pascal, et non celle des jardiniers ou des terrassiers.
3. Pp. 100-101.

L'anecdote, incontrôlable, est hautement suspecte. D'autant plus qu'il en existe une autre, presque identique, dans un autre recueil de la même époque que le premier : il s'agit de la *Correspondance secrète, politique et littéraire*, publiée en 1787 sans nom d'auteur [4]. Dans cet ouvrage, la situation ridicule est attribuée à l'ivresse et non à la distraction, et le héros en est... La Thorillière !

> L'histoire des ivrognes fournit une infinité de traits plaisants. On connoît l'aventure de La Thorillière, comédien célèbre qui, au sortir d'un bon dîner, dans le moment d'une grande pluie, fit inutilement chercher un carrosse de louage pour se rendre au spectacle, et n'eut qu'une brouette, petite voiture traînée par un homme, qu'il s'estimoit heureux de trouver, pour mettre son habillement et sa chaussure à couvert.
>
> Voici comme il en profita : se voyant pressé par l'heure du spectacle, il demanda à l'homme qui le traînoit pourquoi il n'alloit pas plus vite.
>
> « Monsieur, je n'ai pas de diligence.
>
> — Que veux-tu dire avec ta diligence ?
>
> — C'est un homme qui, poussant la voiture par derrière, allège mon fardeau.
>
> — Eh ! que ne parlais-tu plus tôt ! » s'écria La Thorillière en s'élançant hors de la brouette.
>
> Mon comédien se met à faire la diligence et arrive à la porte de la comédie en poussant sa voiture, tout crotté, tout mouillé, tout essoufflé...

J'ai le sentiment que cette anecdote, étant donné la date du recueil, concerne La Thorillière fils (Pierre Le Noir, 1659-1731), qui appartint à la Comédie-Française, et non son père François (1626-1680), entré dans la troupe de Molière en 1662.

Vraie ou fausse, elle aura couru dans les gazettes et dans les ruelles jusqu'au jour où quelqu'un s'est avisé que La Thorillière commençait à être oublié, alors que Molière était déjà immortel. C'est de lui que l'on a alors fait le héros de

4. Les volumes portent comme indication d'origine : Londres, John Adamson. L'anecdote se trouve au tome I, pp. 406-408.

l'histoire, à laquelle son nom apporte un prestige bien plus considérable. Seulement, par déférence pour le grand homme, on a remplacé l'ivresse par la distraction.

Abrégée et accommodée à la sauce Molière, c'est bien la même anecdote. Les points de similitude sont frappants ; l'expression « pressé par l'heure du spectacle » se trouve mot pour mot dans l'une et l'autre ; le héros s'aperçoit de sa bévue en se voyant « tout crotté ».

Il faut, je pense, être impitoyable avec cette anecdote à transformations et la déclarer fausse. Dans aucun des écrits qu'ont laissés les contemporains de Molière — amis ou ennemis —, on ne trouve la moindre allusion à la distraction. Au contraire, tous les commentateurs s'accordent à reconnaître en lui un caractère sérieux, grave, réfléchi, attentif, observateur, c'est-à-dire en fait l'opposé de ce qu'implique cette histoire de brouette qui, d'ailleurs, paraît un peu difficile à avaler, même avec un personnage autre que Molière. C'est une aventure qui relève bien plus de la sottise que de la distraction, une histoire de Gribouille, de Calino, Jocrisse ou autre niais.

Elle est peu connue, ce qui n'est guère surprenant, car les biographes l'ont en général tenue à l'écart, et c'est tout ce qu'elle mérite [5]. Il est évidemment impossible de lui attribuer une date, mais elle ne pourrait se situer qu'après l'établissement de la troupe à Paris, fin 1658.

5. Edouard Fournier écrit dans son *Roman de Molière* (1863), p. 123 : « Grimarest parle de l'espèce de chaise roulante où il se faisait traîner. » Est-ce une allusion à l'anecdote ? On ne sait. En tout cas, Grimarest n'a pas parlé de cette chaise roulante.

1665 (?)

Molière chez Monsieur le Prince

Molière avait ses entrées chez le prince de Condé...
dont les pages lui auraient un jour fait une farce.

Molière, personnage vedette, a nécessairement fréquenté les grands. Parmi ceux qui l'honoraient de leur amitié, on a souvent cité le maréchal duc de Vivonne. Un des plus grands d'entre ces grands était Monsieur le Prince, autrement dit le Grand Condé.

Grimarest est le premier écrivain qui ait mentionné leurs relations. Mais il n'en a parlé que dans son *Addition à la Vie de M. de Molière* (publiée en 1706 en réponse à la *Lettre critique* d'un censeur anonyme), disant que cette anecdote n'était pas venue jusqu'à lui avant l'impression de l'œuvre principale [1] :

> Monsieur le Prince défunt [2], qui l'envoyoit chercher souvent pour s'entretenir avec lui, en présence des personnes qui me l'ont rapporté, lui dit un jour :
>
> « Ecoutez, Molière, je vous fais venir peut-être trop souvent, je crains de vous distraire de votre travail. Ainsi je ne vous envoierai plus chercher, parce que je sais la complaisance que vous auriez pour moi ; mais je vous prie à toutes vos heures vides de me venir trouver : faites-vous annoncer par un valet de chambre, je quitterai tout pour être avec vous. »

---

1. Voir *la Vie de M. de Molière*, 1705 (éd. Mongrédien, 1955, pp. 171-172, *Addition*...).
2. Le Grand Condé mourut en 1686.

Lorsque Molière venoit, le prince congédioit ceux qui étoient avec lui, et il étoit des trois et quatre heures avec Molière ; et l'on a entendu ce grand prince, en sortant de ces conversations, dire publiquement :

« Je ne m'ennuie jamais avec Molière ; c'est un homme qui fournit de tout, son érudition et son jugement ne s'épuisent jamais. »

On remarquera que Grimarest affirme tenir ce récit de témoins directs. Il est regrettable qu'il n'ait pas nommé les personnes qui le lui ont rapporté, et que celles-ci n'aient pas eu, de leur côté, la bonne idée d'en laisser une relation écrite dans leur journal intime ou leur correspondance. Mais sans doute ces personnes en ont-elles parlé autour d'elles, car, vingt-cinq ans plus tard, le sujet se trouve abordé de nouveau, augmenté d'un épisode amusant et peu connu de nos jours. C'est Titon du Tillet qui s'en fait l'écho dans sa *Description du Parnasse françois*[3] :

Molière étoit bien dédommagé de certains airs de dédain de quelques gens grossiers et sans mérite par l'estime et les caresses des plus grands seigneurs et des personnes d'esprit, qui recherchoient son entretien, et qui étoient charmés de le posséder.

Le grand prince de Condé l'honoroit de son estime et de son amitié, et lui faisoit l'honneur de le faire manger avec lui.

Il arriva qu'un jour, Molière étant à la table de ce prince, les pages qui y servoient, ne cherchant qu'à badiner et voulant empêcher Molière de manger les bons morceaux qu'on lui présentoit, lui changeoient d'assiette dans l'instant qu'on les lui servoit.

Molière, s'en étant aperçu, prit promptement une aile de perdrix, qu'on ne faisoit que poser sur son assiette, et n'en fit qu'une bouchée jusqu'à l'os, qu'il remit sur l'assiette : le page qui vint pour lui ôter son assiette ne fut pas assez alerte, et ne retira que l'os de cette aile de perdrix, ce qui fit rire Molière. M. le Prince lui en demanda la raison ; il lui répondit :

3. Paris, J.-B. Coignard, 2e édition, 1732, p. 311. (L'anecdote ne figure pas dans la 1re édition, 1727.)

> « Monseigneur, c'est que vos pages ne savent pas lire. Ils prennent les O pour les L. »
> On rapporte ce petit trait de plaisanterie de la part de Molière comme une chose rare à un homme aussi grave dans la conversation [4].

De cette anecdote, Taschereau [5] n'a repris que la première partie, celle de Grimarest. C'est pourquoi elle est aujourd'hui bien plus connue que l'épisode des pages facétieux raconté par Titon du Tillet.

Il semble que l'on doive tenir pour assurée l'amitié, ou tout au moins la grande sympathie de M. le Prince pour Molière, et admettre qu'il lui ait accordé ses petites et grandes entrées. Il le soutint au cours de la longue « traversée du désert » de *Tartuffe* en l'invitant à venir jouer la pièce maudite au Raincy, chez la princesse Palatine, à deux reprises, le 29 novembre 1664 et le 8 novembre 1665. (C'est probablement pourquoi Taschereau a situé en 1665 cette anecdote dont rien de précis ne permet de fixer la date. Faute de mieux, nous ferons comme lui.)

Quant à l'histoire des assiettes prestement changées sous le nez du comédien, elle est bien sûr incontrôlable, mais faut-il tenir systématiquement pour fausses les anecdotes *vraisemblables* dont nous ne connaissons pas la preuve formelle ? Les règles de la critique le voudraient. Mais, pour moi, j'imagine très bien les pages du Grand Condé, effrontés comme il se devait, essayant de faire une farce à un « farceur », et j'imagine très bien aussi Molière, malgré sa « gravité », assez jovial pour comprendre la plaisanterie et lancer une boutade à propos de ces *l* de perdrix dont les pages ne voulaient même pas lui laisser les *o*.

On serait tenté d'imaginer que les pages du prince de Condé aient assisté quelque temps auparavant à une des quinze représentations du *Dom Juan* de Molière [6].

---

4. Il est à noter que cette gravité de Molière dans la conduite et la conversation a été évoquée par Grimarest à propos de « L'âne récalcitrant ». (Voir p. 75 du présent ouvrage.)

5. *Histoire de la vie et des ouvrages de Molière*, 1825, p. 158. (3e édition, 1844, pp. 96-97.)

6. Elles eurent lieu du 15 février au 20 mars 1665. Cela pourrait venir en confirmation de la date adoptée par Taschereau.

Ils avaient pu y voir, au quatrième acte, lorsque Sganarelle est invité par Dom Juan à partager son souper, les deux laquais Ragotin et La Violette manœuvrer habilement pour lui subtiliser son assiette chaque fois qu'il l'emplit. Or Sganarelle, c'était Molière en personne, et les deux pages de Condé chargés de le servir à table auraient trouvé là une belle occasion de s'amuser à reconstituer, avec le grand comédien pour partenaire malgré lui, ce burlesque jeu de scène à l'italienne. La similitude est frappante.

Oui, c'est bien tentant d'imaginer cela..., car c'est peut-être la vérité.

1665 (?)

Molière et son médecin

Interrogé sur ses rapports avec son médecin,
Molière répond par une boutade.

L'anecdote est ancienne. Elle apparaît pour la première fois en 1694 dans la seconde édition du *Menagiana* [1] :

> Mauvillain étoit médecin de Molière. C'est celui pour lequel ce poète a fait le troisième Placet qui se voit à la tête de son *Tartuffe* [2]. Etant tous deux à Versailles au dîner du roi, Sa Majesté dit à Molière :
> « Voilà donc votre médecin. Que vous fait-il ?
> — Nous raisonnons ensemble, répondit Molière, il m'ordonne des remèdes, je ne les fais point, et je guéris. »

Ce court texte n'est accompagné d'aucun commentaire. Deux ans plus tard, l'anecdote est reprise dans le *Furetiriana* [3].

> « Comment estes-vous avec votre médecin ? disoit un jour un seigneur de la cour à Molière.
> — Nous avons, répondit-il, d'agréables conversations ensemble ; il me donne des remèdes quand je suis malade, je ne les prends point, et je guéris. »

---

1. *Menagiana, ou les bons mots et remarques critiques, historiques, morales et d'érudition de M. Ménage, recueillies par ses amis*, Paris, P. et F. Delaulne, 1694, t. II, p. 220.
2. On se rappelle que, par ce placet au roi, Molière demanda — et obtint — en faveur du fils de Mauvillain, un canonicat de la chapelle de Vincennes.
3. *Furetiriana, ou les bons mots et les remarques d'histoire, de morale, de critique, de plaisanterie et d'érudition de M. Furetière*, Paris, Th. Guillain, 1696, p. 323.

Là encore, il n'y a aucun commentaire. Ou bien Ménage et Furetière tenaient leur information de la même source, ou bien les rédacteurs du *Furetiriana* ont puisé dans le *Menagiana*, en y apportant quelques variantes pour camoufler leur emprunt. C'est ainsi que, dans cette seconde version, Louis XIV cède la place à un seigneur anonyme.

Ménage et Furetière étant contemporains de Molière, l'anecdote courait peut-être déjà du vivant de celui-ci. En tout cas, elle était bien répandue quand, en 1705, Grimarest l'incorpora dans sa *Vie de M. de Molière*. Il signale qu'elle a déjà paru dans « deux livres de remarques » (qu'il ne nomme pas), et adopte mot pour mot la version du *Menagiana*.

En 1739, c'est au tour de Voltaire de reprendre l'anecdote dans sa *Vie de Molière*. Il transcrit fidèlement le texte de Grimarest, qu'il semble tenir pour véridique puisqu'il le fait précéder de ces mots : « Tout le monde sait que... »

Les réimpressions ultérieures de cette notice de Voltaire en tête de nombreuses éditions des œuvres de Molière ont contribué à populariser l'anecdote. Elle a fait une belle carrière, qui se poursuit encore aujourd'hui dans la plupart des biographies.

Il me semble que l'on peut accepter, comme l'ont fait Grimarest et Voltaire, cette très ancienne anecdote, et préférer comme eux la version première, celle qui fait intervenir le roi.

Dater l'anecdote est difficile, mais il n'est pas interdit de la situer en 1665, année de *l'Amour médecin* auquel, selon une tradition incertaine, Mauvillain aurait collaboré comme il aurait aussi collaboré, plus tard, à la Cérémonie du *Malade imaginaire*.

1665 (?)

Le Bonhomme

Molière avait pour La Fontaine beaucoup d'amitié et d'admiration. Souvent, quand « la bande [1] » se réunissait pour de joyeux repas, La Fontaine, le rêveur et le distrait, se trouvait en butte aux plaisanteries de ses amis, ce qui peinait Molière.

L'abbé d'Olivet a été le premier à raconter à ce sujet l'anecdote que voici :

> Un jour Molière soupoit avec Racine, Despréaux, La Fontaine et Descoteaux, fameux joueur de flûte. La Fontaine étoit ce jour-là, encore plus qu'à son ordinaire, plongé dans ses distractions. Racine et Despréaux, pour le tirer de sa léthargie, se mirent à le railler, et si vivement, qu'à la fin Molière trouva que c'étoit passer les bornes. Au sortir de la table, il poussa Descoteaux dans l'embrasure d'une fenêtre, et, lui parlant de l'abondance du cœur : *Nos beaux esprits*, dit-il, *ont beau se trémousser, ils n'effaceront pas le bonhomme* [2].

La publication de cette anecdote est de 1729. Nous en trouvons la confirmation quelques années plus tard, sous la plume de Louis Racine, fils de Jean, qui écrit à propos de La Fontaine :

> Jamais auteur ne fut moins propre à inspirer du respect par sa présence. Il étoit l'objet des railleries de ses meilleurs amis, qui à cause de sa simplicité l'appeloient *le Bonhomme*.

1. Elle comprenait Chapelle, Molière, La Fontaine, Furetière, le musicien Descoteaux, Boileau, Racine et quelques autres de moindre notoriété.
2. *Histoire de l'Académie françoise*, 1729, t. II, p. 309.

> Le souper chez Molière dont il est parlé dans l'*Histoire de l'Académie françoise*, par M. l'abbé d'Olivet, m'a été raconté par des personnes qui devoient en être bien instruites ; mais elles m'ont rapporté différemment le mot de Molière. Les illustres convives que nomme M. l'abbé d'Olivet attaquèrent si vivement leur ami La Fontaine, que Molière, ayant pitié de lui, dit tout bas à son voisin : *Ne nous moquons pas du bonhomme, il vivra peut-être plus que nous tous*[3].

Quelques mois plus tard, dans un autre ouvrage paru au cours de la même année 1747, Louis Racine a raconté une seconde fois l'anecdote dans des termes presque identiques, en y apportant toutefois un complément : il confirme que son père était bien parmi les convives[4].

L'analogie entre le récit de l'abbé d'Olivet et celui de Louis Racine est évidente et constitue à tout le moins une sérieuse présomption d'authenticité. La différence, comme le fait remarquer Louis Racine, consiste dans les paroles prononcées par Molière. Mais à quelle version donner la préférence ? Louis Racine n'a pas recueilli le témoignage direct de son père : il n'avait que sept ans à la mort de celui-ci, en 1699. Mais il ne cite pas les personnes « bien instruites », c'est-à-dire bien renseignées, qui l'ont informé. C'est regrettable.

L'abbé d'Olivet n'a pas non plus cité ses sources. Il est chronologiquement possible que Boileau ait été son informateur. Quoi qu'il en soit, il semble que l'on doive conclure à l'authenticité des faits : rien ne permet de les contredire. Taschereau[5] accepte l'anecdote sans discussion, et en donne une version composite qu'il situe en 1665. Il fait prononcer à Molière la phrase rapportée par d'Olivet, mais il cite Louis Racine comme seule source. Peu importe, en définitive : l'idée exprimée est la même.

Considérons donc l'anecdote comme vraie dans les faits

---

3. *Réflexions sur la poésie*, 1747, t. II, p. 256.
4. *Mémoires sur la vie de Jean Racine*, 1747, t. II, p. 103.
5. *Histoire de la vie et des ouvrages de Molière*, 1re édition : 1825, p. 144 ; 3e édition : 1844, p. 88.

même si elle est imprécise dans les termes. Et disons-nous bien que la phrase prononcée par Molière n'a peut-être été ni celle que rapporte d'Olivet, ni celle que rapporte Louis Racine, mais une troisième version, restée inédite, exprimant avec la même sincérité l'affectueuse admiration du comédien-auteur pour le talent du fabuliste.

Après 1665

Ne pas toucher aux financiers !

Telle aurait été la consigne donnée à Molière par Colbert.

Le récit de cette anecdote est très bref. Nous le devons à Chamfort. Il figure dans *Caractères et Anecdotes*, recueil publié en 1795, après sa mort [1] :

> C'est une chose remarquable que Molière, qui n'épargnoit rien, n'ait pas lancé un seul trait contre les gens de finance. On dit que Molière et les auteurs comiques du temps eurent là-dessus des ordres de Colbert [2].

Pas un mot de plus, pas un commentaire. « On dit que... » De qui Chamfort tenait-il cette information, qu'il rédigea probablement vers 1771 ? Il ne l'a pas indiqué, et nous ne le saurons sans doute jamais.

Dans son *Discours préliminaire*, en tête de l'édition des *Œuvres* de Molière de 1773, Bret a fait un commentaire assez vague sur l'absence d'attaques contre les financiers dans les comédies de Molière. Après une énumération complète de tous les vices ou défauts que Molière a fustigés, Bret déclare :

---

1. *Œuvres de Chamfort*, recueillies par un de ses amis, Paris, Imprimerie des sciences et des arts, an III (1795). — Chamfort (1741-1794), avait écrit en 1769 un *Eloge de Molière* qui fut couronné par l'Académie française, et incorporé par la suite dans diverses éditions des œuvres complètes de Molière. Il devint membre de l'Académie française en 1781.
2. N° 777 de l'édition Gallimard, 1965.

> Beaucoup de gens s'étonnent de ce que, parmi les désordres impunis de la société, ceux qui résultoient d'une profession dont l'intérêt et l'avidité furent de tout temps les principes aient moins frappé les yeux de notre Contemplateur.
>
> Mais il faut observer que, lorsqu'il jeta ses regards sur la société pour la rendre meilleure, il existoit un homme de génie, un ministre éclairé, vigilant et laborieux, dont toute l'application et les lumières tendoient ouvertement à rendre, s'il étoit possible, la perception des revenus publics plus simple, plus connue et conséquemment moins odieuse. On avoit donc à cette époque tout à espérer de ce côté-là, et si le grand Colbert eût réussi, comme il le désiroit, M. Lesage n'eût pas trouvé dans le siècle suivant le portrait excellent de *Turcaret* à faire.
>
> Ajoutons même que Molière, sur la fin de sa carrière, dans sa petite comédie de *la Comtesse d'Escarbagnas*, traça le rôle plaisant de M. Harpin, comme une esquisse qu'il laissoit à perfectionner à ses successeurs [3].

Ce discours, très enveloppé, où le mot « financiers » n'est pas prononcé, est tout à la louange de Colbert, mais il n'y est pas question d'un *ordre* qu'il aurait donné à Molière.

Quelques années plus tard, Cailhava a contesté l'anecdote de Chamfort dans ses *Etudes sur Molière*, parues en 1802 :

> Chamfort s'est trompé ; non seulement Molière n'a pas épargné les financiers du temps de Louis XIV, mais il les a devinés tels qu'ils devoient être dans ce qu'ils ont appelé depuis « le temps de leur gloire ».
>
> Nous voyons, dans *la Comtesse d'Escarbagnas*, un monsieur Harpin, receveur des tailles, qui se donne les airs d'entretenir une femme de qualité dont il est méprisé, qui se permet, pour son argent, de jurer, de tempêter chez elle, et qui interrompt brusquement une fête donnée à sa burlesque Danaé pour lui dire, devant tous ses rivaux, qu'il n'est plus sa dupe, et que monsieur le receveur ne sera plus pour elle monsieur le donneur.
>
> Je demande aux connoisseurs si les financiers mis au

3. *Discours préliminaire*, pp. 17-18.

> théâtre depuis Molière ne sont pas calqués sur monsieur Harpin... *Turcaret* est sans doute un chef-d'œuvre, mais que fait, que dit le fermier-général de Le Sage, qui ne soit indiqué par le receveur des tailles de Molière ?... Je demande enfin comment Chamfort, auteur de quelques comédies et d'un *Eloge de Molière* qui lui a valu la palme académique, a pu connoître si mal son maître, son héros, et publier l'anecdote dont il est question [4] ?

Mais Cailhava a déplacé la question. Monsieur Harpin n'est pas un véritable financier, mais un fonctionnaire. C'est ce qu'a très bien mis en évidence Edouard Fournier [5] :

> M. Harpin n'est pas à proprement parler un homme de finance, quoiqu'en ait dit Cailhava : il est receveur des tailles, et ses fonctions toutes publiques ne pouvaient se confondre avec la position faite aux *partisans*, gens des *fermes* ou des *sous-fermes générales*, qui furent un peu plus tard les *traitants* de Turcaret.

C'est en cela que Chamfort n'a pas tort : Molière, s'il a ridiculisé un petit fonctionnaire provincial, ne s'est pas attaqué à la haute finance, qui n'était pourtant pas sans reproche. Mais fut-ce sur l'ordre exprès de Colbert ?

Edouard Fournier, qui voudrait bien pouvoir l'admettre, fait appel à P.E. Lemontey, de l'Académie française, qui, dit-il, « reprend cette tradition et l'autorise de son témoignage plus sérieux d'historien. » Mais Lemontey se borne à commenter Chamfort :

> Molière n'attaqua jamais les financiers. On croit que ce fut par ordre de Colbert. Ce grand ministre pensa qu'il y aurait de l'inconséquence à diffamer des hommes dont la probité est tout à la fois si difficile et si précieuse [6].

---

4. *Etudes sur Molière*, pp. 310-311.
5. *La Valise de Molière*, Paris, E. Dentu, 1868, p. XXXV.
6. P. E. Lemontey (1760-1826), *Histoire de la Régence*, 1832, t. I, p. 64. Avant d'entrer à l'Académie française, Lemontey avait été le chef de la police littéraire instituée par Fouché.

On dit... On croit... En fait, on ne sait pas. Mais ce n'en est pas moins parfaitement vraisemblable. Contrôleur général des Finances, secrétaire de la Maison du roi, Colbert avait la haute main sur tout, et il était en particulier le grand dispensateur des pensions et subsides. Cela donnait à réfléchir. Qui, ayant reçu de lui des instructions précises, se fût risqué à les transgresser ?

Honnêtement, faute de documents certains, personne ne peut affirmer que Colbert ait donné à Molière et à ses confrères auteurs l'ordre de ne pas toucher aux financiers. Mais si une preuve écrite m'était apportée aujourd'hui, je n'en serais pas autrement surpris.

La raison du plus fort... en gueule

Au cours d'une discussion amicale avec l'avocat Fourcroi, Molière dut céder devant la puissance vocale de son interlocuteur.

L'anecdote n'a été publiée que soixante-dix ans après la mort de Molière. Elle parut pour la première fois dans le *Bolaeana* [1] en 1742 :

> Molière étoit fort ami du célèbre avocat Fourcroi [2], homme très redoutable par la capacité et la grande étendue de ses poumons. Ils eurent une dispute à table en présence de M. Despréaux. Molière se tourna du côté du satirique et lui dit :
>
> « Qu'est-ce que la raison avec un filet de voix contre une gueule comme cela ? »

Monchesnay, l'auteur du recueil, n'accompagne malheureusement d'aucun commentaire justificatif cette anecdote entendue au cours de ses entretiens avec Boileau-Despréaux. Cela n'a pas empêché Cizeron-Rival de la reprendre presque mot pour mot dans ses *Récréations littéraires* en 1765, ainsi que Bret dans son *Supplément à la Vie de Molière* en 1773. Le *Molierana* fit de même en 1801. Personne n'a jamais élevé le moindre doute.

Jules Taschereau a inséré l'anecdote dans son *Histoire de*

---

1. *Bolaeana, ou Bons mots de M. Boileau*, etc. Amsterdam, Lhonoré, 1742. Le titre intérieur porte : *Entretiens de M. de Monchesnay avec l'auteur*. (Voir p. 60.)
2. Bonaventure de Fourcroi était un avocat renommé, mais un poète peu apprécié.

la vie et des ouvrages de Molière, en 1825, la tenant apparemment pour certaine, et l'a maintenue dans toutes les éditions de cet ouvrage qui fit autorité pendant plus de soixante ans, et où les biographes ultérieurs l'ont trouvée et reprise [3].

En vertu de quoi contesterait-on aujourd'hui cette anecdote ? Elle est de peu d'intérêt, c'est vrai, mais elle nous montre cependant Molière, certain d'avoir raison, regrettant de n'avoir qu'un « filet de voix » à opposer à son contradicteur. Il n'est pas interdit de voir dans cette faiblesse vocale une des raisons — et peut-être la principale — de son insuccès dans la tragédie.

Vraie ou seulement vraisemblable, il faut essayer de dater l'anecdote. C'est vers 1665-1666 qu'elle semble se placer le mieux. C'est le moment des grandes réunions de la « bande » : Molière, Chapelle, Boileau, La Fontaine, Racine, Descoteaux, Fourcroi et d'autres. Discussions philosophiques, controverses poétiques ou propos bacchiques, les forts en gueule faisaient (quelquefois) la loi...

---

3. Il est curieux de constater que la *Biographie universelle* de Michaud (1856) et la *Grande encyclopédie* (1885), à l'article Fourcroi, attribuent la remarque « Qu'est-ce que la raison, etc. » à Boileau s'adressant à Molière.

Molière a toujours Tartuffe *en tête. Il en a risqué quelques représentations privées, en quatre ou cinq actes. Armande lui a donné une fille, Esprit-Madeleine, mais les relations entre les époux sont loin d'être parfaites. Des échos malveillants continuent à circuler sur la coquetterie d'Armande. La santé de Molière laisse à désirer.*

Mais il n'en a pas moins continué à travailler avec ardeur. Le 4 juin 1666, c'est une très belle, une très grande pièce qu'il donne au public : le Misanthrope, *où Armande sera la coquette et Molière l'atrabilaire amoureux.*

Célimène au premier acte du *Misanthrope*

Molière aurait, à l'origine, imaginé de faire paraître Célimène dès le lever du rideau, dans une scène muette.

Cette anecdote est mentionnée pour la première fois par Arsène Houssaye[1] dans le numéro de janvier 1885 du *Moliériste* (t. VI, p. 296). Sous le titre « La mise en scène du *Misanthrope* », l'ancien administrateur de la Comédie-Française affirme :

> Armande Béjard changea la mise en scène du *Misanthrope.*
>
> La volonté la plus robuste se brise toujours devant la femme. Quand Molière mit en scène *le Misanthrope*, il dit à Armande qu'elle était de la première scène. En ce temps-là, Molière ne voyait plus sa femme qu'au théâtre. Ce beau rôle de Célimène, il l'avait créé pour elle dans le vague espoir de la ramener à lui ; mais, aux premières paroles, il retrouva les plus altières rébellions.
>
> Il voulait qu'elle apparût au lever du rideau, sortant d'un air dédaigneux et saluant par son premier coup d'éventail. Ainsi l'action était mieux engagée. Quoique Alceste ne parle pas d'elle dans son amère tirade, on sent bien que la femme a passé par là. Il n'y a point de misanthropes parmi les amoureux qui sont aimés. C'est la femme qui verse l'amertume sur les lèvres en révolte. Représentez-vous la scène : elle est bien plus vivante si l'on voit partir Célimène avec son

1. Arsène Houssaye (1815-1896), écrivain et journaliste, une des figures de la « vie parisienne » du temps, fut administrateur de la Comédie-Française de 1849 à 1856.

sourire cruel. Alceste s'efforce de ne point parler d'elle, mais on sent tout de suite qu'elle est dans son cœur.

Seulement il arriva ceci que Molière ne put jamais décider Armande à paraître au commencement de la comédie pour n'avoir rien à dire. Quoiqu'elle fût grande comédienne, elle ne comprit pas ce jeu de scène ; Molière dut se résigner. Depuis, oncques ne vit Célimène au premier acte du *Misanthrope*.

J'ai vainement cherché, sinon la preuve, du moins la source de cette allégation. Tout porte à croire que cette prétendue intention de Molière était le fruit de l'imagination fertile d'Arsène Houssaye. Il avait trouvé là un « effet » qui lui semblait heureux. Mais lorsque Madeleine Brohan, pour ses débuts à la Comédie, aborda le rôle de Célimène [2], Houssaye ne réussit pas à la convaincre d'exécuter ce jeu de scène. Faute de pouvoir persuader, il aurait pu, administrateur, exiger. Il ne le fit pas. Pourquoi ? Probablement parce qu'il ne pouvait apporter, à l'appui de son exigence, aucun texte, aucune référence, aucune allusion contemporaine.

Il se résigna donc, dit-il, à ne pas troubler les débuts de Madeleine Brohan « en lui imposant la mise en scène rêvée par Molière ». Et il conclut amèrement : « Aucun directeur présent et futur ne parviendra à imposer la volonté de Molière : Armande a donné le pli. »

« La volonté de Molière », c'est vite dit ! Arsène Houssaye — pour qui affirmer c'est prouver — ne nous a même pas exposé de façon précise en quoi consistait cette « volonté » de Molière. Il ne nous montre Célimène, au lever du rideau, que pour la faire sortir d'un air dédaigneux. Pourquoi ? La seule explication logique serait qu'elle vient d'avoir une conversation orageuse avec Alceste. Avant le lever du rideau, alors ? C'est ne tenir aucun compte de ce qui va se passer au cours de l'acte : Alceste et Philinte entrent, poursuivant une conversation commencée dans l'escalier, et Alceste dit à Philinte, en parlant de Célimène :

2. Le 22 janvier 1851.

Et je ne viens ici qu'à dessein de lui dire
Tout ce que là-dessus ma passion m'inspire.

Il *vient* chez Célimène, c'est net, pour avoir un entretien décisif avec elle. Donc, cet entretien ne peut pas avoir eu lieu quelques instants avant le lever du rideau. Oronte, survenant alors, définit clairement la situation :

J'ai su là-bas que pour quelques emplettes
Eliante est sortie, et Célimène aussi.

Célimène *est sortie*. C'est une certitude. Alceste, à la fin de l'acte I, quitte les lieux. Au début de l'acte II, il est de nouveau là, en conversation avec Célimène qu'il a rencontrée comme il sortait et qu'il a raccompagnée à son appartement. La première réplique de Célimène ne laisse planer aucun doute :

C'est pour me quereller donc, à ce que je voi,
Que vous avez voulu me ramener chez moi ?

Voilà les points sur lesquels la volonté de Molière est exprimée de façon indiscutable. Comment concilier ces indications précises avec l'idée d'Arsène Houssaye ? Raisonnablement, il n'y a pas moyen. Il est inconcevable que Molière ait voulu imposer à son interprète une mise en scène en contradiction formelle avec son propre texte !

Arsène Houssaye semblait tenir beaucoup à ce jeu de scène. Avant de le décrire (bien mal !) dans son article du *Moliériste*, il l'avait fait représenter par le graveur J. Hanriot pour illustrer le luxueux volume in-folio qu'il publia chez Dentu en 1880 sous le titre : *Molière, sa femme et sa fille*. Dans cet ouvrage (où, soit dit en passant, l'auteur laisse beaucoup vagabonder son imagination), on voit au livre I un frontispice que la table des gravures, à la fin du volume, commente ainsi :

La première scène du Misanthrope, *d'après une ancienne gravure.*

Molière et La Grange sur le premier plan. Mlle Molière sort et se retourne tout armée de son dédain.

> Cette scène prouve une autre mise en scène beaucoup plus animée. Elle ne s'est pas perpétuée au théâtre, parce que Célimène ne veut pas disparaître sans avoir paru [3].

« D'après une ancienne gravure », dit Arsène Houssaye, mais il se garde bien d'en citer la référence. Son assertion est pourtant à moitié exacte. La gravure ancienne dont Hanriot s'est inspiré *pour la moitié droite* de la sienne est bien connue : c'est l'estampe de Brissart qui figure au tome III de l'édition des *Œuvres* de Molière de 1682 et qui représente Alceste et Philinte. L'illustrateur d'Arsène Houssaye l'a tout simplement inversée et, dans la moitié gauche de sa composition, il a ajouté Célimène... et même Eliante pendant qu'il y était !

Les commentateurs de l'époque ne s'y sont heureusement pas laissé prendre. Voici la description que donne de la gravure *le Moliériste* de mai 1888 (t. X, p. 55) :

> La scène I est traitée d'une façon toute fantaisiste. Alceste et Philinte, à droite ; ce dernier salue Alceste, qui est assis. Célimène sort en retournant la tête d'un air très dédaigneux. Cette mise en scène *imaginaire* est comme un prélude à la comédie.

J'ai souligné *imaginaire* car c'est bien le mot. Il n'est pas concevable, en effet, qu'Eliante et Célimène sortent en présence d'Alceste et de Philinte ; il n'est pas non plus concevable que ceux-ci poursuivent une conversation particulière en présence d'Eliante et de Célimène.

Admettons donc, avec le critique du *Moliériste*, que le graveur n'a voulu faire qu'un « prélude » à la pièce et évoquer le vers cité plus haut : « Eliante est sortie, et Célimène aussi. »

Et concluons que jamais Molière n'a eu l'intention de faire faire de la figuration à Célimène — pas plus qu'à Eliante — au lever du rideau. Il ne s'agit même pas là d'une légende, mais d'une fable, pour ne pas dire d'une duperie.

---

3. *Sic.* Mais je pense qu'il faut lire : « sans avoir *parlé.* »

4 Juin 1666

Le sonnet d'Oronte

A la première représentation du Misanthrope,
le sonnet d'Oronte reçut des applaudissements.

Cette anecdote n'est pas parmi les plus connues, mais c'est une des rares pour lesquelles il existe un témoignage direct. En effet, nous en sommes redevables à Jean Donneau de Visé qui en fit mention dans sa *Lettre écrite sur la comédie du Misanthrope*, le lendemain de la première représentation à laquelle il avait assisté. Voici ce qu'il dit de la scène du sonnet :

> Je ne crois pas qu'on puisse rien voir de plus agréable que cette scène. Le sonnet n'est point méchant, selon la manière d'écrire d'aujourd'hui ; et ceux qui cherchent ce que l'on appelle pointes ou chutes, plutôt que le bon sens, le trouveront sans doute bon. J'en vis même, à la première représentation de cette pièce, qui se firent jouer pendant qu'on représentoit cette scène ; car ils crièrent que le sonnet étoit bon, avant que le Misanthrope en fît la critique, et demeurèrent ensuite tout confus [1].

Il semble n'y avoir aucune raison de mettre en doute le témoignage de Donneau de Visé. Sa *Lettre* est élogieuse pour Molière, et l'anecdote du sonnet applaudi ne sert pas à étayer une critique.

---

1. *Lettre écrite sur la comédie du Misanthrope*, en tête de l'édition originale de la pièce (Paris, Ribou, 1667). On en trouvera le texte complet au tome V de l'édition des « Grands Ecrivains de la France » (pp. 430-441). — C'est Jean Ribou qui, dans un *Avis du libraire au lecteur*, signale que la *Lettre* fut écrite « un jour après » la première représentation.

Grimarest, en 1705, n'a pas cité l'anecdote. Mais il a fait sur la *Lettre* de de Visé des commentaires que nous verrons un peu plus loin. En 1734, La Serre reprend l'histoire du sonnet sans la mettre en doute. Déclarant que *le Misanthrope* fut reçu « froidement », il ajoute :

> On rapporte un fait singulier qui peut y avoir contribué. A la première représentation, après la lecture du sonnet d'Oronte, le parterre applaudit. Alceste démontre, dans la suite de la scène, que les pensées et les vers de ce sonnet étoient
>
> *De ces colifichets dont le bon sens murmure.*
>
> Le public, confus d'avoir pris le change, s'indisposa contre la pièce.

L'anecdote resta incontestée depuis son origine jusqu'au début du XIXe siècle, lorsque Louis-Simon Auger publia sa grande édition commentée des *Œuvres* de Molière. Il chercha chicane à de Visé [2] :

> De Visé, témoin de la première représentation, a écrit, et l'on a mille fois répété d'après lui, que des spectateurs s'étant empressés d'applaudir le sonnet d'Oronte, si semblable à ce qu'ils applaudissaient d'ordinaire, demeurèrent confus lorsqu'ils entendirent Alceste en faire la critique, et que le dépit qu'ils en conçurent n'influa pas peu sur le jugement qu'ils portèrent de la pièce.
>
> Il y a dans ce récit quelque chose d'inexplicable. Alceste, pour faire connaître ce qu'il pense du sonnet, n'attend pas que la lecture en soit achevée. Comme Philinte, à chaque pause que fait le lecteur, se récrie d'admiration, Alceste autant de fois lui reproche ses fades éloges en des termes qui ne permettent pas de douter de son mépris pour cette ridicule production, ni, par conséquent, de s'étonner de la critique détaillée qu'il en fait bientôt après.
>
> Il est donc impossible que des spectateurs aient pris le change sur son opinion, faute de la connoître. Qu'ils ne l'aient point partagée, cela se peut ; mais ce n'est pas ce que

2. *Mémoires sur la vie et les ouvrages de Molière*, en tête de l'édition des *Œuvres* de 1734 (2e éd., 1739, t. I, p. 27).

> dit l'anecdote. L'histoire littéraire abonde, plus que tout autre histoire peut-être, en faits hasardés et invraisemblables [3].

« Inexplicable..., impossible..., invraisemblable... » Auger paraît un peu trop catégorique. Peu de temps après, Jules Taschereau le contredit (sans le nommer) :

> Un commentateur de Molière a taxé cette mystification d'invraisemblance, parce qu'*Alceste, pour faire connaître ce qu'il pense du sonnet, n'attend pas que la lecture en soit achevée.* Il n'y a pas ici, selon nous, de motifs suffisants pour ne pas ajouter foi au récit circonstancié d'un témoin oculaire ; car il serait peu naturel de penser que le parterre ait pu être détrompé par les brusqueries que l'approbation de Philinte arrache à chaque strophe à Alceste. Ces exclamations furibondes ne sont point une critique raisonnée, et rien ne pouvait prouver au parterre que le Misanthrope fût plus sensé en les laissant échapper qu'en s'emportant contre Philinte, parce qu'il avait répondu avec affabilité à l'accueil empressé d'un homme qu'il connaissait peu.
>
> Ce n'est donc qu'après que le sonnet est entièrement lu, et conséquemment après que le parterre a eu le temps d'exprimer ce qu'il pense, qu'Alceste en fait véritablement la critique ; jusque-là on doit être au moins dans l'incertitude sur l'avis de l'auteur, puisque le sonnet est approuvé par l'homme modéré de la pièce.
>
> Ce panneau, dans lequel donna le public, dut nécessairement nuire un peu à la vogue de l'ouvrage ; mais il contribua indubitablement à augmenter l'effet que produisit sur le mauvais goût cette scène, qui n'eut pas moins d'influence que les meilleures satires de Boileau [4].

Le raisonnement de Taschereau est bien conduit. Aussi prévisible que puisse être l'opinion d'Alceste — qui n'est qu'un *personnage* —, il est tout à fait vraisemblable que des spectateurs « précieux » aient trouvé le sonnet à leur goût,

---

3. *Œuvres de Molière*, « avec un commentaire [...] et une Vie de Molière, par M. Auger, de l'Académie françoise ». Paris, Th. Desoer, 1819-1825, 9 vol. in-8°, t. V, pp. 264-265.

4. *Histoire de la vie et des ouvrages de Molière*, 1825, pp. 170-171. (3ᵉ édition, 1844, pp. 103-104.)

aient manifesté bruyamment leur approbation et se soient trouvés vexés lorsque le reste de la salle eut pris le parti d'Alceste.

Cette réaction d'une partie du public, au soir de la première, fut peut-être un excellent stimulant pour Molière acteur, qui a pu y puiser un surcroît d'énergie persuasive pour « démolir » le sonnet d'Oronte et lui assigner un lieu d'oubli.

Grimarest nous dit [5] que Molière aurait protesté auprès du libraire Jean Ribou contre la publication de la *Lettre* de de Visé en tête de l'édition originale du *Misanthrope*. C'est possible. Il en aurait même demandé la suppression, mais sans pouvoir l'obtenir : toutes les éditions du *Misanthrope* (contrefaçons comprises) comportent la *Lettre* et ont ainsi contribué à perpétuer l'anecdote.

Notons en tout cas que, selon Grimarest, la protestation de Molière ne visait pas le contenu de la *Lettre* — élogieuse —, mais seulement son insertion dans le volume, faite sans son assentiment. Personne n'a dit que Molière avait démenti de Visé sur l'incident de la scène du sonnet.

Il faut, me semble-t-il, considérer l'anecdote comme parfaitement véridique. C'est si rare, de pouvoir être affirmatif ! Tenons donc pour vrai que, lors de la première représentation du *Misanthrope*, quand Oronte eut achevé la lecture de son sonnet [6], une partie de la salle s'écria : « Franchement, il est bon ! »

---

5. *La Vie de M. de Molière*, éd. Mongrédien, 1955, p. 92.

6. On a cherché à savoir si ce sonnet avait un auteur réel, mais les recherches sont restées vaines. Voici ce qu'en dit Auger dans son édition des *Œuvres de Molière* déjà citée (t. V, p. 137, n. 1) :

« On n'a trouvé ce sonnet dans aucun des recueils de poésies, si nombreux à cette époque, ce qui a fait croire que Molière pouvoit bien avoir pris la peine de le composer lui-même. Selon d'autres, il étoit de Benserade, et Molière en fit usage, sans désigner l'auteur, pour se venger de quelque mécontentement que lui avoit donné ce coryphée des faiseurs de pointes et de quolibets.

« Benserade n'eut garde de courir après son sonnet, quand il vit de quelle sorte Alceste l'avoit arrangé au théâtre ; il se tut, et fit bien. M. François de Neufchâteau certifie que la chose lui a été contée, dans sa première jeunesse, par Piron, Collé, Voisenon, en présence d'autres hommes de lettres qui n'en faisoient aucun doute. »

Malgré les témoignages invoqués, on ne peut tirer de cela aucune conclusion certaine, et Auger lui-même s'en est bien gardé.

Molière et *le Menteur*

Molière assurait que c'était le Menteur *de Corneille qui avait déterminé l'orientation de sa vocation d'écrivain.*

Cette affirmation apparaît en 1819 sous la plume de N.L. François de Neufchâteau dans *l'Esprit du Grand Corneille* [1] :

> Molière est convenu que Corneille, par cette pièce *le Menteur*, lui avoit ouvert la carrière de la vraie comédie. Il disoit à Boileau :
>
> « Oui, mon cher Despréaux, je dois beaucoup au *Menteur*. Lorsqu'il parut, j'avois bien l'envie d'écrire, mais j'étois incertain de ce que j'écrirois ; mes idées étoient confuses ; cet ouvrage vint les fixer. Le dialogue me fit voir comment causoient les honnêtes gens ; la grâce et l'esprit de Dorante m'apprirent qu'il falloit toujours choisir un héros de bon ton ; le sang-froid avec lequel il débite ses faussetés me montra comment il falloit établir un caractère ; la scène où il oublie lui-même le nom supposé qu'il s'est donné m'éclaira sur la bonne plaisanterie ; et celle où il est obligé de se battre par suite de ses mensonges me prouva que toutes les comédies ont besoin d'un but moral. Enfin, sans *le Menteur*, j'aurois sans doute fait quelques pièces d'intrigue, *l'Etourdi, le Dépit amoureux*, mais peut-être n'aurois-je pas fait *le Misanthrope*.
>
> — Embrassez-moi ! dit Despréaux : voilà un aveu qui vaut la meilleure comédie ! »

1. Paris, Pierre Didot l'aîné, 1819, p. 149.

Où François de Neufchâteau a-t-il recueilli ce dialogue ? Il dit que c'est dans le *Bolaeana* de Monchesnay. Mais c'est en vain que l'on explore cet ouvrage pour y trouver le texte qu'on vient de lire. Il n'y figure pas. On pouvait espérer le découvrir dans les commentaires de Brossette sur Boileau, mais il n'y figure pas non plus. Alors, quelle est la source ?

Dans l'édition des œuvres de Corneille dite des « Grands Ecrivains de la France [2] », Charles Marty-Laveaux rappelle un commentaire de Voltaire sur *le Menteur* :

> Ce n'est qu'une traduction, mais c'est probablement à cette traduction que nous devons Molière. Il est impossible en effet que l'inimitable Molière ait vu cette pièce sans voir tout à coup la prodigieuse supériorité que ce genre a sur tous les autres, et sans s'y livrer entièrement [3].

Et Marty-Laveaux commente ainsi l'opinion de Voltaire :

> Il est permis de croire que cette réflexion toute naturelle de Voltaire est à l'origine d'une anecdote qui figure aujourd'hui dans tous les cours de littérature, et que nous avons trouvée pour la première fois dans *l'Esprit du Grand Corneille* de François de Neufchâteau.

C'est laisser entendre très nettement que François de Neufchâteau, s'appuyant sur la conviction de Voltaire, pourrait avoir imaginé la déclaration de Molière à Boileau. Ce n'est pas impossible, mais ce n'est pas certain. Boileau aurait pu s'exprimer ainsi, interprétant ou reconstituant, avec du recul, les paroles de Molière. Et François de Neufchâteau a pu se tromper de bonne foi quand il a indiqué le *Bolaeana* comme origine de l'anecdote, alors qu'elle serait venue d'une autre source, qui n'a pas encore été identifiée.

Que Molière ait été fortement impressionné par *le Menteur*, c'est une évidence que l'on n'a aucune peine à admettre. Qu'il en ait fait la confidence à Boileau, c'est fort probable. On peut douter qu'il se soit exprimé dans les termes

---

2. Paris, Hachette, 1862-68, tome IV, pp. 128-129.
3. Préface du *Menteur*, édition des *Œuvres* de Corneille, 1764.

rapportés par François de Neufchâteau, sans qu'il soit toutefois possible de rejeter catégoriquement son récit.

Quant à la date à laquelle cette conversation aurait pu avoir lieu, il faut la situer après 1666, puisqu'il y est question du *Misanthrope*.

Après la « comédie grave » qu'est le Misanthrope, *Molière revient à la « comédie enjouée » avec* le Médecin malgré lui, *version définitive d'une farce qu'il avait jouée depuis ses débuts sous divers titres.*

Il travaille de nouveau pour le roi qui va donner au mois de mai 1667 de grandes fêtes à Saint-Germain comme trois ans plus tôt à Versailles. Molière compose et joue le Sicilien ou l'Amour peintre, Mélicerte *(qui restera inachevée) et la* Pastorale comique, *dont le texte n'est pas parvenu jusqu'à nous.*

La Pastorale perdue

Molière aurait jeté au feu le manuscrit
de la Pastorale comique *quelque temps avant de mourir.*

Que savons-nous de cette *Pastorale* ? Bien peu de chose, sinon que c'était une « espèce d'impromptu mêlé de scènes récitées et de scènes en musique, avec des divertissements et des entrées de ballet [1] ».

La musique était de Lulli, qui participa lui-même au spectacle en dansant et en jouant de la guitare, aux côtés de Molière, La Grange et Mlle de Brie, ainsi que des chanteurs de la Musique du Roi. De même que *Mélicerte*, comédie inachevée, la *Pastorale comique* ne fut représentée qu'une seule fois, le 5 janvier 1667, au cours des fêtes royales données à Saint-Germain-en-Laye sous le nom général de *Ballet des Muses*.

Le texte de la *Pastorale* n'est pas parvenu jusqu'à nous. Pour quelle raison ? La Grange est muet sur ce point dans la Préface de 1682. Grimarest n'en cite même pas le titre. L'éditeur de 1734 (A.F. Jolly) ne donne aucune explication. Il faut attendre l'édition donnée en 1812 par Petitot [2] pour voir apparaître cette remarque à propos de *Mélicerte :*

La *Pastorale comique*, placée à la suite de cette pièce, et

1. Avertissement placé à la suite de *Mélicerte* dans l'édition des *Œuvres de Molière* de 1734, la première à publier les fragments de la *Pastorale* inclus dans le livret du *Ballet des Muses*.

2. *Œuvres de Molière* « [...] avec des réflexions sur chacune de ses pièces, par M. Petitot ». Paris, H. Nicolle et Gide fils, 1812, 6 vol. in-8°.

> qui faisoit partie de la même fête, n'est susceptible d'aucune observation. Molière, avant de mourir, l'avoit brûlée : on n'en a conservé que les paroles chantées, qui ont été recueillies dans la partition de Lulli, auteur de la musique. Ces morceaux n'ont point de liaison, et ne peuvent indiquer ce qu'étoit cette pièce quand le dialogue existoit [3].

C'est la première mention écrite de la destruction par le feu. Petitot la présente comme une certitude. Il n'éprouve pas le besoin de recourir à une formule précautionneuse telle que « on dit... », « on rapporte... » ou « on prétend que... ». Mais comment faut-il interpréter l'indication « avant de mourir » ? Probablement pas au sens le plus étroit, c'est-à-dire « *in extremis* », mais au sens le plus large : « c'est Molière lui-même qui avait brûlé ce manuscrit, de son vivant ». Quoi qu'il en soit, Petitot — hélas ! — ne cite pas la source de son information.

En 1820, dans une nouvelle édition des *Œuvres* [4], le commentateur L.S. Auger évoque lui aussi la destruction :

> Le dialogue de la pièce n'a jamais été imprimé. On croit que Molière, dont cette fois le zèle avoit été mal récompensé par son génie, s'empressa d'anéantir un ouvrage fait à la hâte, dont rien ne pouvoit déguiser ni justifier l'imperfection aux regards du lecteur [5].

C'est moins affirmatif : « on croit que... », et c'est aussi moins circonstancié : il n'est pas dit expressément que le manuscrit a été anéanti par le feu.

Cinq ans après, Taschereau résume ainsi la participation de Molière aux fêtes de Saint-Germain :

> Les deux premiers actes de *Mélicerte*, que Molière n'acheva jamais, et la *Pastorale comique*, dont il brûla depuis le manuscrit [6].

---

3. Tome IV, p. 40.
4. *Œuvres de Molière*, avec un Commentaire [...], par M. Auger, de l'Académie françoise, Paris, Th. Desoer, 1819-1825, 9 vol. in-8°.
5. Tome V, pp. 432-433.
6. *Histoire de la vie et des ouvrages de Molière*, 1re édition : 1825, p. 185 ; 3e édition : 1849, p. 113.

En référence, Taschereau cite Auger et Petitot, ce qui est fort louable, mais ne fait que nous ramener aux conditions du problème précédent.

Vient ensuite Edouard Thierry qui, dans l'introduction à ses *Documents sur « le Malade imaginaire »*[7], aborde au passage la question de cette *Pastorale comique*

> sur laquelle les commentateurs se sont mis en frais d'une légende inutile. On avait les vers faits pour le chant (des vers d'une fantaisie charmante), on avait la suite indiquée des scènes, le dialogue manquait ; on imagina que Molière l'avait supprimé, comme une œuvre indigne de lui — anéanti, dit Auger, — brûlé, dit M. Taschereau. N'est-il pas plus naturel de conclure que le dialogue avait été un jeu d'improvisation entre les comédiens ?

Cette conclusion à une « légende inutile », si elle semble naturelle au commentateur, me paraît un peu hâtive. Pourquoi s'être donné la peine de faire de jolis vers à chanter, et laisser tout le reste aux dangereux hasards de l'improvisation ? Ce n'est guère compatible. Ce qui me semble le plus probable, c'est que Molière a *bâclé*, pressé qu'il était par les organisateurs (parmi lesquels Benserade), et qu'il n'a pas été fier du résultat de l'unique représentation.

Jetée au feu ou au panier, il faut considérer, je crois, que la *Pastorale comique* a bien été détruite par son auteur, et conclure comme l'a fait Paul Mesnard, avec lucidité et modération, dans sa notice de l'édition des « Grands Ecrivains de la France[8] » :

> Molière ne crut sans doute pas digne de lui de la faire survivre à la circonstance, et puisque les éditeurs de ses œuvres posthumes n'en ont rien donné, c'est qu'ils n'en avaient retrouvé aucun vestige, et que l'auteur ne l'avait pas laissée dans ses papiers.

---

7. Paris, Berger-Levrault, 1880, p. 15, n. 1.
8. Tome VI, p. 147.

Molière n'a pas désarmé. Il veut donner son Tartuffe *au public. Il parle au roi, il lui fait parler, il fait intervenir des personnages puissants. Enfin, grâce à Madame, il obtient de Louis XIV, quelque temps avant son départ pour la campagne de Flandre, l'autorisation* verbale *de jouer* Tartuffe.

Le 5 août 1667, il le joue devant le public du Palais-Royal. Le lendemain 6 août, M. le président de Lamoignon interdit la pièce.

Le 7, Molière dépêche La Grange et La Thorillière auprès du roi, au siège de Lille, porteurs d'un placet — le second — qui demandait la levée de l'interdiction... mais qui ne l'obtint pas.

« M. le président ne veut pas... »

Le président de Lamoignon ayant fait interdire
une représentation de Tartuffe,
Molière commenta cette interdiction par une phrase
à double entente, insolente pour le président.

Nous commencerons, pour une fois, par la date, car elle est certaine. C'est le 6 août 1667, au lendemain d'une représentation publique de *Tartuffe* au théâtre du Palais-Royal, que l'interdiction de continuer à jouer cette pièce fut prononcée par le président de Lamoignon, chargé de l'administration et de la police de Paris en l'absence du roi.

Le *Registre* de La Grange en fait mention. Le 5 août, la troupe a joué *Tartuffe* devant une salle comble, réalisant une recette exceptionnelle de 1 890 livres. Mais La Grange note ensuite :

> Le lendemain 6e, un huissier de la Cour du Parlement est venu de la part du premier Président, M. de Lamoignon, défendre la pièce.

Voilà pour les certitudes. Que se passa-t-il alors ? Laissons la parole à Brossette, l'ami et le commentateur de Boileau :

> J'ai demandé à Despréaux s'il étoit vrai, comme on le disoit, que Molière, voyant les défenses de M. le premier Président, avoit dit dans le compliment qu'il fit au public qui étoit venu pour voir sa pièce :
>
> « Messieurs, nous aurions eu l'honneur de vous donner une représentation de la comédie du *Tartuffe*, sans les défenses qui nous ont été faites ; mais M. le premier Président ne veut pas qu'on le joue. »

(Note marginale :) L'équivoque est dans ce mot *le*, qui se peut rapporter à M. le premier Président aussi bien qu'au *Tartuffe* [1].

La formule était jolie, en effet. Mais Brossette ajoute aussitôt :

M. Despréaux m'a dit que cela n'étoit pas véritable, et qu'il savait le contraire par lui-même.

Despréaux avait sûrement raison en détrompant Brossette : Molière ne put pas inclure cette belle insolence dans un compliment qu'il fit au public le 6 août, car il n'y eut pas ce soir-là de public assemblé. M. le président de Lamoignon avait fait « fermer et garder la porte de la comédie, quoique la salle fût dans le Palais-Royal », ainsi que le signale Brossette lui-même dans un passage de sa note précédant celui qui vient d'être cité.

Consultons encore le *Registre* de La Grange. Nous voyons qu'il n'est fait mention d'aucune représentation le 6 août, ni le 7. Et La Grange écrit :

Le 8e, le Sr de la Thorillière et moi, de La Grange, sommes partis de Paris en poste pour aller trouver le roi au sujet de lad. défense. S. Mté estoit au siège de l'Isle en Flandre [...]

La troupe n'a point joué pendant notre voyage, et nous avons recommencé le 25e de septembre, dimanche, par *le Misanthrope*.

Il est donc certain que le public n'a pas pu pénétrer dans la salle, ni le 6 août ni les jours suivants, et que Molière n'a donc pas pu lui adresser un « compliment ». A moins que, malgré la présence des gardes de M. le premier Président, il n'ait harangué, à la porte du théâtre, les personnes qui étaient venues sans savoir que la représentation était interdite. Ce n'est pas impossible, mais c'eût été tout de même

1. Note du 9 novembre 1702, recueillie dans la *Correspondance entre Boileau-Despréaux et Brossette*, éd. Laverdet, 1858, p. 564.

bien risqué. Molière avait déjà pris un gros risque en mettant son *Tartuffe* à l'affiche, se prévalant seulement d'un assentiment verbal donné par le roi à Madame qui avait intercédé en sa faveur, quelque temps avant le départ du souverain pour la Flandre.

Et Boileau était parfaitement au courant de toute l'affaire, puisque c'est lui qui, quelques jours plus tard, accompagna et introduisit chez M. de Lamoignon Molière qui espérait le faire revenir sur sa décision [2]. Si Molière avait fait publiquement la déclaration insolente qu'on lui a attribuée, il n'aurait sans doute pas osé aller se présenter chez le haut personnage dont il venait de se moquer.

Il faut donc, je pense, s'en rapporter à Boileau et conclure que l'anecdote est inexacte, tout au moins telle que Brossette l'avait entendue raconter.

Il est certain qu'elle avait couru, et même bien couru, car on en trouve une mention écrite en 1681, dans un ouvrage bilingue français-allemand, publié à Iéna par un Français, Jean Menudier, grammairien, professeur au collège de Bayreuth. Son titre est : *Le secret d'apprendre la langue françoise en riant et avec facilité.* C'est un recueil de « contes divertissants », comme le dit l'auteur, présentés simultanément dans les deux langues, et accompagnés de commentaires grammaticaux.

Voici la version française (XXIII, pp. 93-95) :

> Molière, ayant fait et représenté une comédie intitulée *le Tartuf [sic]*, le premier Président le fit venir chez lui et lui dit, en lui montrant cette comédie imprimée :
>
> « Qui est l'auteur de cette pièce ?
>
> — Moi, répondit hardiment Molière.
>
> — Mais pourquoi, reprit le Président, écrivez-vous contre les ecclésiastiques ?
>
> — Monseigneur, repartit le comédien, mon dessein n'a point été d'écrire contre eux, mais contre les hypocrites.
>
> — Molière, Molière, vous vous trompez fort si vous prétendez vous moquer de moi. Ne vous fiez pas tant une autre fois à vous-même et vous souvenez que l'esprit est souvent

2. Note de Brossette déjà citée.

> comme ces feux-follets qui nous éclairent pour nous conduire dans le précipice. Cependant je vous défends de jamais représenter cette comédie. »
>
> Quelques jours après, ce comédien étant au Louvre, le Roy lui dit :
>
> « Molière, d'où vient que tu ne joues plus *le Tartuf ?*
>
> — Sire, répondit-il, je le voudrois bien, mais Monsieur le Président ne veut pas qu'on le joue ! »

Est-il besoin de disséquer ce texte pour en démontrer l'incohérence et l'invraisemblance ? Bornons-nous à remarquer qu'une telle scène n'aurait pu avoir lieu alors que la pièce était *imprimée*. Elle ne le fut que le 23 mars 1669, après la « grande résurrection de *Tartuffe* » du 5 février (selon l'expression de Molière dans son 3e placet au roi), et le président de Lamoignon n'avait plus alors ni raison ni pouvoir d'interdire la pièce. Ce « conte divertissant » est donc sans aucune valeur.

Grimarest n'a pas fait mention de cette anecdote. La savait-il inexacte ? [3] En tout cas, il a été mal informé sur l'ensemble de la question car il déclare à tort que ce fut la représentation du 5 août qui fut interdite, et que l'on dut rembourser les spectateurs.

Cependant l'anecdote courait toujours. Voltaire la ramassa, avec des pincettes pourrait-on dire, et ne l'inséra que dans la deuxième édition de son sommaire de *Tartuffe* (1764), en se gardant bien de la donner pour assurée. Il écrit à propos de la représentation interdite :

> C'est à cette occasion qu'on prétend que Molière dit à l'Assemblée : « Messieurs, nous allions vous donner *le Tartuffe*, mais monsieur le premier président ne veut pas qu'on le joue. »

Voltaire a eu beau dire « on prétend », l'anecdote a persisté. Elle fut reprise en 1785, sans réserves, par Antoine

3. Il pouvait aussi vouloir ne pas offenser la mémoire du président Guillaume de Lamoignon, décédé lors de la parution de la *Vie de M. de Molière*, mais dont le fils, François-Chrétien de Lamoignon, était alors président à mortier.

Taillefer dans son *Tableau historique*[4] (t. I, p. 362) sous une forme très peu différente de celle que rapporte Brossette, laquelle était donc bien alors la version populaire, contredite par Boileau. En 1801, le *Molierana* reprend presque mot pour mot le texte de Taillefer et lui donne une nouvelle diffusion parmi le grand public.

Mais Louis Auger et Aimé-Martin, dans leurs grandes éditions commentées des *Œuvres*[5], puis Taschereau dans son *Histoire de la vie et des ouvrages de Molière* se sont refusés à admettre l'anecdote ainsi propagée par les échotiers. Taschereau déclare même que la popularité de l'anecdote lui fait « un devoir d'en démontrer la fausseté. » Entre autres arguments, il affirme que « l'inventeur de cette pasquinade, qui tenait à paraître donner les propres paroles de Molière, aurait dû se rappeler qu'une défense royale avait prohibé le titre de *Tartuffe*, et qu'il ne se serait par conséquent servi que de celui de *l'Imposteur*[6] ». Remarque exacte et subtile, mais peu probante, car *l'Imposteur* n'était qu'un titre postiche qui ne trompait personne. La Grange n'en tient même pas compte, qui inscrit dans son *Registre* à la date du 5 août : *Tartuffe*, en gros caractères appuyés et satisfaits.

Enfin Taschereau rappelle que l'on trouve dans le *Menagiana*[7] une historiette presque identique à propos d'une comédie faite à Madrid contre l'alcade, qui s'était efforcé de la faire interdire. François Génin, dans la « Vie de Molière » qu'il publia en tête de son *Lexique comparé de la langue de Molière et des écrivains du XVIIe siècle*[8], donne sur ce point quelques précisions : « Ce conte, beaucoup plus vieux que Molière, a été ramassé dans les *anas* espagnols, qui

---

4. Le titre complet est : *Tableau historique de l'esprit et du caractère des littérateurs françois depuis la renaissance des lettres jusqu'en 1785, ou Recueil de traits d'esprit, de bons mots et d'anecdotes littéraires*, (Versailles, Poinçot, 1785, 4 vol.). — Notons ici que le *Molierana*, de Cousin d'Avalon (Paris, Marchand, 1801) emprunte la quasi-totalité de sa substance au chapitre « Molière » du *Tableau historique*.

5. *Œuvres de Molière*, par L. Auger, 1819-1825, t. VI, p. 194. *Œuvres complètes de Molière, avec les notes de tous les commentateurs*, par L. Aimé-Martin, 1824-1826, t. I, pp. CVIII-CIX.

6. 1re édition : 1825, p. 200 ; 3e édition : 1884, p. 122.

7. Edition de 1715, t. IV, pp. 173-174.

8. Paris, Firmin Didot, 1846, p. XXXVIII.

attribuent ce mot à Lope ou à Calderon, au sujet d'une comédie de *l'Alcade* : "L'alcade ne veut pas qu'on le joue." Quelqu'un a trouvé spirituel de transporter cette facétie à Molière, et l'invention a fait fortune. La biographie des grands hommes est remplie de ces impertinences : c'est le devoir de la critique que de les signaler, et d'en obtenir justice. »

Que justice soit donc faite. L'anecdote est condamnée à mort et exécutée. Gustave Michaut, dans *les Luttes de Molière*[9], ne la mentionne en note que pour la déclarer invraisemblable, et se contente comme preuve du démenti formel de Boileau. Georges Bordonove, dans *Molière génial et familier*[10], et Pierre Gaxotte dans son *Molière*[11], n'y font même pas allusion.

Parmi les contemporains, Antoine Adam est seul à laisser entendre qu'il n'y a peut-être pas eu de fumée sans feu : « Nos historiens écartent avec mépris, comme légendaire, le mot que la tradition prête à Molière [...] Est-on si certain que ce soit une légende ? Un texte de 1681 prouve du moins que la tradition était, dès cette date, fixée[12]. »

Le moment est venu de conclure : malgré sa belle insolence, il faut nous résigner à ne pas admettre l'anecdote, du moins telle qu'elle est rapportée à l'origine par Brossette, c'est-à-dire sous la forme d'une annonce *au public*.

Mais rien ne nous interdit de penser que Molière a pu faire sa remarque vengeresse *en privé*, peut-être après son entrevue avec Lamoignon, et qu'elle a aussitôt couru dans le public et fait florès, commençant une carrière dont la fin n'est sans doute que provisoire. Gageons que l'anecdote renaîtra de ses cendres.

---

9. Paris, Hachette, 1925, p. 50, n. 1.
10. Paris, Robert Laffont, 1967.
11. Paris, Flammarion, 1977.
12. *Histoire de la littérature française au XVIIe siècle*, Paris, Domat, 1952, t. III, p. 296, n. 2. — Le texte de 1681 auquel il est fait allusion est celui de Jean Menudier que nous avons examiné plus haut.

Été 1667

Le souper d'Auteuil

Après un souper trop copieux et trop bien arrosé, Chapelle et un groupe d'amis de Molière décident, dans leur ivresse, d'aller se jeter dans la Seine. Molière réussit habilement à les en empêcher.

Voilà une anecdote très célèbre, que presque tous les biographes de Molière ont reprise. Elle a même fourni le sujet de plusieurs petites comédies [1]. Cette vogue lui vient très certainement de ce qu'elle a de fortes chances d'être vraie.

Le récit en a été publié pour la première fois par Grimarest [2], avec une grande abondance de détails. Il tenait assurément son information de Baron, qui prit part à cette soirée mémorable. L'anecdote est longue, mais vaut bien d'être citée en entier :

> Chapelle [...] aimoit tellement le plaisir qu'il s'en étoit fait une habitude. Mais Molière ne pouvoit plus lui répondre de ce côté-là, à cause de son incommodité [3].
>
> Ainsi, quand Chapelle vouloit se réjouir à Auteuil [4], il y menoit des convives pour lui tenir tête ; et il n'y avoit personne qui ne se fît un plaisir de le suivre. Connoître Molière étoit un mérite que l'on cherchoit à se donner avec empressement ; d'ailleurs M. de Chapelle soutenoit sa table avec

---

1. En particulier *le Souper de Molière, ou la Soirée d'Auteuil* par Cadet-Gassicourt (Th. du Vaudeville, 1795). *Molière avec ses amis, ou la Soirée d'Auteuil*, par J.S. Andrieux (Théâtre-Français, 1804).
2. *La Vie de M. de Molière*, éd. Mongrédien, pp. 83-86.
3. C'est-à-dire en raison de sa « fluxion » et du régime auquel il était astreint. Voir « Molière amphitryon » à la p. 141 du présent ouvrage.
4. Molière avait mis à sa disposition une chambre de la maison de campagne qu'il avait louée à Auteuil en 1667 et qu'il garda jusqu'à sa mort.

honneur. Il fit un jour partie avec MM. de J..., de N... et de L.... [5] pour aller se réjouir à Auteuil avec leur ami.

« Nous venons souper avec vous ! dirent-ils à Molière.

— J'en aurois, dit-il, plus de plaisir si je pouvois vous tenir compagnie. Mais ma santé ne me le permettant pas, je laisse à M. de Chapelle le soin de vous régaler le mieux qu'il pourra. »

Ils aimoient trop Molière pour le contraindre ; mais ils lui demandèrent du moins Baron.

« Messieurs, leur répondit Molière, je vous vois en humeur de vous divertir toute la nuit : le moyen que cet enfant [6] puisse tenir ? Il en seroit incommodé, je vous prie de le laisser.

— Oh ! parbleu, dit M. de L..., la fête ne seroit pas bonne sans lui, et vous nous le donnerez. »

Il fallut l'abandonner ; et Molière prit son lait devant eux, et s'alla coucher.

Les convives se mirent à table. Les commencements du repas furent froids : c'est l'ordinaire entre gens qui savent ménager le plaisir ; et ces messieurs excelloient dans cette étude. Mais le vin eut bientôt réveillé Chapelle, et le tourna du côté de la mauvaise humeur.

« Parbleu, dit-il, je suis un grand fou de venir m'enivrer ici tous les jours, pour faire honneur à Molière. Je suis bien las de ce train-là ; et ce qui me fâche, c'est qu'il croit que j'y suis obligé. »

La troupe, presque toute ivre, approuva les plaintes de Chapelle. On continua de boire, et insensiblement on changea de discours. A force de raisonner sur les choses qui font ordinairement la matière de semblables repas entre gens de cette espèce, on tomba sur la morale vers les trois heures du matin.

« Que notre vie est peu de chose ! dit Chapelle. Qu'elle est remplie de traverses ! Nous sommes à l'affût pendant trente ou quarante années pour jouir d'un moment de plaisir que nous ne trouvons jamais ! Notre jeunesse est harcelée par de maudits parents, qui veulent que nous nous mettions un fatras de fariboles dans la tête !

« Je me soucie morbleu bien, ajouta-t-il, que la terre

5. Ces initiales ne peuvent désigner que Jonzac, Nantouillet et Lulli.

6. Si, comme on a tout lieu de le penser, l'événement se situe au cours de l'été 1667, Baron avait alors quatorze ou quinze ans.

tourne, ou le soleil, que ce fou de Descartes ait raison, ou cet extravagant d'Aristote. J'avois pourtant un enragé précepteur [7] qui me rebattoit toujours ces fadaises-là, et qui me faisoit sans cesse retomber sur son Epicure : encore passe pour ce philosophe-là, c'étoit celui qui avoit le plus de raison. Nous ne sommes pas débarrassés de ces fous-là, qu'on nous étourdit les oreilles d'un établissement.

« Toutes ces femmes, dit-il encore en haussant la voix, sont des animaux qui sont ennemis jurés de notre repos. Oui, morbleu ! Chagrins, injustices, malheurs de tous côtés dans cette vie-ci !

— Tu as parbleu raison, mon cher ami ! répondit J... en l'embrassant. Sans ce plaisir-ci, que ferions-nous ? La vie est un pauvre partage ! Quittons de là, de peur que l'on ne sépare de si bons amis que nous le sommes. Allons nous noyer de compagnie, la rivière est à notre portée.

— Cela est vrai, dit N... Nous ne pouvons jamais prendre mieux notre temps pour mourir bons amis et dans la joie ! Et notre mort fera du bruit ! »

Ainsi, ce glorieux dessein fut approuvé tout d'une voix. Ces ivrognes se lèvent, et vont gaiement à la rivière.

Baron courut avertir du monde, et éveiller Molière, qui fut effrayé de cet extravagant projet, parce qu'il connoissoit le vin de ses amis. Pendant qu'il se levoit, la troupe avoit gagné la rivière, et ils s'étoient déjà saisis d'un petit bateau pour prendre le large, afin de se noyer en plus grande eau.

Des domestiques et des gens du lieu furent promptement à ces débauchés, qui étoient déjà dans l'eau, et les repêchèrent. Indignés du secours qu'on venoit de leur donner, ils mirent l'épée à la main, courent sur leurs ennemis, les poursuivent jusque dans Auteuil, et les vouloient tuer. Ces pauvres gens se sauvent la plupart chez Molière, qui, voyant ce vacarme, dit à ces furieux :

« Qu'est-ce que c'est donc, messieurs, que ces coquins-là vous ont fait ?

— Comment, ventrebleu ! dit J..., qui étoit le plus opiniâtre à se noyer, ces malheureux nous empêcheront de nous noyer ? Ecoute, mon cher Molière, tu as de l'esprit : vois si nous avons tort. Fatigués des peines de ce monde-ci, nous avons fait dessein de passer en l'autre pour être mieux. La

7. Il s'agit de Gassendi.

rivière nous a paru le plus court chemin pour nous y rendre : ces marauds-là nous l'ont bouché. Pouvons-nous faire moins que de les en punir ?

— Comment ! Vous avez raison ! » répondit Molière. « Sortez d'ici, coquins, que je ne vous assomme ! dit-il à ces pauvres gens, paroissant en colère. Je vous trouve bien hardis de vous opposer à de si belles actions ! »

Ils se retirèrent marqués de quelques coups d'épée [8].

« Comment, messieurs ? poursuit Molière aux débauchés. Que vous ai-je fait pour former un si beau projet sans m'en faire part ? Quoi, vous voulez vous noyer sans moi ? Je vous croyois plus de mes amis !

— Il a parbleu raison, dit Chapelle, voilà une injustice que nous lui faisions. Viens donc te noyer avec nous !

— Oh ! doucement ! répondit Molière. Ce n'est point ici une affaire à entreprendre mal à propos : c'est la dernière action de notre vie, il n'en faut pas manquer le mérite. On seroit assez malin pour lui donner un mauvais jour, si nous nous noyons à l'heure qu'il est : on diroit à coup sûr que nous l'aurions fait la nuit, comme des désespérés, ou comme des gens ivres. Saisissons le moment qui nous fasse le plus d'honneur, et qui réponde à notre conduite : demain, sur les huit à neuf heures du matin, bien à jeun et devant tout le monde, nous irons nous jeter la tête devant dans la rivière.

— J'approuve fort ses raisons, dit N..., et il n'y a pas le petit mot à dire.

— Morbleu, j'enrage ! dit L... Molière a toujours cent fois plus d'esprit que nous. Voilà qui est fait. Remettons la partie à demain et allons nous coucher, car je m'endors. »

Sans la présence d'esprit de Molière, il seroit infailliblement arrivé du malheur, tant ces messieurs étoient ivres, et animés contre ceux qui les avoient empêchés de se noyer. Mais rien ne le désoloit plus que d'avoir affaire à de pareilles gens, et c'étoit cela qui bien souvent le dégoûtoit de Chapelle ; cependant leur ancienne amitié prenoit toujours le dessus.

L'histoire racontée par Grimarest ne manqua pas d'être contestée par l'auteur de la *Lettre critique :*

---

8. Nous voulons croire qu'il s'agit de coups de *plat* d'épée, donnés en fouettant, ou d'égratignures.

> L'aventure de ces quatre personnes qui se vont noyer est extravagante, et hors du vraisemblable ; et je m'étonne qu'un homme de bon sens nous la donne bien sérieusement pour une vérité.
>
> Je conviens que, si la chose est vraie, Molière y fait le personnage d'homme d'esprit. Mais qu'est-ce que Chapelle a fait à l'auteur, pour le mettre toujours pris de vin sur la scène, ou dans la disposition de s'enivrer ? Ne pouvoit-il le prendre de son beau côté ? C'est de gaieté de cœur insulter à la mémoire d'un galant homme [9].

Ce à quoi Grimarest répond à son contradicteur :

> A l'égard de l'aventure d'Auteuil, qu'il prenne la peine d'aller dans ce village : il y trouvera encore de vieilles gens qui en ont été les témoins, et qui lui diront que les acteurs de cette aventure étoient des personnes de qualité qui vouloient se noyer de compagnie avec M. de Chapelle, et avec un quatrième dont le nom ne mourra point chez les gens de plaisir [10].

En effet, on peut tenir pour assuré que l'affaire fit quelque bruit dans Auteuil et jusque dans Paris, étant donné la personnalité des participants, et fut certainement connue et commentée dans divers milieux bien avant que Grimarest la publiât. On peut en voir une preuve dans le fait qu'on en trouve le récit, sous une forme beaucoup plus brève et légè-

---

9. *La Vie de M. de Molière*, éd. Mongrédien, p. 139 (*Lettre critique*). — Il est de fait que Grimarest ne s'est pas montré très charitable envers Chapelle. Voltaire le lui a reproché dans le dernier paragraphe de la très courte *Vie de Molière* qu'il tira en grande partie de celle de Grimarest : « Non seulement j'ai omis dans cette vie de Molière les contes populaires touchant Chapelle et ses amis, mais je me sens obligé de dire que ces contes, adoptés par Grimarest, sont très faux. Le feu duc de Sulli, le dernier prince de Vendôme, l'abbé de Chaulieu, qui avaient beaucoup vécu avec Chapelle, m'ont assuré que toutes ces historiettes ne méritaient aucune créance. »

Mais Voltaire s'est trouvé à son tour contredit de son vivant par Bret dans son *Supplément à la Vie de Molière* (1773) : « Il est très possible que l'amitié qu'avoient pour Chapelle le duc de Sulli, le prince de Vendôme et l'abbé de Chaulieu les ait engagés à nier un fait qui n'annonçait ni la sobriété, ni la sagesse de leur ami ; mais cette historiette, fût-elle incertaine, n'honore-t-elle pas assez Molière pour nous mettre dans l'obligation de la conserver ? »

10. *Ibid.*, p. 160 (Addition...)

rement différente, dans le *Recueil de bons mots* de l'abbé de Choisy [11] :

> Chapelle et trois ou quatre de ses amis, après avoir été six heures à table dans une maison d'Auteuil, se mirent à raisonner philosophie et conclurent que, la vie étant pleine de misères, ils feroient bien de se noyer pour finir l'affaire.
>
> Ils partent aussitôt et prennent le chemin de la rivière. Molière, qui étoit avec sa femme dans une maison voisine, averti par quelques valets : « Mes amis, leur dit-il, j'en veux être, vous avez raison. Allons, je me veux jeter le premier. » Il avance d'un pas et puis leur dit : « Mais, j'y songe, voulons-nous mourir comme des coquins, la nuit ? Non, non, rendons notre mort célèbre et noyons-nous demain en plein soleil. Caton, Brutus, tous ces messieurs-là ne nous viennent pas à la jarretière. »
>
> Il persuada les ivrognes et les ramena chez eux où le sommeil leur rendit la raison.

Il n'est pas possible de déterminer si l'abbé de Choisy a écrit son récit avant ou après celui de Grimarest, mais l'un n'est pas la copie de l'autre. Les auteurs ont puisé à des sources d'information différentes et leurs récits se confirment dans les grandes lignes. (On remarque que, pour Choisy, le souper a eu lieu dans la maison voisine de celle où Molière se trouvait avec sa femme.)

Mais la meilleure confirmation des faits est apportée par Louis Racine, le sérieux personnifié, qui écrit en 1747 dans ses *Mémoires :*

> Comme j'ai parlé de l'union qui régna d'abord entre Molière, Chapelle, Boileau et mon père, il me semble que la jeunesse de ces poètes auroit dû me fournir plusieurs traits amusants, pour égayer la première partie de ces *Mémoires*.
>
> Quelque curieux que j'aie été d'en apprendre, je n'ai rien trouvé de certain en ce genre, que ce que Grimarest rapporte dans sa *Vie de Molière* d'un souper fait à Auteuil, où

---

11. Bibliothèque de l'Arsenal, Paris, manus. 3186 (s.d.), pp. 222-223. L'abbé de Choisy vécut de 1644 à 1724 et fut membre de l'Académie française.

Molière rassembloit quelquefois ses amis dans une petite maison qu'il y avoit louée.

Ce fameux souper, quoique peu croyable, est très véritable. Mon père heureusement n'en étoit pas. Le sage Boileau, qui y étoit, y perdit la raison comme les autres. Le vin ayant jeté tous les convives dans la morale la plus sérieuse, leurs réflexions sur les misères de la vie, et sur cette maxime des anciens que « le premier bonheur est de ne point naître et le second de mourir promptement », leur firent prendre l'héroïque résolution d'aller sur-le-champ se jeter dans la rivière. Ils y alloient, et la rivière n'étoit pas loin.

Molière leur représenta qu'une si belle action ne devoit pas être ensevelie dans les ténèbres de la nuit, et qu'elle méritoit d'être faite en plein jour. Ils s'arrêtèrent, et se dirent en se regardant les uns les autres : « Il a raison. »

A quoi Chapelle ajouta : « Oui, messieurs, ne nous noyons que demain matin ; et en attendant, allons boire le vin qui nous reste. »

Le jour suivant changea leurs idées ; et ils jugèrent à propos de supporter encore les misères de la vie. Boileau a raconté plus d'une fois cette folie de jeunesse [12].

Nous avons là un texte qui n'est pas une paraphrase de celui de Grimarest. Celui-ci tenait ses informations de Baron, tandis que Louis Racine invoque le témoignage de Boileau, que Grimarest n'a pas cité au nombre des convives.

Je pense qu'il faut considérer ces recoupements comme apportant une preuve suffisante de l'authenticité des faits. Je n'en dirais pas autant des paroles, car il est bien évident que les dialogues que l'on trouve dans le récit de Grimarest, en 1705, ne peuvent pas lui avoir été rapportés mot pour mot par Baron trente-cinq ans après l'événement. Grimarest a donc sans doute brodé sur un thème, comme il reconnaît l'avoir fait dans l'anecdote du « Courtisan extravagant [13] ».

---

12. Louis Racine, *Mémoires sur la vie de Jean Racine*, Lausanne et Genève, M. Bousquet, 1747. — Réimpression dans les *Œuvres de M.L. Racine*, Amsterdam, M. Rey, 1750, t. I, 1re partie. Texte repris au tome I (pp. 269-270) des *Œuvres de Jean Racine*, coll. « Les Grands Ecrivains de la France », Paris, Hachette, 1865-1873.

13. Voir p. 250 du présent ouvrage.

Quoi qu'il en soit, il y a lieu, me semble-t-il, de considérer le récit de Grimarest comme un reflet assez fidèle, dans son ensemble, des événements dont Molière et ses amis ont été les acteurs un soir à Auteuil [14].

---

14. Personne ne conteste plus aujourd'hui la véracité de l'anecdote. Georges Bordonove la raconte tout au long dans son *Molière génial et familier* (Robert Laffont, 1967, pp. 329-331). Pierre Gaxotte l'évoque dans son *Molière* (Flammarion, 1977, p. 151). Dans son très savant *Molière, ou les métamorphoses du comique*, Gérard Defaux déclare que l'authenticité n'en est pas douteuse et en tire un argument d'analyse. (Ed. French Forum, Lexington, USA, 1980, p. 196 et p. 333, n. 22.)

Molière avait été fort affecté par la seconde interdiction de Tartuffe, *au point de fermer un temps son théâtre.*

Mais il n'abdiquait pas. Tout en reprenant le Misanthrope, *il travaillait dans sa maison d'Auteuil à une pièce d'un genre nouveau pour lui, qu'il présenta au public le 13 janvier 1668. C'était le délicieux* Amphitryon, *auquel devait succéder, le 18 juillet,* George Dandin ou le Mari confondu, *et, le 9 septembre,* l'Avare.

Molière incendiaire ?

Avant de publier son Amphitryon,
Molière aurait fait détruire par le feu
quantité de volumes des Sosies *de Rotrou.*

Cette anecdote, aujourd'hui peu répandue, n'a été publiée qu'assez tardivement. Elle apparaît pour la première fois en 1731 dans les *Mémoires pour servir à l'histoire des hommes illustres de la république des lettres,* par le père Jean-Pierre Niceron [1]. L'auteur la mentionne ainsi dans sa nomenclature des pièces de Rotrou :

> 18. *Les Sosies*, comédie, 1638, in-4°. Cette comédie a servi de modèle à Molière, et l'on sait par tradition qu'avant que de faire paroître son *Amphitryon*, il en fit brûler près de quatre cents exemplaires ; mais ensuite elle a été réimprimée en toutes sortes de formes.

Voyons comment se présente la situation. Quand Molière représente pour la première fois son *Amphitryon*, en 1668, il y a déjà trente et un ans que la comédie de Rotrou, *les Sosies* [2], a vu les feux de la rampe à l'Hôtel de Bourgogne (1637). Le succès a été grand et l'œuvre a été publiée en 1638 chez l'éditeur Antoine de Sommaville.

On ne sait pas au juste combien d'années la pièce est restée au répertoire de l'Hôtel, mais en 1649 on la voit reparaître au théâtre du Marais avec un grand luxe de « machines »,

1. Paris, Brisson, 1727-1745, 43 vol. in-12. Voir tome XVI, 1731, p. 95.
2. Le titre exact est bien *les Sosies* et non *les Deux Sosies*, comme on le rencontre parfois écrit à tort.

sous le titre nouveau de *la Naissance d'Hercule, ou l'Amphitryon*. Là encore, le succès fut considérable. L'éditeur Sommaville fit paraître l'année suivante (1650) une réimpression de la pièce de Rotrou sous son nouveau titre.

Aucun document ne permet de savoir aujourd'hui sur quelle période se sont étendues les représentations de cette reprise à grand spectacle, mais on peut tenir pour assuré qu'elle resta longtemps dans la mémoire des spectateurs.

Quoi d'étonnant donc à ce que Molière, rival du Marais, ait voulu avoir lui aussi, quelque temps après, sa pièce à machines volantes inspirée de Plaute comme l'était celle de Rotrou ?

La première représentation d'*Amphitryon* eut lieu au Palais-Royal le 13 janvier 1668. Le succès fut grand et immédiat, la critique élogieuse. Molière demanda aussitôt un privilège pour l'impression de sa pièce, et, dès le début du mois de mars, la première édition sortait des presses de Jean Ribou.

Que se serait-il passé dans l'intervalle ? Si l'on admet la « tradition » rapportée par Niceron, Molière aurait voulu faire en sorte que seule son œuvre existât sur le marché de la librairie. Pourquoi ? On peut penser que ce put être pour mettre le public dans l'impossibilité de faire la comparaison entre son texte et celui de Rotrou, décédé depuis dix-huit ans.

Car l'*Amphitryon* de Molière ne reçut pas que des éloges. Grimarest rapporte en 1705 qu'un personnage qu'il qualifie de « savantasse » jugeait ainsi Molière : « Il a tout pris sur Rotrou, et Rotrou sur Plaute. Je ne vois pas pourquoi on applaudit à des plagiaires [3]. »

Alors qu'aurait fait Molière ? Sachant qu'il existait encore, dans le fonds de l'éditeur Sommaville, environ 400 exemplaires de l'œuvre de Rotrou (sans doute la seconde, celle de 1650, intitulée *la Naissance d'Hercule, ou l'Amphitryon*), il aurait acheté ou fait acheter ces volumes, puis les aurait détruits par le feu ?

Idée bizarre, mesquine et peu efficace. D'une part les successeurs de Sommaville (décédé en 1665) auraient très bien

3. *La vie de M. de Molière*, éd. Mongrédien, 1955, p. 94.

pu faire une réimpression après cet épuisement brusqué du stock. D'autre part c'était ne pas tenir compte de l'existence des centaines, voire des milliers d'exemplaires disséminés depuis 1638 chez les particuliers, amateurs de théâtre ou « savantasses ». Une telle manœuvre n'aurait donc en fait servi à rien.

« L'on sait par tradition... », dit Niceron. Il est curieux que cette tradition de la destruction d'une pièce rivale soit restée orale pendant soixante-trois ans, et qu'aucun des détracteurs de Molière n'y ait fait une allusion écrite à l'époque des faits allégués, ou peu après.

Les biographes de la fin du XVIIIe siècle et du XIXe ont laissé de côté cette anecdote, et cela se comprend : dans l'ensemble favorables à Molière, ils n'allaient pas ternir son prestige par le récit d'un fait, non prouvé, dans lequel le grand homme apparaît sous un jour déplaisant. Par la suite, les rares commentateurs à rappeler l'anecdote ne l'ont fait que pour la qualifier de légende, et c'est véritablement la seule attitude possible.

Mais il est cependant intéressant d'examiner avec attention l'édition originale d'*Amphitryon*.

Jusqu'à une date relativement récente, on considérait comme originale l'édition de Jean Ribou, achevée d'imprimer le 5 mars 1668, avec privilège en date du 20 février, et fleuron orné de la lettre M.

Mais, en 1934, un érudit bibliophile, M. Jean Tannery, qui fut gouverneur de la Banque de France, découvrit un exemplaire d'une édition qui lui parut être antérieure. Aussi publié par Jean Ribou et portant les mêmes dates, le volume comporte, outre la pièce, un *Sonnet au Roy* sur la conquête de la Franche-Comté dont la présence dans le livre donne à réfléchir.

La conquête de la Franche-Comté, véritable campagne-éclair, avait commencé le 2 février 1668 pour s'achever le 19 du même mois, un jour avant l'obtention du privilège d'*Amphitryon*. Que fait Molière ? Il compose un sonnet à la gloire du roi et le fait insérer dans l'édition qui sort des presses de Ribou le 5 mars. Mais que fait Louis XIV ? Le 2 mai, il signe la paix d'Aix-la-Chapelle et restitue la Franche-Comté à l'Espagne.

Le sonnet n'avait plus alors aucune raison d'être et devenait même gênant.

Selon M. Tannery[4] — et tout semble lui donner raison —, Molière aurait alors fait faire en hâte une nouvelle édition ne comportant pas le sonnet inopportun :

> Il est extrêmement vraisemblable qu'une seconde édition, suivant de près la première, ait été imprimée en vue de faire disparaître le sonnet devenu hors de saison[5].

Mais il y a plus : l'éditeur ne s'est pas contenté de supprimer le sonnet et de réimprimer le reste tel quel. L'ensemble du volume a été recomposé dans une typographie différente, ce qui a permis de corriger *37 fautes* d'impression dont M. Tannery a constaté l'existence dans l'édition au sonnet... et qui n'avaient sans doute pas fait plaisir à Molière lorsqu'il les découvrit !

Ribou imprima donc au plus vite cette nouvelle édition « revue et corrigée », avec le même privilège et le même achevé d'imprimer que la précédente, et la mit en vente. C'est cette édition qui, jusqu'en 1934, fut considérée comme l'originale.

Mais qu'advint-il de la pré-originale, ou plutôt de la véritable originale, l'édition au sonnet et aux 37 fautes ? Le volume découvert par M. Jean Tannery (aujourd'hui à la Bibliothèque nationale) est *unique*. Jamais, depuis 1668, aucun autre exemplaire de cette édition n'est réapparu. Voici l'explication que propose M. Tannery :

> Comment se fait-il que ce volume soit resté inconnu jusqu'à présent ? Sans doute, soit parce qu'il contenait le sonnet sur la conquête de la Franche-Comté, soit parce qu'il a été jugé trop fautif [...], *la plupart des exemplaires ont-ils été détruits*[6].

---

4. Voir son intéressant article dans le *Bulletin du Bibliophile*, Paris, Giraud-Badin, octobre 1934, pp. 444-452. (Signalé par A.J. Guibert dans sa *Bibliographie des œuvres de Molière publiées au* XVIIe *siècle*, Paris, CNRS, 1961, t. I, pp. 216-217.)
5. *Ibid.*, p. 449.
6. *Ibid.*, p, 452.

J'ai souligné la dernière phrase, car cela paraît évident. On imagine très bien Molière, vexé d'avoir publié un peu trop vite son sonnet louangeur, et irrité par la présence de nombreuses fautes dans le volume, pressant Ribou de faire paraître au plus tôt une seconde édition, correcte, et *exigeant que la première soit détruite.*

Voilà qui rend un son de cloche voisin de celui que le vent de la « tradition » avait porté jusqu'aux oreilles du père Niceron, en 1731. Il est certain que la destruction de l'édition fautive n'est pas restée, en son temps, ignorée des milieux littéraires et que les langues ont dû aller bon train. Et puis, les années passant, on en est venu à ne plus savoir exactement ce qui s'était passé lors de la publication d'*Amphitryon*.

Il ne me semble pas trop hasardeux d'admettre qu'il n'y a pas eu de fumée sans feu, c'est le cas de le dire, et de tenir pour certain que Molière a bien fait brûler une première édition fautive et indésirable de *sa propre pièce* ; peut-être même le chiffre de 400 exemplaires est-il exact.

La médisance, jouant sur la confusion, aurait ensuite prétendu, plus tard, qu'il avait détruit ce qui restait de l'édition de la pièce de Rotrou antérieure à la sienne.

Ce serait là, je pense, la « tradition » recueillie et notée par Niceron au début du XVIIIe siècle, mais l'anecdote n'a pas pris racine et s'est étiolée. Ne le regrettons pas.

Enfin la partie est gagnée ! Le 5 février 1669 Molière reçoit l'autorisation de représenter le Tartuffe *en public. Le soir même, la pièce est à l'affiche et fait salle comble. C'est la « grande résurrection », selon le mot de Molière lui-même, et le succès continue longtemps.*

Mais Molière ne s'endort pas sur ces lauriers si durement conquis. Le roi demande sa participation aux grands divertissements de Chambord : il y créera, le 6 octobre 1669, Monsieur de Pourceaugnac, *une ample bouffonnerie où les médecins sont raillés tout autant que les nobliaux de province. Après Chambord, c'est Saint-Germain, où Molière donne, le 4 février 1670,* les Amants magnifiques.

Molière déborde d'activité. Et pourtant il commence à être bien fatigué. Sa « fluxion » exigerait des ménagements. Mais il lui faut travailler au Bourgeois gentilhomme, *comédie à grand spectacle qui doit être prête pour de nouvelles fêtes à Chambord. Le 14 octobre 1670, Molière endosse l'habit de M. Jourdain, puis la robe et le turban du Mamamouchi. Et quand les fêtes sont finies, il faut rouvrir le théâtre à Paris, pour donner au public les nouveautés et reprendre les pièces du répertoire.*

Oui, c'est un métier merveilleux mais épuisant que celui d'auteur-acteur-directeur. Aux soucis du théâtre s'ajoutent ceux de la ville et de la cour, et ceux de la famille…

Le médecin fouetté et le barbier cocu

Sous ce titre, Molière aurait formé le projet d'écrire une comédie-farce inspirée d'un procès parisien qui eut un certain retentissement à l'époque.

C'est une anecdote très peu connue, bien qu'elle soit de source ancienne. Nous en sommes redevables à un contemporain, le fameux médecin-épistolier Guy Patin, qui en a fait mention dans sa correspondance [1] avec son ami André Falconet, médecin à Lyon.

A la fin de l'année 1669, un procès était en cours devant la juridiction du lieutenant-criminel de Paris. Une de ces affaires de « correctionnelle », comme nous dirions aujourd'hui, qui sont parfois burlesques.

Il y avait, dans le quartier Saint-Merri, un médecin nommé Pierre Cressé, et, habitant non loin de lui, un barbier nommé Grisel. Ce barbier « avoit une femme fort jolie, à ce qu'on dit », rapporte Guy Patin [2], et il semble qu'il y eut « quelques amourettes cachées et quelques intelligences secrètes entre le médecin et la femme du barbier, qui en est jaloux. »

Cela étant, il semble que le médecin fut, un jour d'octobre, attiré dans un traquenard au domicile du barbier, où quatre hommes apostés lui infligèrent une sévère rossée. Il aurait été ligoté et fouetté. D'où plainte au commissaire, arrestation du barbier, et ouverture d'un procès qui devait durer jusqu'en février 1670.

---

1. *Lettres de Guy Patin*, publiées par J.-H. Réveillé-Parise, Paris, Baillière, 1846, 3 vol.
2. Lettre du 21 novembre 1669, (t. III, pp. 714-715).

Dans une seconde lettre [3] au même correspondant, Guy Patin écrit :

> Le procès est seulement sur le bureau, mais tout le monde en parle ici, et se raille du médecin qui se devoit contenter de ce qu'il avoit eu, sans s'en plaindre en justice. Et même on dit que M. Molière en veut faire une comédie. Cela pourra bien arriver...

Oui, cela pouvait bien arriver : Molière était sans nul doute au courant du procès, dont tout Paris s'amusait, et il avait une raison particulière de s'y intéresser, car le plaignant était un de ses cousins éloignés, du côté maternel. Son projet de comédie semblait prendre corps, en tout cas on en parlait, car, un mois plus tard, Guy Patin revient sur la question dans une nouvelle lettre [4] (la cinquième sur le sujet du confrère malmené). Il constate que l'affaire n'avance guère et répète, en ajoutant une précision nouvelle :

> Molière prétend en faire une comédie ridicule sous le titre du *Médecin fouetté et du barbier cocu.*

Guy Patin semble bien informé sur les intentions de Molière. Ne mettons pas sa parole en doute. Mais qu'advint-il du projet de Molière ? Nous n'en savons rien. La seule certitude que nous ayons, c'est qu'aucune pièce intitulée *le Médecin fouetté et le barbier cocu* ne fut jouée. A part Guy Patin, aucun contemporain n'en parla. Si Molière l'écrivit, elle resta dans ses cartons et suivit le destin inconnu de ses manuscrits. Mais il paraît plus probable qu'il ne l'écrivit pas.

Bret lui en dénie même l'intention dans son *Supplément à la Vie de Molière* (celle de Voltaire) placé en tête de son édition des *Œuvres* de 1773 (t. I, p. 69) :

> Molière, en portant ce vaudeville au théâtre, n'eût fait qu'une satire et non point une comédie. Si Guy Patin eût

3. 23 novembre 1669 (t. III, p. 718).
4. 25 décembre 1669 (t. III, p. 728).

> mieux connu et l'artiste et l'art, il n'eût point accrédité ce bruit.

Voyons cependant comment se termina l'affaire. Guy Patin s'est borné à écrire [5] qu'il tenait de Cressé lui-même « qu'il étoit satisfait entièrement de son barbier Grisel, qu'il lui avoit pardonné, et qu'il avoit quitté toutes les procédures judiciaires ».

Que s'était-il donc passé ? Guy Patin ne nous l'apprend pas, mais l'érudite américaine Elizabeth Maxfield Miller — à qui le moliérisme d'aujourd'hui est redevable de nombreuses et intéressantes découvertes — a retrouvé à nos Archives nationales la pièce officielle du 4 février 1670 qui rend compte de l'issue du procès : le barbier Grisel dut déclarer que les soupçons qu'il avait eus au sujet de relations coupables entre le médecin Cressé et sa femme n'étaient pas fondés ; il fut contraint de demander pardon au plaignant, tant pour ces soupçons injurieux que pour les violences qu'il lui avait fait subir ; enfin il fut condamné à des dommages et intérêts ainsi qu'aux dépens du procès [6].

Il n'est guère douteux que dans ce procès le médecin fouetté ait bénéficié de protections influentes, et que le barbier cocu n'ait pas pesé lourd en face de lui dans la balance de la justice. La Faculté de Paris semble avoir pris fait et cause pour le savant docteur offensé ; à tel point que, dans une transcription du jugement faite par le doyen de la Faculté, le malheureux barbier est présenté comme implorant le pardon non seulement du médecin fouetté, mais aussi de la Faculté de médecine tout entière outragée en la personne d'un de ses membres.

Il y a là, c'est évident, une belle situation farcesque, et on se demande pour quelle raison Molière ne l'a pas exploitée, alors qu'il en avait d'abord exprimé l'intention.

On peut trouver à cela plusieurs explications, et c'est ce qu'a fait E. Maxfield Miller :

---

5. 8 mars 1670 (t. III, p. 731).

6. Voir dans *Publications of the Modern Language Association of America*, vol. LXXII, n° 5, décembre 1957, son article consacré à « L'affaire Cressé » (pp. 854-862).

1. Il est possible que Pierre Cressé, apparenté à Molière, ou quelqu'un des siens, soit intervenu auprès de Molière pour le dissuader de jeter le ridicule sur la famille.

2. Il est possible aussi que Mauvillain, ami et médecin de Molière, et en ce temps-là censeur de la Faculté de médecine de Paris, l'ait prié de s'abstenir, pour ne pas porter atteinte à la dignité de cette honorable institution.

3. Il est possible enfin que Boileau, ami de Molière et ami aussi de ses amis médecins (Bernier, Liénard, Mauvillain), ait essayé à cette occasion de le faire renoncer à la farce pour ne plus se consacrer qu'au comique élevé.

4. Il y a lieu de remarquer que Molière, au moment de l'affaire Cressé, se trouvait dans une période d'intense activité : en novembre 1669 il présentait à Paris une œuvre nouvelle, *Monsieur de Pourceaugnac*, comédie-ballet créée devant la cour à Chambord le mois précédent, dont les représentations se prolongèrent jusqu'à fin janvier ; le 4 février 1670, il présentait au roi, à Saint-Germain-en-Laye, une autre pièce nouvelle, *les Amants magnifiques* ; au début d'avril fut terminé l'inventaire notarié de la succession de son père, qui traînait depuis plus d'un an ; l'atmosphère conjugale était loin d'être bonne ; la troupe nécessitait des remaniements : en avril, il fallut mettre Louis Béjart à la retraite et arracher Baron à une troupe de province, par lettre de cachet ; même opération en juillet pour le couple Beauval ; pendant ce temps, il fallait assurer les spectacles réguliers et travailler assidument au *Bourgeois gentilhomme*, avec Lulli et d'Arvieux, pour présenter cette grande nouveauté au roi, à Chambord, le 14 octobre. Dans une telle conjoncture, on conçoit qu'il ne restait guère de temps à Molière pour composer et jouer une comédie-farce d'actualité.

De toutes ces raisons E. Maxfield Miller pense que la plus importante fut l'intervention de Mauvillain. C'est sur lui qu'elle fait peser au premier chef la responsabilité de nous avoir privés d'une comédie-farce savoureuse. C'est possible, ce n'est pas certain. Dans cette affaire, on ne peut faire que des suppositions. Mais il est permis de regretter que les circonstances aient eu pour effet de contraindre Molière à renoncer à son projet d'écrire *le Médecin fouetté et le barbier cocu*. C'était un bon titre, mais le sujet arrivait trop tard.

Ah ! si l'affaire Cressé avait eu lieu une dizaine d'années plus tôt, au temps des *Précieuses ridicules* et du *Cocu imaginaire* !

1669 (?)

La scène ou le barreau ?

Malgré l'avis de Chapelle, Molière décourage le fils d'un avocat qui aurait voulu devenir comédien.

Grimarest a conté cette anecdote dans sa *Vie de M. de Molière*, parmi plusieurs autres où Chapelle apparaît toujours en quelque endroit. Il y loue Molière d'avoir donné, en cette occasion, « des marques désintéressées d'une parfaite sincérité » :

> Un jeune homme de vingt-deux ans, beau et bien fait, le vint trouver un jour ; et après les compliments lui découvrit qu'étant né avec toutes les dispositions nécessaires pour le théâtre, il n'avoit point de passion plus forte que celle de s'y attacher ; qu'il venoit le prier de lui en procurer les moyens, et lui faire connoître que ce qu'il avançoit étoit véritable.
>
> Il déclama quelques scènes détachées, sérieuses et comiques, devant Molière, qui fut surpris de l'art avec lequel ce jeune homme faisoit entendre les endroits touchants. Il sembloit qu'il eût travaillé vingt années, tant il étoit assuré dans ses tons ; ses gestes étoient ménagés avec esprit ; de sorte que Molière vit bien que ce jeune homme avoit été élevé avec soin. Il lui demanda comment il avoit appris la déclamation.
>
> « J'ai toujours eu une inclination de paroître en public, lui dit-il. Les régents sous qui j'ai étudié ont cultivé les dispositions que j'ai apportées en naissant. J'ai tâché d'appliquer les règles à l'exécution, et je me suis fortifié en allant souvent à la comédie.
>
> — Et avez-vous du bien ? lui dit Molière.
>
> — Mon père est un avocat assez à son aise, lui répond le jeune homme.

— Eh bien, lui répliqua Molière, je vous conseille de prendre sa profession. La nôtre ne vous convient point. C'est la dernière ressource de ceux qui ne sauroient mieux faire, ou des libertins, qui veulent se soustraire au travail. D'ailleurs, c'est enfoncer le poignard dans le cœur de vos parents que de monter sur le théâtre. Vous en savez les raisons, et je me suis toujours reproché d'avoir donné ce déplaisir à ma famille. Et je vous avoue que si c'étoit à recommencer, je ne choisirais jamais cette profession. Vous croyez peut-être, ajouta-t-il, qu'elle a ses agréments ; vous vous trompez. Il est vrai que nous sommes en apparence recherchés des grands seigneurs, mais ils nous assujettissent à leurs plaisirs, et c'est la plus triste de toutes les situations que d'être l'esclave de leur fantaisie. Le reste du monde nous regarde comme des gens perdus, et nous méprise. Ainsi, monsieur, quittez un dessein si contraire à votre honneur et à votre repos. Si vous étiez dans le besoin, je pourrois vous rendre mes services, mais, je ne vous le cèle point, je vous serois plutôt un obstacle. »

Le jeune homme donnoit quelques raisons pour persister dans sa résolution, quand Chapelle entra, un peu pris de vin. Molière lui fit entendre réciter ce jeune homme. Chapelle fut aussi étonné que son ami.

« Ce sera là, dit-il, un excellent comédien !

— On ne vous consulte pas sur cela, répondit Molière à Chapelle. Représentez-vous, ajouta-t-il au jeune homme, la peine que nous avons. Incommodés ou non, il faut être prêts à marcher au premier ordre, et à donner du plaisir quand nous sommes bien souvent accablés de chagrin ; à souffrir la rusticité de la plupart des gens avec qui nous avons à vivre, et à captiver les bonnes grâces d'un public qui est en droit de nous gourmander pour l'argent qu'il nous donne. Non, monsieur, croyez-moi encore une fois, dit-il au jeune homme, ne vous abandonnez point au dessein que vous avez pris : faites-vous avocat, je vous réponds du succès.

— Avocat ? dit Chapelle. Eh fi ! il a trop de mérite pour brailler à un barreau. Et c'est un vol qu'il fait au public, s'il ne se fait prédicateur ou comédien.

— En vérité, lui répond Molière, il faut que vous soyez bien ivre pour parler de la sorte, et vous avez mauvaise grâce de plaisanter sur une affaire aussi sérieuse que celle-ci, où il est question de l'honneur et de l'établissement de monsieur.

— Ah ! puisque nous sommes sur le sérieux, répliqua Chapelle, je vais le prendre tout de bon. Aimez-vous le plaisir, dit-il au jeune homme ?

— Je ne serais pas fâché de jouir de celui qui peut m'être permis, répondit le fils de l'avocat.

— Eh bien, donc, répliqua Chapelle, mettez-vous dans la tête que malgré tout ce que Molière vous a dit, vous en aurez plus en six mois de théâtre qu'en six années de barreau. »

Molière, qui n'avoit en vue que de convertir le jeune homme, redoubla ses raisons pour le faire ; et enfin il réussit à lui faire perdre la pensée de se mettre à la comédie.

« Oh ! voilà mon harangueur qui triomphe ! s'écria Chapelle. Mais, morbleu, vous répondrez du peu de succès que monsieur fera dans le parti que vous lui faites embrasser » [1].

Grimarest n'ajoute à cette scène aucun commentaire. Mais on a peine à imaginer Molière tenant de tels propos, dénigrant et désavouant la profession qu'il a choisie et illustrée. Et cela pour décourager un jeune homme chez qui il discerne du talent ! Sous prétexte que devenir comédien serait déshonorant pour lui et désolant pour sa famille ! Et en regrettant d'avoir donné ce déplaisir à la sienne ! Vraiment, tout ce que l'on sait de Molière, de son caractère, de sa persévérance, de sa passion — au sens le plus fort du terme — se trouve en opposition avec une telle attitude.

Le récit de Grimarest, dès sa parution, fut vivement attaqué par l'auteur anonyme de la *Lettre critique*, qui en a fort bien senti les points faibles :

L'Auteur fait faire ici un personnage à Molière d'homme désintéressé et juste. Mais il semble qu'il pouvoit dissuader le jeune étourdi de prendre sa profession sans lui en faire voir le ridicule et l'indignité. [Suit la citation du passage « C'est la dernière ressource... » jusqu'à « ... et nous méprise. »]

Molière avoit raison de penser tout cela comme homme de bon esprit et de probité, mais il avoit grand tort de le dire comme comédien. Et, supposé qu'il ait jamais parlé aussi

1. *La Vie de M. de Molière* (1705), éd. Mongrédien, 1955, pp. 105-107.

> étourdiment, l'Auteur [2] devoit sauver [cette peinture mortifiante] à une troupe de gens qui ne lui ont rien fait que de le divertir, quand il a voulu aller à la Comédie.
>
> Il a épargné tant d'autres vérités à des personnages qui ne les valent pas, tout comédiens qu'ils sont : il pourroit bien encore épargner à la Troupe le chagrin que de tels sentiments partissent d'un homme qu'ils reconnoissent pour leur maître, et qui a été si longtemps à leur tête [...] Je vous avoue, monsieur, que ce discours de Molière m'a révolté ; il n'y a personne qui ne parlât contre eux avec plus de modération [3].

« Révolté » est le mot qui convient. Grimarest nous inflige une image bien pénible lorsqu'il nous montre Molière crachant ainsi dans la soupe pour dégoûter un jeune enthousiaste d'y plonger sa cuiller.

Et pourtant Cailhava ne se révolte pas lorsqu'il cite l'anecdote, en 1802 :

> Molière passoit, dans sa retraite d'Auteuil, tous les moments qu'il pouvait dérober à sa troupe, trop souvent ingrate. Aussi ne faut-il pas s'étonner si ce Molière, que nous avons vu, en 1651, quitter son nom et sa profession pour se livrer sans réserve au théâtre, ce Molière qui fit partager son enthousiasme à l'ecclésiastique envoyé pour le dissuader de jouer la comédie [4], refuse aujourd'hui ses bons offices à un jeune homme brûlant du même désir [5].

Georges Mongrédien, évoquant cette anecdote dans *la Vie privée de Molière* [6], la déclare « comme toutes les autres dont Grimarest émaille sa biographie, incontrôlable. » C'est exact. Mais il ne peut se résoudre à la rejeter catégoriquement :

> L'anecdote est-elle véridique ? Et, dans l'affirmative, ne nous montrerait-elle pas Molière dans une de ces heures de défaillance que connaissent les plus vaillants ?

---

2. Grimarest.
3. *Ibid.*, pp. 142-143 *(Lettre critique).*
4. Voir « Le convertisseur perverti », p. 22 du présent ouvrage.
5. *Etudes sur Molière*, p. 300.
6. Paris, Hachette, 1950, pp. 188-190.

Georges Mongrédien me semble trop indulgent pour Grimarest. Le Molière que celui-ci nous présente ici ne paraît ni abattu, ni désabusé, mais froidement lucide.

Le récit de Grimarest n'est confirmé par aucun témoignage. C'est presque avec soulagement qu'on en fait la constatation, quelque souci que l'on ait d'atteindre la vérité. N'ayons donc aucun scrupule à refuser une anecdote aussi douteuse [7].

---

7. Vraie ou fausse, à quelle date convient-il de la situer ? Grimarest n'en a rien dit, mais elle se trouve placée, dans son ouvrage, à l'époque de *Tartuffe* et de *Pourceaugnac*. Admettons donc la date de 1669.

Une colère de Molière

Molière, en coulisse, se mit un jour en rage lorsqu'il entendit un de ses acteurs dire faux quatre vers de Tartuffe.

C'est encore à Grimarest[1] que nous devons cette anecdote :

> Un jour qu'on représentoit cette pièce [*Tartuffe*], Champmeslé[2], qui n'étoit point encore alors dans la Troupe, fut voir Molière dans sa loge, qui étoit proche du théâtre[3]. Comme ils en étoient aux compliments, Molière s'écria : « Ah ! chien !... Ah ! bourreau !... » et se frappoit la tête comme un possédé.
>
> Champmeslé crut qu'il tomboit de quelque mal, et il étoit fort embarrassé. Mais Molière, qui s'aperçut de son étonnement, lui dit : « Ne soyez pas surpris de mon emportement. Je viens d'entendre un acteur déclamer faussement et pitoyablement quatre vers de ma pièce, et je ne saurois voir maltraiter mes enfants de cette force-là sans souffrir comme un damné. »

Le texte de Grimarest a été repris mot pour mot en 1801 dans le *Molierana*[4] sans aucun commentaire, et l'anecdote semble avoir terminé là sa carrière.

---

1. *La Vie de M. de Molière* (1705), éd. Mongrédien, pp. 97-98.
2. Champmeslé appartenait alors à la troupe du Marais. Il passa ensuite à l'Hôtel de Bourgogne et entra en 1679 dans la troupe de l'Hôtel Guénégaud, ancienne troupe de Molière. Est-il besoin de rappeler que sa femme fut l'inoubliable créatrice du rôle d'Iphigénie, célébrée par Boileau *(Epître VII)* ?
3. C'est-à-dire « de la scène ».
4. Pp. 50-51.

Nous n'avons donc aucune confirmation du fait. Mais Grimarest a été contemporain de Champmeslé et a donc pu recueillir directement l'anecdote. Celle-ci n'a rien qui puisse surprendre : il est parfaitement naturel qu'un auteur grince des dents et lève les bras au ciel lorsqu'il entend massacrer son texte, et tous ceux qui ont fréquenté des coulisses de théâtre ont pu voir cela dans une infinité de cas depuis Molière jusqu'à nos jours.

Je pense qu'il n'y a aucune raison de ne pas admettre la véracité de l'anecdote. Ce qui serait amusant, c'est d'essayer de deviner quel pouvait être l'acteur incriminé.

Il fallait nécessairement qu'il jouât un personnage se trouvant en scène alors qu'Orgon n'y est pas, puisque Molière, qui jouait Orgon, l'a entendu de la coulisse.

Nous pouvons donc exclure d'emblée de Brie, qui jouait M. Loyal, et X... qui jouait l'Exempt.

Il faut évidemment éliminer l'irréprochable La Grange (Valère), et certainement aussi du Croisy (Tartuffe), à qui Molière avait dû faire répéter un rôle d'une pareille importance jusqu'à ce qu'il fût assuré que l'interprétation correspondait bien à son désir [5].

Eliminons encore Baron (qui joua Damis à partir de 1670 quand Hubert, qui avait jusqu'alors tenu ce rôle, le quitta pour prendre celui de Mme Pernelle laissé vacant par le départ en retraite de Louis Béjart) : d'une part Baron était l'enfant chéri de Molière, d'autre part il fut l'informateur de Grimarest qui n'aurait pas voulu lui causer de peine.

Qui reste-t-il ? Hubert avant 1670 (Damis), et La Thorillière, qui jouait Cléante.

Cruel dilemme... Il est véritablement impossible de trancher. Pourtant il me semble que le texte de Cléante (raisonneur, diplomate) est plus difficile à bien dire — ou plus facile à mal dire — que celui de Damis (jeune, impétueux), et je

---

5. De cela, nous avons la confirmation par une note manuscrite du contemporain Nicolas de Tralage :

« Le sieur du Croisy étoit de la troupe françoise de Molière. Il y avait certains rôles où il étoit original [nous dirions aujourd'hui : « dont il était le créateur »], entre autres celui du *Tartuffe*, où il avoit été instruit par son grand maître, je veux dire Molière, auteur de la pièce. (Bibl. Arsenal, Paris, manus. 6544, t. IV, p. 223.)

pense en particulier à la grande scène entre Cléante et Tartuffe par laquelle s'ouvre l'acte IV, et qui précède justement une entrée d'Orgon.

Alors j'incline à penser que c'était — peut-être — La Thorillière qui, un soir, provoqua le courroux de Molière pour avoir parlé faux. Et si je me trompe, que les mânes de La Thorillière me pardonnent. Je n'ai rien affirmé. Je n'ai fait que me livrer à un petit jeu de supposition et de déduction.

1669

Le bas à l'envers

Molière eut un valet lourdaud, qui ne parvenait pas à lui enfiler ses bas autrement qu'à l'envers.

C'est encore Grimarest qui, le premier, porta à la connaissance du public, en 1705, cette anecdote où il nous montre un Molière exigeant et difficile avec ses domestiques [1] :

> C'étoit l'homme du monde qui se faisoit le plus servir : il falloit l'habiller comme un grand seigneur, et il n'auroit pas arrangé les plis de sa cravate.
>
> Il avoit un valet, dont je n'ai pu savoir ni le nom, ni la famille, ni le pays ; mais je sais que c'étoit un domestique assez épais, et qu'il avoit soin d'habiller Molière. Un matin qu'il le chaussoit à Chambord, il mit un de ses bas à l'envers.
>
> « Un tel, dit gravement Molière, ce bas est à l'envers. »
>
> Aussitôt, ce valet le prend par le haut, et, en dépouillant la jambe de son maître, met ce bas à l'endroit, mais, comptant ce changement pour rien, il enfonce son bras dedans, le retourne pour chercher l'endroit, et, l'envers revenu dessus, il rechausse Molière.
>
> « Un tel, lui dit-il encore froidement, ce bas est à l'envers. »
>
> Le stupide domestique, qui le vit avec surprise, reprend le bas, et fait le même exercice que la première fois ; et, s'imaginant avoir réparé son peu d'intelligence, et avoir donné sûrement à ce bas le sens où il devoit être, il chausse son maître avec confiance ; mais, ce maudit envers se trouvant toujours dessus, la patience échappa à Molière.

1. *La Vie de M. de Molière*, éd. Mongrédien, p. 110.

« Oh ! parbleu, c'en est trop ! dit-il en lui donnant un coup de pied qui le fit tomber à la renverse. Ce maraud-là me chaussera éternellement à l'envers ! Ce ne sera jamais qu'un sot, quelque métier qu'il fasse !

— Vous êtes philosophe ? Vous êtes plutôt le diable ! » lui répondit ce pauvre garçon, qui fut plus de vingt-quatre heures à comprendre comment ce malheureux bas se trouvait toujours à l'envers.

L'anecdote est incontrôlable, mais, comme le fait remarquer Georges Mongrédien qui la cite dans sa *Vie privée de Molière*[2], elle a « un accent de vérité, un ton de chose vue, prise sur le vif. » Il est fort probable que, là encore, Grimarest a été informé par Baron, familier de Molière, qui a pu être témoin du fait. L'histoire semble donc tout à fait admissible.

En 1706, un an après la publication de l'ouvrage de Grimarest, paraît une *Lettre critique à M. de... sur le livre intitulé La Vie de M. de Molière*. L'auteur (anonyme) reproche à Grimarest de s'être montré trop discret, en plusieurs cas, en ne nommant pas certaines personnes mises en cause dans les faits rapportés :

Les égards de cet auteur vont jusqu'à ménager le valet qui chaussoit Molière à l'envers. Et tout Paris sait qu'il se nommoit Provençal, et on le connoit sous un autre nom. Cette personne, dont Molière fait un si indigne jugement, s'est rendue fort recommandable par son mérite dans les affaires et dans les méchaniques.

Il n'étoit pas né pour être un habile domestique, mais il avoit toutes les dispositions pour devenir ce qu'il est. L'auteur auroit dû lui rendre cette justice, et, en faisant connaître le malheur de son premier âge, relever le mérite de celui qui l'a suivi. Il ne dépend pas de nous de naître avec du bien ; mais c'est un grand talent d'en acquérir, comme il a fait par son assiduité, et par son intelligence. Je le nommerois, si je ne voulois épargner à l'auteur la confusion publique de l'avoir maltraité si mal à propos[3].

---

2. Paris, Hachette, 1950, p. 152.
3. *La Vie de M. de Molière*, éd. Mongrédien, p. 140 *(Lettre critique)*.

Cette critique est fort intéressante à plus d'un titre. D'abord, elle constitue une confirmation implicite de l'anecdote. Son auteur attaque Grimarest pour n'avoir pas nommé ce valet devenu par la suite un personnage notable, ainsi que Molière pour avoir porté sur lui, à l'occasion du fait relaté, *qui n'est pas contesté*, un jugement trop sévère et surtout trop hâtif (« Ce ne sera jamais qu'un sot... »), que l'avenir devait contredire. Ensuite, elle mène vers l'identification du personnage, comme nous l'allons voir. Mais refrénons notre curiosité, et voyons d'abord la réponse de Grimarest à l'auteur de la *Lettre critique* :

> Il fait l'honnête homme, et il veut que de sang-froid je nomme une personne — illustre, dit-il, aujourd'hui — qui chaussa autrefois Molière si étourdiment à l'envers.
>
> Ou l'histoire qu'il fait de ce grand homme est vraie, ou elle ne l'est pas. Si elle est vraie, quel ornement son nom auroit-il donné à mon livre, où je ne parle ni de méchaniques ni de finances ? Si elle ne l'est pas, c'eût été le calomnier. Mais la belle morale que mon censeur débite à cette occasion est inutile pour moi. Car je lui déclare que je ne connois point son Provençal, et que les rares qualités qu'il lui donne me le font encore plus méconnoître ; car je m'en rapporte beaucoup plus au jugement de Molière, qui étoit connoisseur, qu'à tout ce que le censeur nous dit de son héros. Et pour lui faire voir que je n'y entends point finesse, qu'il le nomme : je veux bien être chargé de la confusion de l'avoir mis sur la scène dans *la Vie de Molière*, supposé que je n'aie pas rapporté la vérité [4].

Là s'arrête la polémique, car l'auteur de la *Lettre critique* ne répondit pas à la contre-critique de Grimarest, et par conséquent ne nomma pas le personnage.

Qui était donc ce valet maladroit dont la condition évolua jusqu'à la notoriété ? Il est fort invraisemblable que Grimarest l'ait ignoré, comme il le prétend avec beaucoup d'insistance, et plus invraisemblable encore que son informateur Baron n'en ait rien su non plus.

---

4. *Ibid.*, p. 168 (*Addition à la Vie de M. de Molière, contenant une Réponse à la Critique,* etc.).

Toujours est-il que la question resta sans réponse pendant près de deux siècles. Le mensuel *le Moliériste* la proposa à la sagacité de ses lecteurs en 1881 sans résultat. Enfin, en 1887, le directeur de cette publication, Georges Monval, réussit à établir, par des recoupements de gazettes de la fin du XVIIe siècle, l'identité du valet Provençal : il se nommait François du Mouriez du Périer.

Né à Aix-en-Provence vers 1650, il était de la même famille que François du Périer, à qui Malherbe adressa ses fameuses *Stances*. Il était aussi le neveu du comédien Brécourt, de la troupe de Molière. Après avoir été au service de ce dernier, et peut-être avoir fait de la figuration, il devint après la mort de Molière comédien dans diverses troupes, en France et en Hollande, sous le nom de Du Périer. Des propos très malveillants courent alors sur son compte : il aurait été aussi tenancier de tripot.

En 1686 il entre dans la troupe du théâtre de Guénégaud — c'est-à-dire à la Comédie-Française — où il retrouve neuf anciens compagnons de Molière, parmi lesquels La Grange, Armande Béjart remariée et Baron (qui n'a donc pas pu l'ignorer). La critique ne lui est en général pas favorable. C'est peu après qu'il se lance dans les diverses « affaires » (financières) évoquées par le critique de Grimarest, et où il semble réussir beaucoup mieux que dans l'art dramatique. Son succès dans les « méchaniques » lui vient d'avoir obtenu en 1699 un privilège pour faire fabriquer des pompes à incendie (dont il n'était pas l'inventeur). Retiré de la Comédie en 1705, il poursuit fort bien ses « affaires » et est nommé en 1716 « directeur général des pompes du Roy » à Paris, charge qu'il exerce jusqu'à sa mort en 1723. Marié deux fois, il avait eu de très nombreux enfants. L'un de ses petits-fils, Charles-François, fut le célèbre général Dumouriez, le vainqueur de Valmy [5].

Revenons maintenant à l'histoire du bas à l'envers. Elle nous apparaît de plus en plus vraisemblable. Provençal était

5. Voir, pour plus de détails sur Provençal, le livre de Georges Monval, *le Laquais de Molière* (Paris, Tresse et Stock, 1887). Ce petit volume, tiré à 400 exemplaires seulement, est devenu très rare.

encore un adolescent lorsqu'il entra au service de Molière. Grimarest l'appelle « ce garçon ». Le critique anonyme évoque la condition médiocre de « son premier âge ». C'était donc bien un très jeune homme. Les faits se situant à Chambord, ce ne peut donc être qu'en 1669, lorsque la troupe y alla créer *Monsieur de Pourceaugnac*, ou en 1670, lors de la création du *Bourgeois gentilhomme*. Provençal, né « vers » 1650, avait dix-neuf ou vingt ans, peut-être moins. Il pouvait être étourdi, lent d'esprit, sans être pour cela stupide, comme le qualifie Grimarest.

Maintenant que nous sommes informés, nous comprenons mieux que, dans la polémique de 1706, Grimarest se soit obstiné à prétendre ignorer l'identité de ce Provençal qu'il avait ridiculisé : l'homme était toujours en vie et en vue. Grimarest s'est tu pour ne pas s'attirer une mauvaise affaire.

L'anecdote a été reprise en 1801 dans le *Molierana*, mais peu de biographes de Molière s'en sont fait l'écho par la suite. Ce n'est guère surprenant, car, outre qu'elle est d'importance minime, elle n'est pas très flatteuse pour Molière qui y paraît brutal et de mauvais jugement.

Disons encore que Georges Monval pense que Provençal aurait pu, à Chambord, jouer dans *le Bourgeois gentilhomme* le rôle d'un des deux laquais de M. Jourdain. Mais il n'y a là aucune certitude.

Enfin, pour revenir à Grimarest, rappelons qu'il a évoqué Provençal en un autre passage de sa *Vie de M. de Molière*. A propos de la traduction de Lucrèce qu'avait faite Molière, et dont un cahier fut malencontreusement utilisé par un domestique pour faire des papillotes, Grimarest se demande si cette étourderie « doit encore être imputée à celui qui le chaussoit à l'envers [6]. » Ce n'est pas impossible [7].

---

6. Ed. Mongrédien, p. 127.
7. Voir l'anecdote à la p. 138 du présent ouvrage.

Été 1670

Générosité

A un ancien camarade dans le besoin,
Molière fit don de quelque argent
et d'un costume de théâtre,
pour lui permettre de retrouver un emploi.

Cette histoire fut racontée pour la première fois par Grimarest, qui la tenait directement de Baron. Grimarest la cite comme un exemple du soin avec lequel Molière, qui portait à Baron une affection quasi paternelle, « s'appliquoit à le former dans les mœurs comme dans sa profession », et il y voit « un des plus beaux traits de sa vie » :

> Un homme, dont le nom de famille était Mignot, et Mondorge celui de comédien, se trouvant dans une triste situation, prit la résolution d'aller à Auteuil, où Molière avoit une maison, et où il étoit actuellement, pour tâcher d'en tirer quelque secours, pour les besoins pressants d'une famille qui étoit dans une misère affreuse.
>
> Baron, à qui ce Mondorge s'adressa, s'en aperçut aisément, car ce pauvre comédien faisoit le spectacle du monde le plus pitoyable. Il dit à Baron — qu'il savoit être un assuré protecteur auprès de Molière — que l'urgente nécessité où il étoit lui avoit fait prendre le parti de recourir à lui, pour le mettre en état de rejoindre quelque troupe avec sa famille ; qu'il avoit été le camarade de M. de Molière en Languedoc ; et qu'il ne doutoit pas qu'il ne lui fît quelque charité, si Baron vouloit bien s'intéresser pour lui.
>
> Baron monta dans l'appartement de Molière et lui rendit le discours de Mondorge, avec peine, et avec précaution pourtant, craignant de rappeler désagréablement à un homme fort riche l'idée d'un camarade fort gueux.

« Il est vrai que nous avons joué la comédie ensemble, dit Molière, et c'est un fort honnête homme. Je suis fâché que ses petites affaires soient en si mauvais état. Que croyez-vous, ajouta-t-il, que je doive lui donner ? »

Baron se défendit de fixer le plaisir que Molière vouloit faire à Mondorge, qui, pendant que l'on décidoit sur le secours dont il avoit besoin, dévoroit dans la cuisine, où Baron lui avoit fait donner à manger.

« Non, répondit Molière, je veux que vous déterminiez ce que je dois lui donner. »

Baron, ne pouvant s'en défendre, statua sur quatre pistoles, qu'il croyoit suffisantes pour donner à Mondorge la facilité de joindre une troupe [1].

« Eh bien je vais lui donner quatre pistoles pour moi, dit Molière à Baron, puisque vous le jugez à propos. Mais en voilà vingt autres que je lui donnerai pour vous : je veux qu'il connaisse que c'est à vous qu'il a l'obligation du service que je lui rends. J'ai aussi, ajouta-t-il, un habit de théâtre dont je crois que je n'aurai plus besoin ; qu'on le lui donne ; le pauvre homme y trouvera de la ressource pour sa profession. »

Cependant cet habit, que Molière donnoit avec tant de plaisir, lui avoit coûté deux mille cinq cents livres, et il étoit presque tout neuf. Il assaisonna ce présent d'un bon accueil qu'il fit à Mondorge, qui ne s'étoit pas attendu à tant de libéralité [2].

Cette anecdote repose entièrement sur le témoignage de Baron. Mais pourquoi mettrait-on son récit en doute ? Pourquoi aurait-il fabulé ou menti ? Il n'a pas raconté cela pour se faire briller aux yeux du public, puisque toute la louange est pour Molière. En outre, nous savons aujourd'hui, de façon certaine, que le comédien Mondorge s'appelait bien Jean Mignot, qu'il avait appartenu un temps à la troupe du duc d'Orléans et qu'il se trouvait à ce titre en Languedoc lors de la tenue des Etats de 1657 à Pézenas [3]. Qu'il ait été le

---

1. La pistole valait dix livres. Pour avoir une idée de ce que la somme représentait, notons que, chez Molière, le cachet d'un figurant ou comparse était généralement d'une livre et dix sols par représentation ; un violon recevait trois livres ; un aide-machiniste une livre ; les places de parterre étaient à quinze sols.

2. *La Vie de M. de Molière* (1705), éd. Mongrédien, 1955, pp. 74-75.

3. Voir G. Mongrédien, *Dictionnaire biographique des comédiens français du XVIIe siècle*, Paris, CNRS, 1961, p. 131.

« camarade de Molière en Languedoc » et qu'ils aient « joué la comédie ensemble » est donc parfaitement vraisemblable. Il faut donc, je pense, considérer l'anecdote comme authentique.

C'est d'ailleurs ce qu'a fait La Serre dans sa biographie de Molière[4]. Il a repris à son compte le récit de Grimarest, se bornant à le résumer quelque peu, et mettant en scène le « bon accueil » fait au vieux camarade dans la gêne : « Mondorge parut, Molière l'embrassa, le consola... » En outre, La Serre précise que le costume donné était « pour jouer dans les rôles tragiques ». Il ne l'avait évidemment pas vu, mais cela semble aller de soi, puisque les somptueux costumes de ce prix n'étaient destinés qu'à la tragédie ou à la comédie héroïque. On peut penser que ce costume « presque tout neuf » avait été fait pour une pièce non maintenue au répertoire, et que Molière, pour une question de prestige, ne voulait pas le faire resservir dans une autre. Mais l'estimation d'un tel costume à deux mille cinq cents livres paraît fort exagérée[5]. En tout cas, il n'est pas douteux que la possession de ce magnifique costume était de nature à faciliter l'engagement de Mondorge dans une troupe de province.

Après La Serre, Voltaire (1739), puis Petitot (1812) ont donné de l'anecdote des versions abrégées. Taschereau, en 1825, donne un texte qui combine celui de Grimarest et celui de La Serre et conclut ainsi l'anecdote, en adressant un reproche à ses prédécesseurs immédiats :

> Ce qui rehaussa probablement encore le prix de ces dons aux yeux du pauvre Mondorge, ce fut le bon accueil qu'il reçut de son ancien camarade. Voltaire, M. Petitot et d'autres biographes de Molière, en omettant dans le récit de cette bonne action cette dernière particularité, lui ont gratuitement prêté l'inabordable fierté d'un grand seigneur qui charge ses

4. *Mémoires sur la vie et les ouvrages de Molière* (1734), 2e édition (1739), t. I, pp. 59-60.

5. En effet, nous lisons dans Samuel Chappuzeau, *le Théâtre françois* (1674), au sujet des costumes de scène : « Cet article de la dépense des comédiens est plus considérable qu'on ne s'imagine. Il y a peu de pièces nouvelles qui ne leur coûtent de nouveaux ajustements, et le faux or, ni le faux argent, qui rougissent bientôt, n'y étant point employés, un seul habit à la romaine ira souvent à cinq cents écus. » (Réédition Monval, 1876, p. 111.) — Cinq cents écus font mille cinq cents livres.

gens de distribuer ses aumônes et fait faire antichambre à ses amis [6].

L'anecdote n'a jamais été contestée. La plupart des biographies modernes la mentionnent comme un fait avéré, témoignant de l'esprit généreux de Molière. Quant à la date de l'événement, notons que le récit se place, dans l'ouvrage de Grimarest, entre l'incorporation de Baron dans la troupe à son retour de province (Pâques 1670) et la rentrée de Scaramouche à Paris (6 septembre de la même année). Cela ne constitue pas une certitude, mais nous pouvons raisonnablement situer l'anecdote au cours de l'été 1670. Baron avait alors dix-sept ans.

---

6. *Histoire de la vie et des ouvrages de Molière*, 1825, p. 100 (3e édition, 1844, p. 63).

Le chapeau du Maître de philosophie

Lors de la création du Bourgeois gentilhomme, *Molière chercha à se procurer un chapeau du philosophe Rohault pour en coiffer le Maître de philosophie.*

Grimarest, toujours lui, est le premier à avoir raconté cette histoire qui, de toute évidence, lui avait été racontée par Baron :

> Molière travailloit toujours d'après la nature, pour travailler plus sûrement. M. Rohaut [1], quoique son ami, fut son modèle pour le Philosophe du *Bourgeois gentilhomme*. Et, afin d'en rendre la représentation plus heureuse, Molière fit dessein d'emprunter un vieux chapeau de M. Rohaut, pour le donner à du Croisy qui devoit représenter ce personnage dans la pièce.
>
> Il envoya Baron pour le prier de lui prêter ce chapeau, qui étoit d'une si singulière figure qu'il n'avoit pas son pareil. Mais Molière fut refusé, parce que Baron n'eut pas la prudence de cacher au philosophe l'usage qu'on vouloit faire de son chapeau.
>
> Cette attention de Molière dans une bagatelle fait connoître celle qu'il avoit à rendre ses représentations heureuses. Il savoit que, quelque recherche qu'il pût faire, il ne trouveroit point un chapeau aussi philosophe que celui de son

---

1. Jacques Rohault (1620-1672) fut un exact contemporain de Molière. Disciple de Descartes, scientifique autant que philosophe, il fut si perfidement combattu par ses détracteurs qu'il en mourut, dit-on, de chagrin. Eudore Soulié a exposé comment Rohault, à la demande de Molière, servit obligeamment de prête-nom lorsque le comédien-auteur voulut, en 1668, apporter une aide financière à son père sans que celui-ci le sût. (*Recherches sur Molière*, 1863, p. 65.)

ami, qui auroit cru être déshonoré si sa coiffure avoit paru sur la scène [2].

Cette anecdote eut le don d'irriter l'anonyme censeur qui adressa sa *Lettre critique* à Grimarest :

> Je remarque [...] que l'auteur a eu une attention extraordinaire à répandre du plaisant dans la vie d'un homme sérieux. A quel dessein ? Ses actions, nûment rapportées, avoient assez de quoi satisfaire ceux qui s'intéressent à le connoître sans les faire servir de divertissement au public.
>
> Il fait beau voir cet homme grave envoyer chercher le chapeau de Rohaut, son ami, pour représenter le Philosophe dans le *Bourgeois gentilhomme* ; cela est plat et d'un mauvais caractère.
>
> « Oh ! mais, me diroit l'auteur, cela est vrai ! » Eh bien, quand on n'en pourroit douter, qu'importe à la postérité d'avoir cette ridicule vérité dans la vie d'un homme dont elle ne cherchera jamais la bassesse ?

Remarquons que le critique grincheux ne conteste pas les faits. Il estime inopportun de les rapporter parce que « ça ne fait pas sérieux » dans la biographie d'un grand homme, fût-il un auteur comique. Mais il a tort de parler de bassesse à propos de cette histoire. Molière ne s'en trouve pas abaissé.

Il faut cependant noter que Bruzen de La Martinière se montre sévère pour Molière dans la *Vie de l'Auteur* [3] qu'il publia vingt ans après celle de Grimarest, à qui il emprunte beaucoup, mais en le citant et en le complétant souvent [4]. La Martinière ne met pas en doute les assertions de Grimarest au sujet de l'histoire du chapeau, mais il désapprouve Molière

> [...] d'avoir fait tout son possible pour réjouir le parterre aux dépens de son ami. On ne pouvait que le louer d'avoir tourné en ridicule une certaine espèce de gens qui sous le

---

2. *La Vie de M. de Molière*, éd. Mongrédien, pp. 111-112.
3. En tête de l'édition des *Œuvres de M. de Molière*, Amsterdam, P. Brunel, 1725. — Voir tome I, pp. 90-91.
4. Grimarest n'était plus en vie depuis 1713.

> nom de philosophie débitoient des puérilités très sottes et très inutiles ; mais il n'étoit pas excusable de jeter ce ridicule sur un ami et, qui pis est, sur un ami qui n'étoit rien moins que philosophe de cette espèce. Les conférences que Rohaut tenoit chez lui, et son Traité de Physique ont contribué à ramener le goût philosophique, et à proscrire le galimatias scolastique, si funeste à cette science. Il auroit eu tort de prêter son chapeau pour se faire ensuite montrer au doigt dans les rues, et il y avoit plus que de l'indiscrétion à Molière de le lui demander.

Eudore Soulié, dans ses *Recherches sur Molière* (1863), ne juge pas cette anecdote vraisemblable [5], mais Paul Mesnard, dans sa notice du *Bourgeois gentilhomme*, édition des « Grands Ecrivains de la France [6] » (1883), déclare qu'il n'est « pas si disposé à la rejeter ». Ce qu'il conteste dans le récit de Grimarest, ce n'est pas l'histoire du chapeau, c'est le fait de prétendre que Rohault ait servi de modèle pour le personnage du Maître de philosophie :

> Molière, qui avait à ce savant d'anciennes obligations, eût été ingrat s'il l'avait tourné en ridicule. C'est ce qu'il n'a pu vouloir faire, ni dans *le Bourgeois gentilhomme*, ni dans *le Mariage forcé*, où l'on a prétendu [7] qu'il l'avait fait paraître

5. P. 89.
6. T. VIII, p. 27.
7. Allusion à Jacob Brücker (*Historia critica philosophiae*, Leipzig, B.C. Breitkopf, 1742-1744) et à Alexandre Savérien (*Histoire des philosophes modernes*, Paris, Brunet, 1760-1769).

Il m'a semblé intéressant de mettre sous les yeux du lecteur le texte de Savérien (t. VI, pp. 21-23) :

« On a reproché à Rohault un peu de pédanterie, et on prétend que ce ridicule ou cette faiblesse ont été mises sur la scène par Molière. J'ai lu toutes les comédies de ce célèbre auteur, et je ne vois que le personnage de Pancrace, dans *le Mariage forcé*, qui puisse convenir à notre philosophe.

« Dans le temps de Molière, les Scholastiques disputoient beaucoup sur la forme du corps. Rohault a traité cette matière dans sa Physique, d'une façon un peu futile. Il prétend que *l'âme est ce qui nous donne particulièrement l'être d'homme, et par conséquent elle est véritablement la forme du corps humain en tant qu'humain.*

« Assurément cette proposition, et ce qu'il en déduit, sentent beaucoup l'école. Molière s'en est moqué avec raison, et voici ce qu'il fait dire à son docteur Pancrace : "Je soutiens..." [suit la citation intégrale de la réplique de Pancrace à propos de la forme ou de la figure d'un chapeau, à la scène IV du *Mariage forcé*.]

« Voilà la seule scène qui puisse convenir à Rohault, s'il est vrai qu'il étoit véritablement joué par Molière, comme l'assurent quelques historiens, et particulièrement M. Brücker dans le cinquième livre de son *Histoire critique de la Philosophie*,

> sous les traits du docteur Pancrace. Mais emprunter à Rohaut sa coiffure, ce n'était pas tout à fait toucher à sa personne, et le badinage n'avait rien de bien méchant.

Je suis bien de cet avis. Molière n'a pas écrit le rôle du Maître de philosophie « d'après la nature », comme le dit Grimarest, en prenant Rohault pour modèle. Il a écrit un rôle comique, c'est tout. Et il aura voulu seulement faire une bonne blague à Rohault en coiffant le personnage du chapeau caractéristique de son ami. Mais la blague n'a pas réussi parce que Rohault ne s'est pas laissé faire lorsque Baron est venu le trouver pour lui emprunter son couvre-chef philosophique. Quelle raison, quel prétexte invoquer pour n'éveiller aucun soupçon ? Rohault a tout de suite flairé la farce et a gentiment éconduit l'emprunteur.

Il est savoureux de constater que, dans son récit, Grimarest parle de la « singulière figure » du chapeau de Rohault. Voilà qui évoque irrésistiblement *le Mariage forcé* où l'on voit Pancrace, docteur aristotélicien, soutenir avec véhémence qu'il faut dire la *figure* et non la *forme* d'un chapeau ! La coïncidence est si frappante que l'on est en droit de penser que ce n'est pas tout à fait par hasard que Grimarest a employé cette expression.

écrite en latin, où il parle ainsi : *Contaminavit tamen hanc gloriam eruditionis Philosophiae moribus pedagogicis, unde ridicula non nulla de eo narratur, et traductus in scenam est a Molierio. (Pourtant, il ternit cette gloire de l'érudition philosophique par des procédés scolaires, ce qui fait que l'on rapporte sur lui bon nombre de traits ridicules et qu'il a été mis en scène par Molière.)*

N.B. Il est à noter que, parmi les commentateurs modernes, Antoine Adam, dans son *Histoire de la littérature française au XVIIe siècle*, 1952 (t. III, p. 406), accepte sans discussion l'anecdote et considère que le chapeau de Rohault a coiffé le maître de philosophie du *Bourgeois*. Voilà donc l'anecdote repartie pour une nouvelle carrière.

Louis XIV a la passion des « divertissements ». Il commande à Molière une pièce à machines pour la grande salle du palais des Tuileries. Molière est débordé, mais il n'est pas question de refuser. Alors il fait appel à Pierre Corneille, et ensemble ils écriront Psyché, *qui sera jouée le 17 janvier 1671.*

Il faut aussi songer à donner des nouveautés au grand public qui préfère la franche comédie. La prochaine sera les Fourberies de Scapin, *qui verra les feux de la rampe le 24 mai 1671, pour la plus grande joie des spectateurs, mais en laquelle Boileau, toujours un peu grincheux, ne reconnaîtra pas l'auteur du* Misanthrope...

Le « galimatias » de Corneille

Au cours des répétitions de Tite et Bérénice, *de Pierre Corneille, Baron demanda à Molière de lui expliquer quatre vers de son rôle dont le sens ne lui paraissait pas clair. Molière s'en déclara incapable et renvoya Baron à Corneille, lequel dut avouer qu'il n'y comprenait rien lui-même.*

Cette anecdote apparaît pour la première fois en 1765 dans les *Récréations littéraires* de Cizeron-Rival [1]. Pour bien l'apprécier dans toute sa saveur, il convient d'en rappeler d'abord une autre, qui la prépare et la complète. Cizeron-Rival cite ses sources : des notes inédites de Brossette.

> CVI (p. 67). — M. Despréaux distinguoit ordinairement deux sortes de galimathias : le *galimathias simple* et le *galimathias double*. Il appeloit galimathias simple celui où l'auteur entendoit ce qu'il vouloit dire, mais où les autres n'entendoient rien ; et galimathias double celui où l'auteur ne s'entendoit pas lui-même, et ne savoit pas ce qu'il vouloit dire. Et quand ce même Despréaux lisoit quelque endroit qui étoit de ce caractère-là, il disoit plaisamment : « Voilà du galimathias fin et double. » (Non imprimée 21) [2].
>
> Il citoit pour exemple ces quatre vers de la tragédie de *Tite et Bérénice*, du grand Corneille, acte I, scène II :
>
> *Faut-il mourir, madame ? et si proche du terme,*
> *Votre illustre inconstance est-elle encor si ferme*
> *Que les restes d'un feu que j'avois cru si fort*
> *Puissent dans quatre jours se promettre ma mort ?*

---

1. Paris et Lyon, 1765.
2. Cette indication se rapporte à la note de Brossette.

Cela dit, Cizeron-Rival en vient à l'anecdote où paraît Molière :

> CVII (p. 68). — Baron, ce célèbre acteur, devoit faire le rôle de Domitian dans cette même tragédie ; et comme il étudioit son rôle, l'obscurité des vers rapportés ci-dessus lui fit quelque peine [3], et il s'en alla demander l'explication à Molière chez qui il demeuroit.
>
> Molière, après les avoir lus, lui dit qu'il ne les entendoit pas non plus. « Mais attendez, dit-il à Baron, M. Corneille doit venir souper avec nous aujourd'hui et vous lui direz qu'il vous les explique. »
>
> Dès que Corneille arriva, le jeune Baron alla lui sauter au cou, comme il faisoit ordinairement [4], parce qu'il l'aimoit ; et ensuite le pria de lui expliquer ces quatre vers, disant à Corneille qu'il ne les entendoit pas. Corneille, après les avoir examinés quelque temps, dit : « Je ne les entends pas trop bien non plus ; mais récitez-les toujours : tel qui ne les entendra pas les admirera. » (Non imprimée 22) [5].

La création de *Tite et Bérénice* par la troupe de Molière eut lieu au théâtre du Palais-Royal le 28 novembre 1670. Quatre-vingt-quinze ans se sont donc écoulés entre l'événement et sa relation dans le recueil de Cizeron-Rival. Nous ne connaissons l'existence d'aucun texte qui permette un recoupement. Dans ces conditions, quel crédit convient-il d'accorder à l'anecdote ?

Elle semble, a priori, vraisemblable. Sa transmission à Brossette par la filière Molière-Baron-Boileau est admissible : c'est par cette voie qu'ont été notés de nombreux autres faits que le recoupement, quand il était possible, a prouvés.

Tout, dans ce récit, paraît naturel : le jeune acteur qui, embarrassé par un passage obscur de son rôle, sollicite une explication de son metteur en scène ; le metteur en scène qui, aussi perplexe que lui, le renvoie à l'auteur ; l'auteur qui, lui-même embarrassé, ne peut ou ne veut ni expliquer son texte, ni le modifier. De tels incidents ne sont pas rares au cours

3. C'est-à-dire : lui causa quelque difficulté.
4. Baron avait alors dix-sept ans ; Corneille, soixante-quatre.
5. Référence à la note de Brossette.

des répétitions d'une pièce nouvelle. Le cas a été signalé de nos jours, l'auteur étant Paul Claudel et le metteur en scène Jean-Louis Barrault : la question posée par un jeune acteur est restée sans réponse [6].

Les quatre vers cités par Cizeron-Rival sont conformes à ceux de l'édition originale de la tragédie (1671). On peut en conclure que Corneille a maintenu, au moment de le faire imprimer, le texte exact de la représentation. Mais il n'est pas interdit de penser que, sur le manuscrit du rôle, le galimatias était plus épais encore, et que le texte que nous connaissons soit le résultat — hélas imparfait ! — d'un remaniement fait par Corneille à la suite de la remarque de Baron, appuyé par Molière.

Quant à la date de l'anecdote, il faut évidemment la situer dans les semaines qui précèdent la première représentation, c'est-à-dire en octobre ou novembre 1670.

---

6. A propos du même auteur, Edwige Feuillère a raconté, dans son livre de souvenirs intitulé *les Feux de la mémoire* (Albin Michel, 1977), une anecdote semblable, dans laquelle elle fut directement concernée (Ch. XVI).

29 Novembre 1670 (?)

Le lutin de Corneille

Molière prétendait, par plaisanterie,
que les meilleurs vers de Corneille lui étaient « soufflés »
par un lutin qui venait parfois le visiter.

L'*Eloge de Molière*, par Chamfort, publié en 1769, est, semble-t-il, le premier ouvrage imprimé où l'on rencontre une allusion à cette boutade [1] :

> Molière, après le *Misanthrope* [...], fut sans contredit le premier écrivain de la nation. Lui seul réveilloit sans cesse cette admiration publique. Corneille n'étoit plus le Corneille et du *Cid* et d'*Horace*. Les apparitions du lutin qui, selon l'expression de Molière lui-même, lui dictoit ses beaux vers, devenoient tous les jours moins fréquentes.

Il est certain que l'anecdote était connue depuis longtemps déjà, et vraisemblablement non contestée. Sinon le jeune Chamfort ne se fût pas risqué à en faire état dans une dissertation présentée au concours institué par l'Académie française. Celle-ci lui décerna son prix, qui fut pour Chamfort un premier pas vers la notoriété.

D'Alembert connaissait lui aussi l'anecdote du lutin. Il l'a mentionnée dans les notes accompagnant son *Eloge de Despréaux*, lu à la séance publique de l'Académie du 25 août 1774 :

---

1. *Eloge de Molière*, discours qui a remporté le prix de l'Académie françoise en 1769, par M. de Chamfort. Paris, Vve Regnard, 1769. — Le texte de cet *Eloge* a été joint à diverses éditions des œuvres de Molière publiées au XIXe siècle.

On prétend que Molière disoit de l'auteur de *Cinna* : « Il a un lutin qui vient de temps en temps lui souffler d'excellents vers, et qui ensuite le laisse là en disant : *Voyons comme il s'en tirera quand il sera seul*. Et il ne fait rien qui vaille, et le lutin s'en amuse. »[2]

Pas plus que Chamfort, d'Alembert ne cite l'origine de l'anecdote : « On prétend... » s'est-il borné à dire. Jules Taschereau, lorsqu'il publia en 1825 son *Histoire de la vie et des ouvrages de Molière*, y inséra l'anecdote telle que l'avait rapportée d'Alembert, sans y changer un mot, mais en citant sa référence[3].

Quelle était donc l'origine précise de l'anecdote ? Il faudra attendre 1864 pour en trouver l'indication imprimée. C'est le polygraphe Félix Feuillet de Conches qui la donne dans ses *Causeries d'un curieux* : la boutade a été recueillie par l'abbé d'Olivet, qui ne l'a pas publiée lui-même, mais l'a mentionnée dans une note manuscrite non datée, adressée à Voltaire. En voici le texte, tel qu'il est transcrit par Feuillet de Conches :

« Un jour — dit l'abbé d'Olivet en une note autographe qu'il a écrite pour Voltaire et que j'ai là sous les yeux —, un jour, pendant que Molière s'habilloit, deux hommes d'esprit entrèrent chez lui et parlèrent avec de grands éloges d'une tragédie de Corneille jouée la veille pour la première fois. Molière les écoutoit sans dire mot. Quand il fut habillé :
"Eh bien, messieurs, vous croyez donc, leur dit-il, que Corneille est l'auteur de ce que vous avez entendu ? Apprenez qu'il y a un petit lutin qui l'a pris en amitié et qui a de l'esprit comme un lutin. Quand il voit que Corneille se met à son bureau pour se ronger les ongles et tâcher de faire quelques vers, alors le petit lutin s'approche et lui dicte quatre vers, huit, dix, quelquefois jusqu'à vingt de suite, qui sont au-dessus de tout ce qu'un homme peut faire. Après quoi le petit lutin, qui est méchant comme un lutin, se retire à quelques pas en disant : "Voyons comment le vilain va faire

2. D'Alembert, *Œuvres complètes*, Paris, A. Belin, 1821, 5 vol. in-8°, t. II, p. 393.
3. 1re édition : 1825, p. 156 ; 3e édition : 1844, p. 95.

tout seul.'' Corneille fait alors les dix, les vingt, les trente vers de suite, où il n'y a rien que du très-commun, où même il y a souvent du mauvais. Le lendemain, ce même jeu recommence entre le lutin et Corneille. Ainsi se fait la pièce entière. Gardez-vous bien, messieurs, de confondre les deux auteurs. L'un est un homme, l'autre bien plus qu'un homme.''

« Voilà ce que j'ai entendu conter à feu Baron, notre Roscius, qui avoit été présent au discours de Molière. »

Feuillet de Conches a ajouté en bas de page : « Cette note, qui provient des papiers de Voltaire, porte en tête ces mots de la main de ce dernier : *Abbé Dolivet sur Corneille et le Lutin.* »

Vrai ? Vraisemblable, en tout cas. Il est de fait que l'abbé d'Olivet a connu Baron, et Baron, familier de Molière, a parfaitement pu être témoin d'une telle conversation au « petit lever » du maître. Il est vraisemblable aussi que Molière, humoriste, connaissant de longue date Corneille, dont il fut l'interprète, ait lancé cette boutade pour expliquer les défaillances que la critique avait souvent relevées dans le génie de Corneille. Enfin, que pourrait-on opposer à l'affirmation de l'abbé d'Olivet, commentateur sérieux, quand il dit : « Voilà ce que j'ai entendu conter à feu[4] Baron » ?

Je suis donc tout à fait enclin à tenir pour vraie cette anecdote amusante, irrévérencieuse mais sans méchanceté à l'égard du grand dramaturge. Et je la situerais volontiers à la date du 29 novembre 1670, lendemain de la première représentation par la troupe de Molière de *Tite et Bérénice*, dont il vient justement d'être question à propos du « galimatias » de Corneille.

4. Baron étant mort en 1729, c'est donc après cette date que fut écrite la note de l'abbé d'Olivet à Voltaire.

(circa) 1670

« Comité de lecture »

Molière, lorsqu'il réunissait ses comédiens pour leur donner lecture d'une nouvelle pièce, les priait d'amener leurs enfants.

Cette anecdote apparaît pour la première fois en 1740, dans la *Lettre sur la vie et les ouvrages de Molière, et sur les comédiens de son temps*, publiée dans le *Mercure de France* du mois de mai :

> Quand il lisoit ses pièces aux comédiens, il vouloit qu'ils y amenassent leurs enfants, pour tirer des conjectures de leurs mouvements naturels [1].

La première remarque qui vient à l'esprit est que c'est bien là dans la manière de Molière. Nous avons vu qu'il ne faisait pas fi des jugements de sa servante. Nous savons qu'il prenait parfois l'avis de son amie Honorée de Bussy [2] ou de la belle Ninon de Lenclos [3]. Il est hors de doute qu'il a souvent consulté Boileau. Une lettre de Jean-Baptiste Rousseau est révélatrice à cet égard :

> Je me souviens d'avoir ouï dire à M. Despréaux que

1. Pp. 840-841.
2. C'est Tallemant des Réaux (1619-1692) qui l'affirme dans ses *Historiettes* : « Molière lui lisoit toutes ses pièces... » (Edition Garnier, Paris, s.d. [1932-1934], t. II, p. 125.)
3. Selon le témoignage direct de l'abbé de Châteauneuf, dans son *Dialogue sur la musique des Anciens* (Paris, N. Pissot, 1725) : « [Molière] nous apprit qu'ayant été la veille lui lire son *Tartuffe*, selon sa coutume de la consulter sur tout ce qu'il faisoit... » (p. 114).

> Molière écoutoit tout le monde sur ses ouvrages, et qu'ensuite il n'en faisoit qu'à sa tête [4].

Enfin, la pièce jouée, il tenait compte des réactions du public, ainsi qu'en témoigne une lettre de Brossette au président Bouhier :

> M. Despréaux m'a dit plus d'une fois que quand Molière avait fait une pièce, il en corrigeoit les défauts sur l'effet qu'il voyoit qu'elle produisoit sur le théâtre, et qu'ensuite il la faisoit imprimer [5].

Ce souci de s'entourer d'avis différents explique fort bien qu'il ait tenu — au moins dans certains cas — à ce qu'il y eût des enfants parmi son auditoire lorsqu'il réunissait un « comité de lecture ».

L'anecdote est d'autant plus vraisemblable que plusieurs des comédiens de la troupe de Molière avaient effectivement des enfants, et que certains de ceux-ci ont participé à des spectacles.

Parmi eux, il convient de citer en premier lieu Marie-Angélique du Croisy, fille du créateur du rôle de Tartuffe. En premier lieu car elle n'est autre que l'auteur de la *Lettre* au *Mercure* que nous avons citée [6]. A l'époque de la publication de ce texte, Marie-Angélique du Croisy s'appelait Mlle Poisson. Née en 1657, elle avait épousé le comédien Paul Poisson, fils du célèbre Raymond Poisson, dit Belleroche, qui s'illustra dans le personnage de Crispin.

Il est hors de doute que Marie-Angélique du Croisy a assisté aux réunions dont elle parle, et que d'autres enfants de comédiens y ont assisté aussi. En 1671, à 14 ans, elle a joué à la création de *Psyché* le rôle de l'une des petites Grâces [7], l'autre étant représentée par Charlotte La Thoril-

---

4. Lettre du 11 mai 1738, citée par Edouard Fournier dans *La Valise de Molière*, Paris, E. Dentu, 1868, p. XXVIII, note 1.

5. *Correspondance Bouhier* (Bibl. nat.), Brossette, 15 avril 1733.

6. Sur l'attribution à Mlle Poisson des *Lettres sur la vie et les ouvrages de Molière*, voir l'édition des « Grands Ecrivains de la France », t. III, pp. 378-380 (notice de *l'Impromptu de Versailles*).

7. Quelque temps après, Marie-Angélique du Croisy remplaça plusieurs fois Molière lui-même dans le rôle de Zéphire.

lière (10 ans) ; le frère de celle-ci, Pierre (12 ans), était l'un des petits Amours ; et il est presque certain que la fille de Molière et d'Armande, Esprit-Madeleine (6 ans) parut aussi dans le prologue de cette pièce à grand spectacle [8].

Parmi les enfants de comédiens de la troupe qui ont assisté aux lectures des pièces nouvelles de Molière, il faut citer aussi la petite Louise Beauval, née en 1665, qui créa dans *le Malade imaginaire*, à l'âge de 8 ans, le rôle de Louison auquel elle donna son prénom. Sa mère Jeanne Beauval était Toinette, et son père Jean était Thomas Diafoirus.

Et puis il y avait aussi Catherine-Nicole de Brie, née en 1659, fille de la créatrice du rôle d'Agnès, et peut-être son grand frère Jean-Baptiste, filleul de Molière, né en 1652... Et Marie-Anne du Parc, née en 1658, et son frère Jean-Baptiste-René, aussi filleul de Molière, né en 1663, enfants de Gros-René et de Marquise-Thérèse du Parc, créatrice du rôle d'Arsinoé... Et Thérèse La Thorillière, née en 1663, filleule de Molière, et sa jeune sœur Marie-Madeleine, née en 1665...

A tous ces enfants de comédiens, il faut sans doute ajouter aussi Jeanne-Madeleine-Grésinde Prévost, née en 1661, filleule de Molière et de Madeleine Béjart, et sa sœur Grésinde-Louise, née en 1664, filleule d'Armande : elles étaient les deux filles de la caissière du théâtre, Anne Brillart-Prévost.

Bien sûr, c'est seulement vers la fin de sa carrière que Molière a pu avoir, dans son auditoire, des enfants en âge de comprendre et de réagir. L'anecdote ne peut pas être datée de façon absolue, puisque de telles réunions se sont évidemment renouvelées plusieurs fois ; c'est pourquoi nous l'avons située aux environs de 1670. On peut raisonnablement penser que les « enfants de la troupe » ont pu assister aux lectures de *Monsieur de Pourceaugnac, le Bourgeois gentilhomme, Psyché, les Fourberies de Scapin, la Comtesse d'Escarbagnas, les Femmes savantes* et *le Malade imaginaire*.

L'anecdote a été reprise en 1801 dans le *Molierana* (c'est

8. Voir E. Soulié, *Recherches sur Molière*, p. 279.

la première du recueil), puis en 1844 par Taschereau [9] qui lui donna l'essor.

A la fin du XIXe siècle, elle a inspiré un tableau [10] au peintre Gaston Mélingue, fils du célèbre acteur Etienne Mélingue. On y voit, parmi les auditeurs de Molière lisant une pièce, huit enfants. Le peintre ne s'était pas mal documenté.

---

9. *Histoire de la vie...*, 3e édition, p. 97.

10. On trouvera une reproduction de ce tableau dans *Molière génial et familier* de G. Bordonove, pp. 272-273, ainsi que dans le *Molière* publié en 1969 par Paris-Match (collection « Les Géants »).

1671

« Il m'est permis de reprendre mon bien où je le trouve »

Cette phrase, souvent citée par les commentateurs au sujet des « emprunts » de Molière à d'autres auteurs, a été publiée pour la première fois par Grimarest dans le passage qu'il consacre à l'enseignement que le philosophe Gassendi aurait donné à Molière en même temps qu'à Chapelle, Bernier et Cyrano de Bergerac.

Je ne discuterai pas ici la question — toujours controversée — de savoir si Molière a été ou non disciple de Gassendi, car c'est là un point d'histoire et non une anecdote.

Voici ce que dit Grimarest[1] :

> Cyrano de Bergerac [...] fut donc reçu aux études et aux conversations que Gassendi conduisoit avec les personnes que je viens de nommer. Et comme ce même Cyrano étoit très-avide de sçavoir, et qu'il avoit une mémoire fort heureuse, il profitoit de tout, et il se fit un fonds de bonnes choses, dont il tira avantage dans la suite. Molière aussi ne s'est-il pas fait scrupule de placer dans ses ouvrages plusieurs pensées que Cyrano avoit employées auparavant dans les siens. Il m'est permis, disoit Molière, de reprendre mon bien où je le trouve.

Les « pensées » auxquelles il est fait allusion ici sont celles

---

1. *La Vie de M. de Molière* (1705), éd. Mongrédien, p. 39.

qui se rencontrent dans *le Pédant joué* de Cyrano (1654 [2]) et dans *les Fourberies de Scapin* (1671) : acte II, scène VII (« Que diable allait-il faire dans cette galère ? ») et acte III, scène III (« Ah ! ah ! la plaisante histoire ! »)

Grimarest ne précise pas dans quelles œuvres se trouvent les similitudes. C'est sans doute parce qu'il jugeait le cas suffisamment connu. Mais il n'en affirme pas moins, implicitement, que Cyrano avait accaparé des idées qui auraient d'abord été lancées par Molière dans les conversations du cénacle gassendiste.

C'est encore une question que je ne discuterai pas en détail ici : elle appartient à l'histoire littéraire.

Après — et d'après — Grimarest, l'anecdote a été souvent déformée par les commentateurs. Cailhava la présente ainsi, entre guillemets, lui donnant par conséquent valeur de citation :

> Molière, en embellissant ses larcins, avoit acquis le droit de dire : « Cela est bon, cela m'appartient, il est permis de prendre son bien où on le trouve » [3].

Voilà qui est déjà bien différent : la phrase a maintenant un tour impersonnel, et le verbe *prendre* a été substitué à *reprendre*. Il est vrai que Cailhava, en ce qui concerne l'exposé des motifs, s'écarte de la version de Grimarest et va jusqu'à employer le mot « larcin ». Ce mot, ou ce fait, il lui faut bien l'excuser, et voilà pourquoi la phrase attribuée à Molière est modifiée pour devenir, selon l'heureuse expression de Georges Mongrédien [4], « une affirmation des droits souverains de l'artiste. »

Paul Mesnard qui, lui, ne s'écarte pas de la phrase rapportée par Grimarest, la commente en ces termes d'une adroite dialectique : « Mon bien ! Ce qui n'appartient vraiment qu'à moi, parce que seul je sais le mettre dans un beau jour et, le tirant des mains inhabiles qui le laisseraient perdre,

---

2. Cette date est celle de la publication en volume. On ne connaît aucune représentation de cette pièce à l'époque.
3. *Etudes sur Molière*, p. 273.
4. Dans son édition de Grimarest, p. 39, note 5.

le faire vivre et briller dans des œuvres durables. Quel droit ont sur ce bien les obscurs devanciers qui, sans attendre que l'on vienne lui donner tout son prix, s'en sont emparés à notre préjudice ? [5] »

Il existe, enfin, une explication des faits qui permet d'admettre la remarque de Molière, dans la version de Grimarest, sans la déformer : Molière et Cyrano auraient, dans leur prime jeunesse, composé en collaboration quelques pièces, ou ébauches de pièces, qui n'auraient jamais été représentées jusqu'à ce que Cyrano en eût incorporé des fragments dans un ouvrage publié sous son nom seul. Molière, alors, aurait en effet « repris » son bien le jour où il en aurait eu besoin [6].

Où est le vrai ? Molière a-t-il *pris* ou a-t-il *repris* ? On pourrait épiloguer là-dessus à perte de vue et, répétons-le, là n'est pas notre propos. L'anecdote, pour nous, se limite à ce qu'a *dit* Molière. Il faut tenir pour certain qu'il a donné une explication de cette similitude entre *le Pédant joué* et *les Fourberies*. Cette explication, il est raisonnable d'admettre qu'elle a été formulée par lui telle que Grimarest, le premier, l'a rapportée, et qu'il a bien dit « reprendre »... ce qui ne signifie pas nécessairement qu'il ait dit la vérité [7].

---

5. Œuvres de Molière, éd. « Grands Ecrivains de la France », t. VIII, p. 397.

6. *Ibid.*, pp. 397-398, et Loiseleur, *les Points obscurs de la vie de Molière*, p. 47. — Il convient de rappeler qu'il y a dans *le Pédant joué* (acte II, scène IV) une allusion à un événement parisien de novembre 1645 (départ de la princesse Louise-Marie de Gonzague pour la Pologne) dont le cuistre Paquier dit qu'il s'est passé « l'autre jour », ce qui permet d'inférer que la pièce a été composée au moment où cet événement était dans son actualité immédiate, c'est-à-dire fin 1645 ou début 1646.

7. Est-il besoin de rappeler qu'Edmond Rostand s'est servi de l'anecdote au cinquième acte de *Cyrano de Bergerac* ? (Avec un assez gros anachronisme puisque cet acte se passe en 1655 alors que *les Fourberies* sont de 1671.) Ragueneau révèle le « larcin » à Cyrano mourant qui l'approuve et conclut :

Oui, ma vie,
Ce fut d'être celui qui souffle — et qu'on oublie...
Molière a du génie et Christian était beau !

Toujours pour la cour en premier lieu, Molière écrit la Comtesse d'Escarbagnas, *qu'il joue à Saint-Germain le 2 décembre 1671.*

L'année suivante commence mal. Le 17 février 1672, Molière a la douleur de perdre son amie de toujours, Madeleine Béjart. Date fatidique, puisqu'un an plus tard, jour pour jour, Jean-Baptiste ira la rejoindre au paradis des comédiens, s'il en est un.

Mais il faut continuer à travailler. Une nouvelle pièce est en répétition, qui sera présentée au public le 11 mars. Elle s'intitule les Femmes savantes *et va susciter des polémiques, car Molière y fait rire aux dépens de deux poètes à la mode, dont il juge les œuvres à la fois précieuses et ridicules...*

Le costume de Trissotin

Dans les Femmes savantes, *Molière aurait fait porter à l'acteur jouant le rôle de Trissotin un véritable habit de l'abbé Cotin.*

Cette anecdote est cousine germaine de celle qui a couru à propos du chapeau de Rohault coiffant le Maître de philosophie du *Bourgeois gentilhomme* [1].

Elle apparaît pour la première fois dans la troisième édition du *Menagiana* (1715) qui comporte, par rapport à la première (1693), beaucoup d'additions de Bernard de La Monnoye [2]. Cette anecdote en est une. Ménage s'y défend d'abord d'être « le savant qui parle d'un ton doux » des *Femmes savantes*, puis déclare [3] :

> Mais le Trissotin de cette même comédie est l'abbé Cotin, jusque-là [4] que Molière fit acheter un de ses habits pour le faire porter à celui qui faisoit ce personnage dans sa pièce [5].

Peu de temps après, Bruzen de La Martinière introduit l'anecdote, sous une forme un peu différente, dans la *Vie de l'Auteur* qu'il écrivit pour l'édition des *Œuvres de M. de Molière* publiée à Amsterdam en 1725 :

---

1. Voir p. 222 du présent ouvrage.
2. Le titre complet est *Menagiana, ou les bons mots et remarques critiques, morales et d'érudition de Monsieur Ménage recueillies par ses amis.* 3e édition, plus ample de moitié, et plus correcte que les précédentes. Paris, F. Delaulne, 1715. — Rappelons que Gilles Ménage vécut de 1613 à 1692.
3. T. III, p. 23.
4. C'est-à-dire : « à tel point ».
5. Cet acteur était La Thorillière.

> Personne n'ignore que Molière, en peignant Vadius et Trissotin, avoit en vue Ménage et l'abbé Cotin. Il réussit mieux à l'égard de ce dernier qu'à l'égard de Rohaut, car ayant envie que le public ne le méconnût pas, il trouva le moyen d'avoir un de ses habits qu'il ne portoit plus, et le donna à l'acteur qui le devoit jouer [6].

Il est impossible de prouver l'anecdote, mais il est difficile de la rejeter catégoriquement. Molière semble en effet avoir voulu accumuler les détails qui permettraient au public de reconnaître Cotin à coup sûr. Le costume en était un d'importance, et si Molière a eu la possibilité de mettre la main sur un vieil habit de l'abbé, peut-être donné à un valet ou vendu à un fripier, on peut penser qu'il n'a pas laissé passer cette « occasion ».

Cette volonté de faire reconnaître le personnage est encore attestée par un autre témoignage, ayant trait celui-là à la ressemblance physique. On le trouve dans les *Mélanges historiques* (anonymes) publiés à Amsterdam en 1718 (p. 70) :

> La première fois qu'on la joua, l'abbé fut représenté avec un masque si ressemblant que tout le parterre le reconnut. C'est une particularité que tout Paris sait.

L'auteur de l'article paraît avoir un peu forcé la note, car il semble théâtralement impossible que le rôle de Trissotin puisse être joué sous le masque. Mais le comédien a pu, en revanche, se « faire une tête » par un habile maquillage.

Voltaire, dans son *Sommaire* [7] des *Femmes savantes*, a lui aussi évoqué les efforts faits pour atteindre à la meilleure ressemblance possible :

> Trissotin étoit appelé aux premières représentations Tricotin. L'acteur qui le représentoit avoit affecté, autant qu'il avoit pu, de ressembler à l'original par la voix et par le geste.

---

6. T. I, p. 97.
7. Les *Sommaires* de Voltaire ont été insérés pour la première fois dans l'édition des *Œuvres* de Molière publiée en 1765 par Arkstee & Merkus, à Amsterdam.

Tous ces témoignages vont dans le même sens. On peut objecter qu'ils sont tardifs. C'est vrai. Mais ils attestent une volonté de réunir tous les éléments qui pouvaient concourir à la ressemblance : la physionomie, la voix, le geste. Alors pourquoi pas le costume, et, si l'occasion s'en présente, le costume *authentique*, de même que le *Sonnet* et l'*Epigramme* ?

1672

Qui créa le rôle de Martine dans *les Femmes savantes* ?

On a prétendu que le rôle de Martine aurait été joué, à la création, par une servante de Molière portant réellement ce nom.

Il n'existe sur cette question aucun document contemporain de la création de la pièce. La première représentation eut lieu le 11 mars 1672. Dans le *Mercure galant* [1], à la date du 12 mars, Donneau de Visé donne de la pièce un compte rendu favorable et assez développé, dont quelques lignes sont consacrées à Martine :

> Il y a au dernier [acte] un retour d'une certaine Martine, servante de cuisine, qui avoit été chassée au premier, et qui fait extrêmement rire l'assemblée par un nombre infini de jolies choses qu'elle dit en son patois, pour prouver que les hommes doivent avoir la préférence sur les femmes.

Mais Visé ne mentionne aucun des acteurs qui ont joué les rôles, pas même Molière.

Bussy-Rabutin, dans une lettre au père Rapin du 11 avril 1673 (donc un peu plus d'un an après la création de la pièce, et deux mois après la mort de Molière), fait des commentaires élogieux dans l'ensemble, mais relève l'antinomie qui existe dans le personnage de Martine :

> Le caractère de Philaminte avec Martine n'est pas naturel : il n'est pas vraisemblable qu'une femme fasse tant de

1. Volume I, mai 1672, p. 207 sqq.

bruit et enfin chasse sa servante parce qu'elle ne parle pas bien français ; et il l'est moins encore que cette servante, après avoir dit mille méchants mots, comme elle doit dire, en dise de fort bons et d'extraordinaires comme quand Martine dit :

L'esprit n'est pas du tout ce qu'il faut en ménage ;
Les livres cadrent mal avec le mariage.

Il n'y a pas de jugement de faire dire le mot de *cadrer* par une servante qui parle fort mal, quoiqu'elle puisse avoir du bon sens [2].

Hélas ! Pas plus que Visé, Bussy-Rabutin ne nomme l'actrice qui joua le rôle (ni d'ailleurs aucun autre interprète). Il faudra attendre un demi-siècle pour que soit indiquée la distribution des rôles lors de la création : elle apparaît dans le *Mercure* du mois de juillet 1723 [3]. Citons-la en entier :

L'auteur y jouoit lui-même le principal rôle de *Chrysale* ; les sieurs Baron, *Ariste* ; La Grange, *Clitandre* ; La Thorillière père, *Trissotin* ; du Croisy, *Vadius*. Pour les actrices, *Philaminte*, le sieur Hubert ; *Bélise*, la Dlle Villaubrun ; *Armande*, la Dlle de Brie ; *Henriette*, la Dlle Molière ; *Martine*, une servante de M. de Molière qui portoit ce nom.

Divers renseignements ou recoupements permettent de vérifier l'exactitude de cette distribution, sauf en ce qui concerne le personnage de Martine. Sur ce point, nous n'avons que l'affirmation du rédacteur du *Mercure* (qui d'ailleurs a commis ou laissé passer de curieuses fautes : c'est ainsi qu'on lit dans l'originale *Chrisalte* pour Chrysale, *Villeaubrun* pour Villaubrun, et *Marine* pour Martine).

Or, il se trouve qu'aucun document ne cite une quelconque Martine parmi les servantes de Molière. Nous ne connaissons, comme ayant été à son service, que Louise Lefebvre (veuve Jorand), Catherine Lemoyne et Renée Vannier (dite La Forêt). Cela ne prouve évidemment pas qu'il n'y en ait pas eu d'autres, au cours des années, mais on peut

2. *Correspondance* de Bussy-Rabutin, éd. 1838, t. II, p. 242.
3. Pp. 129-130.

tenir pour certain qu'il n'avait pour servantes, à sa mort (c'est-à-dire moins d'un an après la création des *Femmes savantes*), que Catherine Lemoyne et Renée Vannier dont les noms figurent, pour les gages qui leur restent dus, à l'inventaire dressé par les notaires après le décès de Molière [4]. Où serait donc passée la Martine de 1672 ?

La publication de la distribution dans le *Mercure* de juillet 1723 semble n'avoit suscité, à l'époque, aucun commentaire relatif à cette énigmatique Martine. Ce n'est que cent quarante ans plus tard qu'Edouard Fournier, dans son *Roman de Molière*, va reparler de cette servante-comédienne. Mais comme il sait que l'on n'en a pas trouvé trace, il émet une supposition :

> C'était sans doute quelque bonne grosse fille de la campagne, qui faisait le service dans l'appartement d'Auteuil. Aussi (acte II, scène VI), fait-il nommer par Martine Auteuil et Chaillot [5].

Jules Loiseleur, dans ses *Points obscurs de la vie de Molière* (1877), reprend l'idée de Fournier — qu'il cite — et la développe un peu [6] :

> La cuisinière La Forêt ne venait à Auteuil que les jours de gala ; le service ordinaire était fait par Martine, une bonne fille du pays, que Molière avait en vue lorsqu'il écrivit le rôle de la servante de Chrysale, celle qui tient si peu à savoir d'où vient le mot *grammaire* :
>
> *Qu'il vienne de Chaillot, d'*Auteuil *ou de Pontoise,*
> *Cela ne me fait rien.*
>
> Elle était fort intelligente, cette Martine. Le rôle qui porte son nom dans *les Femmes savantes* devait être rempli par Madeleine Béjart, qui mourut quelques jours avant la représentation. Molière, pris de court, imagina de le confier à la

4. On en trouvera le texte complet dans E. Soulié, *Recherches sur Molière*, Paris, Hachette, 1863 (pp. 263 et 291) ; et dans M. Jurgens et A. Maxfield Miller, *Cent ans de recherches sur Molière*, Paris, Imprimerie nationale, 1963, pp. 554 et 584.
5. E. Fournier, *le Roman de Molière*, Paris, E. Dentu, 1863, p. 125.
6. Pp. 323-324.

joyeuse fille d'Auteuil. Le *Mercure* de juillet 1723, qui nous a transmis le souvenir de cette étrange substitution, a oublié de nous dire comment elle se tira de cette audacieuse entreprise.

L'hypothèse Fournier-Loiseleur ne manque pas d'ingéniosité : puisque l'on ne trouve pas trace d'une servante Martine chez Molière à Paris, allons la chercher à Auteuil ! Mais, si nous réexaminons l'inventaire après décès dont il a été question plus haut, nous constatons qu'il y est fait mention de deux personnes d'Auteuil : une blanchisseuse non dénommée à qui il est dû 9 livres, et une autre femme nommée la Raviguotte, jardinière du sieur de Beaufort [7], qui, elle, doit 110 livres à la succession. Il n'est pas question d'une Martine à qui serait dû, tout comme aux deux servantes de la maison de la rue de Richelieu, « le reste de ses gages ».

L'existence de cette Martine, qui serait apparue dans l'entourage de Molière au moment des *Femmes savantes* pour en disparaître aussitôt après, semble donc fort problématique.

Mais à cet argument d'ordre domestique il convient d'en ajouter un autre, d'ordre théâtral. Le personnage de Martine, dans la pièce, comporte une contradiction, pour ne pas dire une invraisemblance, que Bussy-Rabutin a critiquée dans sa lettre de 1673 citée plus haut : la Martine qui paraît à l'acte II (scènes v et vi) est une bêtasse patoisante et ahurie ; celle que Chrysale ramène et « rétablit céans » à l'acte V (scènes ii et iii) devient tout à coup raisonneuse et arrogante. Si l'on peut admettre, à la rigueur, que les répliques de Martine à l'acte II puissent être dites par une villageoise au parler amusant, en revanche l'importance soudaine prise par Martine au dénouement, et l'autorité dont l'interprète doit faire preuve à ce moment, interdisent la distribution du rôle à une actrice inexpérimentée.

C'est pourquoi, malgré Fournier, malgré Loiseleur déjà cités, malgré Alfred Copin [8], malgré Henry Lyonnet [9], qui

7. C'est le propriétaire de la maison d'Auteuil dont Molière, depuis l'été 1667, avait loué une partie, avec usage du jardin.

8. *Histoire des comédiens de Molière*, Paris, L. Frinzine, 1886, p. 310.

9. *Les « premières » de Molière*, Paris, Delagrave, 1921, p. 252.

acceptent sans discussion la création du rôle par la mystérieuse Martine, je ne pense pas que l'on puisse admettre l'assertion du *Mercure* de 1723.

Qui donc, alors, fut la créatrice du rôle ? Je ne crois pas, comme Loiseleur, que « le rôle de Martine devait être rempli par Madeleine Béjart, qui mourut quelques jours avant la représentation ». Molière ne lui avait certainement pas destiné ce rôle. D'abord parce qu'elle en avait passé l'âge : à 53 ans on ne joue guère le personnage d'une petite domestique que son maître appelle « ma pauvre enfant ». Ensuite parce que Madeleine était, dans la hiérarchie de la troupe, un « grand premier rôle », bien au-dessus de cet emploi secondaire de « servante de cuisine ». Enfin parce qu'elle avait pratiquement cessé de jouer depuis 1669, son dernier rôle ayant été Nérine dans *Monsieur de Pourceaugnac.*

Molière n'a donc pas été « pris de court » comme le suppose Loiseleur. Il avait à sa disposition une excellente soubrette de 26 ou 27 ans, Jeanne Beauval, entrée dans la troupe en 1670, précisément pour assurer la relève de Madeleine Béjart défaillante. Elle avait créé en 1671, avec beaucoup de succès, le rôle de Nicole du *Bourgeois gentilhomme*, et nous savons qu'elle sera en 1673 la créatrice de Toinette du *Malade imaginaire*. Jeanne Beauval était toute désignée pour le rôle de Martine, et je crois fermement que c'est elle qui l'a tenu à la création.

En tout cas un précieux document manuscrit, le *Répertoire des comédies qui se peuvent jouer en 1685* (sous-entendu : « pour le service de la Cour »), conservé à la Bibliothèque nationale [10], et qui donne la distribution des pièces de Molière à la Comédie-Française en cette même année, indique pour *les Femmes savantes* Mlle Beauval comme interprète du rôle de Martine (ou, à son défaut, Mlle Poisson, nouvelle venue). Cela n'apporte pas la preuve formelle qu'elle en ait été la créatrice, mais il faut bien reconnaître que la présomption est tout de même très forte, et que la création du rôle par une servante doit être considérée comme une légende tardive, née peut-être, tout bonnement, d'une extrapolation de l'anecdote célèbre de Boileau, publiée dès 1693 : « Molière lisait ses pièces à sa servante »...

---

10. Manus. français, n° 2509.

1672 (?)

Le courtisan extravagant

Molière aurait projeté de peindre un courtisan ridicule sous le titre de l'Extravagant, *mais n'en eut pas le temps.*

L'information nous vient de Grimarest, qui s'étend longuement sur ce sujet :

> Voici un éclaircissement très singulier que Molière essuya avec un de ces courtisans qui marquent par la singularité.
>
> Celui-ci, sur le rapport de quelqu'un qui vouloit apparemment se moquer de lui, fut trouver l'autre en grand seigneur.
>
> « Il m'est revenu, monsieur de Molière, dit-il avec hauteur dès la porte, qu'il vous prend fantaisie de m'ajuster au théâtre, sous le titre d'Extravagant. Seroit-il bien vrai ?
>
> — Moi, monsieur ? lui répondit Molière. Je n'ai jamais eu dessein de travailler sur ce caractère : j'attaquerois trop de monde. Mais si j'avois à le faire, je vous avoue, monsieur, que je ne pourrois mieux faire que de prendre dans votre personne le contraste que j'ai accoutumé de donner au ridicule, pour le faire sentir davantage.
>
> — Ah ! je suis bien aise que vous me connoissiez un peu, lui dit le comte [1], et j'étois étonné que vous m'eussiez si mal observé. Je venois arrêter votre travail, car je ne crois pas que vous eussiez passé outre.
>
> — Mais, monsieur, lui repartit Molière, qu'aviez-vous à craindre ? Vous eût-on reconnu dans un caractère si opposé au vôtre ?
>
> — Tubleu ! répondit le comte, il ne faut qu'un geste qui

1. Remarquons en passant que Grimarest n'avait pas mentionné ce titre en présentant le personnage au début de son récit.

me ressemble pour me désigner, et c'en seroit assez pour amener tout Paris à votre pièce : je sais l'attention que l'on a sur moi.

— Non, monsieur, dit Molière. Le respect que je dois à une personne de votre rang doit vous être garant de mon silence.

— Ah ! bon ! répondit le comte. Je suis bien aise que vous soyez de mes amis. Je vous estime de tout mon cœur, et je vous ferai plaisir dans les occasions. Je vous prie, ajouta-t-il, mettez-moi en contraste dans quelque pièce. Je vous donnerai un mémoire [2] de mes bons endroits.

— Ils se présentent à la première vue, lui répliqua Molière. Mais pourquoi voulez-vous faire briller vos vertus sur le théâtre ? Elles paroissent assez dans le monde, personne ne vous ignore.

— Cela est vrai, répondit le comte, mais je serois ravi que vous les rapprochassiez toutes dans leur point de vue : on parleroit encore plus de moi. Ecoutez, ajouta-t-il, je tranche fort avec N... ; mettez-nous ensemble, cela fera une bonne pièce. Quel titre lui donneriez-vous ?

— Mais je ne pourrais, lui dit Molière, lui en donner d'autre que celui d'*Extravagant*.

— Il seroit excellent, par ma foi, lui repartit le comte, car le pauvre homme n'extravague pas mal. Faites cela, je vous prie. Je vous verrai souvent pour suivre votre travail. Adieu, monsieur de Molière, songez à notre pièce : il me tarde qu'elle ne paroisse. »

La fatuité de ce courtisan mit Molière de mauvaise humeur au lieu de le réjouir, et il ne perdit pas l'idée de le mettre bien sérieusement au théâtre ; mais il n'en a pas eu le temps [3].

Le texte de cette anecdote est très long. On se demande qui a pu être témoin de cet entretien et en retenir ainsi le dialogue complet. Cela n'a pas manqué de frapper l'auteur de la *Lettre critique* de 1706 qui s'exprime ainsi :

La scène du courtisan extravagant n'est point un morceau

---

2. Donneau de Visé a fait allusion à ces « mémoires » remis à Molière par des gens de qualité. Voir, à la p. 84 du présent ouvrage, « Tablettes et cartes à jouer » (§ 1).

3. *La Vie de M. de Molière*, éd. Mongrédien, pp. 104-105.

à mettre dans un livre ; elle n'est bonne que pour une comédie ; elle est toute écrite, il n'y auroit qu'à la placer. Elle est assez dans la nature, mais le nom du courtisan me la feroit trouver encore plus agréable [4].

La réponse de Grimarest est riche d'enseignement. Il reconnaît qu'il y a là un morceau de pièce de théâtre bien plus qu'un récit :

> Mon censeur [...] n'a pas remarqué que cette aventure auroit été plate si je n'avois mis le courtisan en action, si je n'avois peint son caractère par ses expressions, que je n'aurois pu employer dans un simple récit. Et je ne sais pas où mon censeur a vu établi en règle qu'il soit défendu de mettre de l'action et du caractère dans un livre ; c'est le plus sûr moyen de plaire, et d'attacher à la lecture [5].

Grimarest avoue donc avoir imaginé le dialogue de cette scène en fonction de la situation. Soit. Mais de cette situation, que savons-nous ? Rien d'autre que ce que nous en dit Grimarest. L'intention qu'aurait eue Molière de mettre à la scène un « Courtisan extravagant » ne se trouve apparemment confirmée nulle part.

Il faut donc, tant qu'un élément de preuve n'aura pas été mis au jour, conclure au rejet d'une anecdote qui ne repose sur rien de vérifiable.

Mais il faut cependant essayer de lui assigner une date plausible. Un autre passage de Grimarest peut nous y aider. A propos des *Femmes savantes*, le biographe fait ainsi parler un gentilhomme mécontent de cette pièce :

> « Que m'importe de voir le ridicule d'un pédant ? Est-ce un caractère à m'occuper ? Que Molière en prenne à la Cour, s'il veut me faire plaisir ! [6] »

Il est bien admissible qu'après *les Femmes savantes*,

---

4. *Ibid.*, p. 142 *(Lettre critique)*.
5. *Ibid.*, p. 171 *(Addition...)*
6. *Ibid.*, p. 115.

Molière, fatigué, déjà absorbé par la préparation du *Malade imaginaire*, n'aurait « pas eu le temps », comme le dit Grimarest, de mettre un tel projet à exécution.

Stendhal le lui a vertement reproché, si l'on en croit Prosper Mérimée. Celui-ci rapporte une conversation d'écrivains au cours de laquelle Stendhal s'enthousiasmait pour Shakespeare qu'il plaçait au-dessus de tous les auteurs dramatiques : « Et Molière ? répondait-on. — Molière est un coquin qui n'a pas voulu représenter le *courtisan*, parce que Louis XIV ne le trouvait pas bon [7]. »

Il faut évidemment laisser à Stendhal la responsabilité de sa conclusion.

---

7. Prosper Mérimée, *Portraits historiques et littéraires*, 1850. Voir *Œuvres complètes*, Paris, Champion, 1928, t. IV, p. 166.

Le louis d'or du pauvre

Molière donna un jour (par largesse ou par mégarde ?) un louis d'or à un pauvre qui voulut le lui rendre.

Cette anecdote fut publiée pour la première fois dans les *Mémoires sur la vie et les ouvrages de Molière*, par La Serre, placés en tête de la grande édition des Œuvres de Molière, avec les gravures de Boucher, publiée en 1734 par la Compagnie des Libraires (6 vol. in-4° imprimés par Pierre Prault). On y lit :

> On n'a point inséré dans ces Mémoires les traditions populaires, toujours incertaines et souvent fausses, ni les faits étrangers ou peu intéressants que l'auteur de la Vie de Molière [1] a rassemblés. Celui dont Charpentier, fameux compositeur de musique, a été témoin, et qu'il a raconté à des personnes dignes de foi, est peu connu, et mérite d'être rapporté.
>
> Molière revenoit d'Auteuil avec ce musicien. Il donna l'aumône à un pauvre, qui, un instant après, fit arrêter le carrosse, et lui dit : *Monsieur vous n'avez pas eu dessein de me donner une pièce d'or ! — Où la vertu va-t-elle se nicher !* s'écria Molière après un moment de réflexion. *Tiens, mon ami, en voilà une autre* [2].

Il convient de rappeler ici que, pour rédiger la biographie

1. Il s'agit ici de Grimarest, que La Serre conteste en bien des points.
2. *Œuvres de Molière*, 1734, t. I, p. IX. Réédition de 1739, t. I, p. 60.

qui devait accompagner l'édition de 1734, quasi officielle [3], on avait d'abord pressenti Jean-Baptiste Rousseau qui s'était récusé. On s'était alors adressé à Voltaire qui accepta avec empressement ; mais, en dernier lieu, pour des raisons qui sont aujourd'hui difficiles à démêler, les éditeurs donnèrent la préférence à un troisième auteur, La Serre, ce dont Voltaire se montra fort dépité.

Jean-Louis-Ignace de La Serre (1662-1756) était alors un auteur apprécié d'œuvres dramatiques et de tragédies lyriques. Il exerçait en outre les fonctions de censeur royal. Né onze ans avant la mort de Molière, âgé de 72 ans lorsque lui fut confié le soin de rédiger cette biographie, il avait pu recueillir des témoignages directs de contemporains, ou tout au moins des traditions encore fraîches. Il ne dit pas formellement qu'il tient l'anecdote de Marc-Antoine Charpentier lui-même, mais cela se pourrait fort bien, le compositeur ayant vécu jusqu'en 1704. Nous sommes donc ici en présence d'une anecdote à laquelle on peut attribuer un indice de crédibilité assez élevé, rapportée par un contemporain ayant toujours évolué dans le milieu du théâtre et de la musique.

Voltaire, de trente-deux ans son cadet, ne pouvait donc pas se prétendre mieux informé que lui. Il n'en rédigea pas moins une *Vie de Molière, avec des jugements sur ses ouvrages*, qui parut en 1739 sous forme d'une mince plaquette éditée par Prault. Par la suite, et deux fois remaniée, elle fut placée en tête de diverses éditions des Œuvres de Molière, pour la première fois en 1765. Voici comment Voltaire raconte l'anecdote qu'il place, comme La Serre, aussitôt après celle du geste de générosité de Molière à l'égard du comédien Mondorge dans la gêne [4] :

> Un autre trait mérite plus d'être rapporté. Il venoit de donner l'aumône à un pauvre. Un instant après, le pauvre court après lui et lui dit : « Monsieur, vous n'aviez peut-être pas dessein de me donner un louis d'or, je viens vous le rendre. Tiens, mon ami, dit Molière, en voilà un autre. Et il

3. Voir sur ce point l'édition des « Grands Ecrivains de la France » t. I, pp. 10-12 ; et t. XI, pp. 84-87.

4. Voir p. 218 du présent volume.

> s'écria : Où la vertu va-t-elle se nicher ! » Exclamation qui peut faire voir qu'il réfléchissoit sur tout ce qui se présentoit à lui, et qu'il étudioit partout la nature en homme qui veut la peindre.

Il semble fort probable que Voltaire a trouvé dans La Serre cette anecdote jusqu'alors « peu connue » (La Serre *dixit*) et qu'il l'a tout bonnement démarquée, moins les circonstances et sans citer le témoin du fait, sans doute pour éviter que les deux récits ne soient trop semblables. Quant à la conclusion qu'il y ajoute, le moins que l'on puisse en dire est qu'elle ne porte pas la marque du génie.

Quand, en 1801, l'anecdote fut incorporée au *Molierana*, c'est le récit de La Serre qui fut choisi. Le dialogue en est reproduit mot pour mot, avec la même disposition typographique, et le rédacteur de l'ana n'omet pas de mentionner Charpentier [5].

Que ce soit dans la version La Serre ou dans la version Voltaire, sœurs jumelles, l'anecdote n'a jamais été contestée par la suite, et je crois qu'il faut la tenir pour vraie.

Bien sûr, on ne peut s'empêcher de faire un rapprochement entre cette historiette et la « scène du pauvre » de *Dom Juan*. C'est ce qu'a fait Sainte-Beuve [6], avec un commentaire philosophique qui dépasse de loin la plate remarque de Voltaire :

> Il [Molière] sépare l'humanité d'avec Jésus-Christ, ou plutôt il nous montre à fond l'une sans trop songer à rien autre ; et il se détache par là de son siècle. C'est lui qui, dans la scène du Pauvre, a pu faire dire à Dom Juan, sans penser à mal, ce mot qu'il lui fallut retirer, tant il souleva d'orages : « Tu passes ta vie à prier Dieu, et tu meurs de faim ; prends cet argent, je te le donne pour l'amour de l'humanité [7]. » La bienfaisance et la philantropie du dix-huitième siècle, celle de d'Alembert, de Diderot, d'Holbach, se retrouve tout entière dans ce mot-là. C'est lui qui a pu dire du pauvre qui lui rapportoit le louis d'or cet autre mot si

5. *Molierana*, p. 51.
6. Dans sa « Notice » placée en tête des *Œuvres de Molière* illustrées par Tony Johannot, Paris, Paulin, 1835-1836, 2 vol. Réédition Hetzel, s.d., 1 vol., p. 4.
7. Sainte-Beuve ne cite ici qu'approximativement.

> souvent cité, mais si peu compris, ce me semble, dans son acception la plus grave, ce mot échappé à une habitude d'esprit invinciblement philosophique : « Où la vertu va-t-elle se nicher ? » Jamais homme de Port-Royal ou du voisinage (qu'on le remarque bien) n'auroit eu pareille pensée, et c'eût été plutôt le contraire qui eût paru naturel, le pauvre étant aux yeux du chrétien l'objet de grâces et de vertus singulières.

Il reste maintenant à dater l'anecdote. La collaboration de Molière et de Charpentier se place aussitôt après la brouille avec Lully qui survint en mars 1672 au sujet du privilège de l'Opéra. Molière fit aussitôt appel à un nouveau compositeur qui fut Marc-Antoine Charpentier. Celui-ci commença par faire une musique nouvelle pour remplacer celle de Lully lors de la reprise du *Mariage forcé*, qui devait accompagner la première représentation publique de *la Comtesse d'Escarbagnas* (8 juillet 1672). Il se mit ensuite au *Malade imaginaire* auquel Molière travaillait déjà. L'anecdote ayant pour cadre le carrosse qui ramenait Molière et Charpentier d'Auteuil à Paris, on peut la situer entre mars 1672 et l'automne de la même année, car Molière, malade et fatigué, bien installé dans son nouveau logis de la rue de Richelieu, n'alla très probablement pas dans sa maison d'Auteuil au cours de l'hiver 1672-1673.

Broutilles et bagatelles

Sont réunies ici quelques anecdotes de seconde grandeur, pour lesquelles il n'a pas été trouvé de confirmation ni de recoupement, mais que l'on ne saurait cependant passer sous silence.

LE MÉPRIS

Voici, selon le *Carpenteriana*, l'opinion de Molière sur le mépris :

> Molière disoit que le mépris étoit une pilule qu'on pouvoit bien avaler, mais qu'on ne pouvoit guère la mâcher sans faire la grimace [1].

A quel propos Molière a-t-il pu dire cela ? Nous ne le saurons sans doute jamais, car cette remarque du *Carpenteriana* est dépourvue de tout contexte ou référence. Elle a été reprise au cours des siècles par divers biographes, mais sans commentaires. Le seul à risquer une supposition est Edouard Fournier qui écrit : « La critique lui était une pilule de même sorte, mais qu'il avalait de meilleure grâce, espérant la trouver saine sous son amertume. C'est pour cela, je crois, plutôt que par bravade, qu'il s'alla voir jouer à l'Hôtel de Bourgogne dans la comédie de Boursault, *le Portrait du peintre* » [2].

---

1. *Carpenteriana, ou Remarques d'histoire, de morale, de critique et de bons mots de M. Charpentier, de l'Académie françoise*. Paris, N. Le Breton fils, 1724, p. 46.
2. *La Valise de Molière*, Paris, E. Dentu, 1868, p. 77.

Si cette supposition est vraie, quel bel exemple de conscience professionnelle !

LULLY, BOUFFON DE MOLIÈRE

Lully, on le sait, n'était pas qu'un musicien. C'était aussi un mime et un burlesque de premier ordre. Rappelons que dans *Monsieur de Pourceaugnac* il jouait, sous le nom de signor Chiaccharone, le rôle d'un médecin grotesque qui menait la sarabande des apothicaires armés de leurs seringues, et que dans *le Bourgeois gentilhomme* il fut un Mufti éblouissant.

Si l'on en croit Bret, lorsque Molière se trouvait en compagnie et que Lully était présent, il le priait d'improviser un petit divertissement :

> *Lully, fais-nous rire !* disoit Molière à cet excellent musicien, qu'il ne regardoit hors de son talent que comme un bouffon. Il falloit qu'il montât sur un tabouret pour jouer ses contes dont la pantomine étoit le principal mérite [3].

Pourquoi pas ? J'imagine que Lully, toujours à l'affût d'une occasion de briller, ne devait pas se faire trop prier pour exécuter son petit numéro. Mais nous n'avons là-dessus aucun témoignage direct.

LE MÉDECIN PRUDENT

Molière aurait, paraît-il, essayé de se gausser d'un médecin qui ne se laissa pas faire.

Cette anecdote a été rapportée par un Anglais, Martin Lister, médecin et naturaliste, qui fit un voyage à Paris en 1698.

---

3. *Supplément à la Vie de Molière*, par Bret, en tête de l'édition des *Œuvres* de 1773, pp. 66-67.

Mais hélas ! il n'a pas révélé de qui il la tenait. Le récit de son voyage, publié à Londres en 1699 [4], ne fut traduit et publié en France qu'en 1873 [5].

Voici l'anecdote, dans le texte français de 1873, très légèrement corrigé après confrontation avec l'original anglais :

> Molière fit un jour appeler le docteur M..., médecin parisien de grande science et de grand renom, aujourd'hui réfugié à Londres [6].
>
> Celui-ci répondit qu'il irait le voir à deux conditions : la première, que Molière se bornerait, sans autre discours, à répondre aux questions qu'il lui ferait ; la seconde, qu'il s'engagerait à prendre les remèdes qu'il lui prescrirait. Mais Molière, voyant que le docteur n'avait pas envie de se laisser prendre pour dupe, refusa d'y acquiescer.
>
> Son envie, ce semble, était de se procurer les éléments d'une scène burlesque où il aurait joué l'un des plus savants hommes de cette profession, comme il avait joué les charlatans. Si c'était son intention, comme il y a grande apparence, il avait autant de malignité que d'esprit ; or on ne devrait employer l'esprit qu'à corriger la sottise des gens qui ont des prétentions mal fondées, et non à tourner en ridicule la science elle-même.

L'anecdote, laissée de côté par les biographes et commentateurs du XIXe siècle, est incontrôlable. Elle n'est pas invraisemblable : rien ne permet de l'accepter, rien non plus ne permet de la rejeter. Il en est de même de celle qui va suivre.

LE PROVINCIAL AVERTI

Cette anecdote date de 1687. On la trouve dans les *Harangues sur toutes sortes de sujets* [7], par Pierre d'Ortigues de Vaumorière (1610-1693), un polygraphe assez obscur dont le

---

4. *A Journey to Paris in the Year 1698*, by Dr Martin Lister. London, J. Tonson, 1699, p. 173.
5. *Voyage de Lister à Paris en 1698, traduit pour la première fois et annoté, etc.*, Paris, Société des bibliophiles, 1873, p. 159.
6. On peut supposer qu'il avait émigré après la révocation de l'Edit de Nantes.
7. Paris, J. Guignard, 1687.

principal mérite, en l'occurrence, est d'être un contemporain de Molière.

> Quelque temps avant sa mort, il [Molière] fit connoissance avec un provincial dont il voyoit bien que la copie trouveroit place dans ses pièces. Il alla manger deux ou trois fois dans la maison où cet original étoit logé, pour le considérer en plus d'attitudes différentes. Enfin, il vouloit attraper son air. Cependant l'homme lui échappa : un de ses amis l'avertit de l'intention du Peintre, il lui conseilla de changer de logis s'il ne vouloit bientôt fournir le sujet d'un nouveau Pourceaugnac [8].

Vaumorière n'en dit pas plus. Bien sûr, il ne pouvait pas citer de noms, mais il aurait peut-être pu faire des allusions transparentes. Dommage...

QU'EST-CE QU'UN MÉDECIN ?

Si l'on en croit Grimarest, voici la définition qu'en donnait Molière :

> On m'a assuré que Molière définissoit un médecin : *un homme que l'on paie pour conter des fariboles dans la chambre d'un malade, jusqu'à ce que la nature l'ait guéri, ou que les remèdes l'aient tué*. Cependant un médecin du temps et de la connaissance de Molière veut lui ôter l'honneur de cette heureuse définition, et il m'a assuré qu'il en étoit l'auteur [9].

Grimarest semble avoir été mal ou incomplètement informé. Ecrivant en 1705, il est surprenant qu'il n'ait pas eu connaissance du *Furetiriana*, paru en 1696, où l'on trouve mot pour mot la même boutade, hors de tout contexte et sans aucune référence à Molière. Le titre complet du recueil [10]

8. Livre I, ch. IV, pp. 18-19.
9. *La Vie de M. de Molière* (1705), éd. Mongrédien, 1955, p. 63.
10. *Furetiriana, ou les bons mots et les remarques d'histoire, de morale, de critique, de plaisanterie et d'érudition de M. Furetière*, Paris, Thomas Guillain, 1696. (Voir p. 211.)

laisse au contraire entendre que l'auteur de cette définition satirique est bel et bien Furetière lui-même.

Quant au médecin qui aurait assuré à Grimarest en être l'auteur — ce qui révélerait un cynisme bien surprenant à l'époque —, ce n'est pas à Molière qu'il aurait dû disputer la paternité de la boutade, mais à Furetière qu'il semble ignorer lui aussi.

Certes, la définition est d'un style moliéresque qui lui donne à première vue une certaine auréole de crédibilité, mais je crois qu'il faut contredire Grimarest, qui d'ailleurs ne se montre pas vraiment affirmatif, et renoncer à l'attribuer à Molière.

L'année 1672 est l'année des chagrins. Après la mort de la chère Madeleine, Armande avait donné naissance, le 15 septembre, à un fils : Jean-Baptiste-Armand. Le 11 octobre, cet enfant en qui son père pouvait espérer voir se perpétuer le nom de Poquelin-Molière, cet enfant cesse de vivre.

C'est un coup très dur pour Molière dont les médecins n'ont pas réussi à rétablir la santé. Aussi bien ne les consulte-t-il plus. Et puis il a souffert, depuis le mois de mars, de la trahison de Lully qui s'est fait attribuer, pour son « Académie royale de Musique », d'exorbitants privilèges d'exclusivité qui portent un grave préjudice au théâtre du Palais-Royal, où Molière prépare une nouvelle grande pièce avec prologue, intermèdes et cérémonie bouffonne en musique.

Enfin, le 10 février 1673, le rideau se lève sur le Malade imaginaire...

1672 (1653?)

Monsieur Fleurant

Le nom de Fleurant *aurait été réellement celui d'un apothicaire.*

Cette « révélation » est tardive. Elle apparaît pour la première fois un siècle après *le Malade imaginaire*, dans les *Anecdotes dramatiques* de Clément et Delaporte[1] :

> Du temps que Molière composoit *le Malade imaginaire*, il cherchoit un nom pour un lévrier de la Faculté qu'il vouloit mettre sur le théâtre. Il trouva un garçon apothicaire, armé d'une seringue, à qui il demanda quel but il vouloit coucher en joue. Celui-ci lui apprit qu'il alloit seringuer de la beauté à une comédienne.
>
> « Comment vous nommez-vous ? » reprit Molière.
>
> Le postillon d'Hippocrate lui répondit qu'il s'appeloit Fleurant. Molière l'embrassa en lui disant :
>
> « Je cherchois un nom pour un personnage tel que vous. Que vous me soulagez en m'apprenant le vôtre ! »
>
> Le clystériseur qu'il a mis sur le théâtre, dans *le Malade imaginaire*, s'appelle Fleurant. Comme on sut l'histoire, tous les petits-maîtres à l'envi allèrent voir l'original du Fleurant de la comédie. Il fit force connoissances ; la célébrité que Molière lui donna, et la science qu'il possédoit, lui firent faire une fortune rapide dès qu'il devint maître apothicaire. En le ridiculisant, Molière lui ouvrit la voie des richesses.

1. Paris, 1775, t. I, pp. 507-508.

Selon leur déplorable habitude, les auteurs du recueil ne citent aucune source.

Deux ans plus tard, l'anecdote est reprise par Louis Beffara dans son ouvrage intitulé *l'Esprit de Molière*[2]. Le policier, alors à ses débuts de moliériste, s'est contenté de reproduire presque mot pour mot le texte des *Anecdotes dramatiques*, sans citer cet ouvrage et sans donner la moindre indication sur l'origine de cette information dont les gazetiers du temps de Molière n'avaient pas parlé.

Cette anecdote se situant de toute évidence à Paris, on a cherché, au XIXe siècle, la grande époque du moliérisme, à retrouver dans la capitale la trace d'un apothicaire nommé Fleurant. Mais ce fut en pure perte. Dans ses *Recherches sur Molière* (1863), le méticuleux Eudore Soulié dit (p. 276, n. 1) qu'il a rencontré dans des actes notariés du temps un M. Jourdain, un M. Dimanche et un M. Fleurant, mais celui-ci n'était ni apothicaire, ni en rapport avec Molière.

Vingt ans après Beffara, un autre auteur, l'abbé Guillon[3], raconte une anecdote similaire, mais qui se situe à Lyon :

> La rue de Saint-Dominique a fourni l'un des noms comiques dont le célèbre Molière a enrichi son *Malade imaginaire*. En passant dans cette rue, il aperçoit sur la porte d'une pharmacie un apothicaire qu'il aborde :
>
> « Monsieur, monsieur, comment vous nommez-vous ? »
>
> L'autre, étonné, répond :
>
> « Pourquoi ?... mais... »
>
> Molière insiste.
>
> « Eh bien, je m'appelle Fleurant.
>
> — Ah ! je le pressentois, que votre nom feroit honneur à l'apothicaire de ma comédie. On parlera longtemps de vous, monsieur Fleurant ! »

L'abbé Guillon ne cite aucune source, mais on est cependant frappé par l'analogie entre les deux récits, dont le

2. Londres et Paris, Lacombe, 1777, t. I, p. 103.

3. Abbé Aimé Guillon, *Lyon tel qu'il étoit et tel qu'il est*, Paris, Desenne ; et Lyon, Daval, 1797, p. 33.

second semble être une paraphrase du premier. Dans cette version lyonnaise, l'anecdote a trouvé place dans l'édition des *Œuvres* de Molière par Auger [4] qui paraît l'admettre sans difficulté :

> Il sembleroit d'abord que le nom de *Fleurant* est, comme ceux de *Diafoirus*, de *Purgon* et de *Bonnefoi*, un nom significatif forgé par Molière. Il n'en est rien, s'il faut ajouter foi à l'anecdote suivante...

Ici se place le récit de Guillon, avec des différences insignifiantes dans la forme, et accompagné de sa référence. Après quoi Auger ajoute ce commentaire :

> Je tiens de M. Beuchot [5], bibliographe instruit et ingénieux, qu'en 1795 il a vu à Genay, petit village au-dessus de Neuville-sur-Saône, un petit-fils de l'apothicaire de Lyon, qui portoit le même nom que son aïeul, et racontoit lui-même l'anecdote qu'on vient de lire.

Jules Taschereau, rapportant lui aussi l'anecdote de Guillon, la situe en 1653, date connue d'un séjour de Molière à Lyon, mais il se garde bien d'en admettre l'authenticité : « Comment supposer, dit-il, que Molière songeât dès lors à son *Malade imaginaire*, qui ne fut joué que vingt ans plus tard ? Il est plus naturel de penser que, pour donner à son personnage un nom significatif, il avait fait choix du participe présent du verbe *fleurer* (sentir, exhaler une odeur), alors très usité. La plaisanterie est d'assez mauvais goût, mais elle a pour nous le mérite de la vraisemblance [6]. »

J'ajoute, pour ma part, qu'assurer à l'apothicaire lyonnais qu'on parlerait *longtemps* de lui, c'eût été, pour Molière, pressentir vraiment un peu trop tôt l'immortalité qu'atteindrait la pièce encore à naître. Molière n'était encore qu'un comédien errant...

4. Paris, Vve Desoer, 1825, t. IX, p. 248, n. 1.
5. Adrien Beuchot (1773-1851) fut un des principaux collaborateurs de la *Biographie universelle* des frères Michaud et de la *Bibliographie de la France*.
6. *Histoire de la vie et des ouvrages de Molière*, 1re édition : 1825, p. 289 ; 3e édition : 1844, p. 177.

Quant à la « confirmation » apportée à Beuchot par un petit-fils du héros de l'historiette de Guillon, Taschereau se déclare « porté à croire que ce descendant du prétendu interlocuteur de Molière ne la tenait pas de son grand-père lui-même, et qu'il n'était que l'écho d'un conte populaire ».

Comme bien on le pense, on a cherché sur place la trace de l'apothicaire hypothétique, on a fouillé les archives locales et régionales pour voir s'il s'y trouverait quelque document attestant l'existence à Lyon, entre 1650 et 1660, d'un apothicaire nommé Fleurant. Toutes les recherches sont restées vaines [7].

On a cherché plus loin, et on a cru déceler la trace d'un Fleurant pharmacien à Guéret, dans la Creuse [8]. Alors on a situé en cette ville une anecdote calquée sur les deux précédentes, en supposant par la même occasion que Molière, au cours de ses pérégrinations en province, aurait pu passer par Guéret... Là encore, pas l'ombre d'une preuve...

A Lyon comme à Paris ou ailleurs, la rencontre de Molière avec un apothicaire opportunément nommé Fleurant est trop belle pour être vraie.

---

7. On en trouvera l'écho dans la brochure de l'érudit pharmacien Maurice Bouvet, *Molière et les apothicaires* (extrait de la *Revue de la pharmacie*, n° 138, septembre 1953), Cahors, A. Coueslant, s.d.

8. Voir Emile Gilbert, *la Pharmacie à travers les siècles*, Toulouse, Vialelle, 1892, p. 391.

Molière, Toinette et Thomas

Au cours des répétitions du Malade imaginaire,
Molière se montra difficile avec la comédienne
à qui il avait confié le rôle de Toinette.

Cette anecdote fut publiée pour la première fois en 1749 par les frères Parfaict dans leur *Histoire du théâtre françois*[1]. Rappelons que, dans le *Malade imaginaire*, Jeanne Beauval jouait le rôle de Toinette, son mari Jean celui de Thomas Diafoirus, et leur fille Louise celui de Louison à qui elle donna son nom.

> On dit que Molière, en faisant répéter cette pièce, parut mécontent des acteurs qui y jouoient, et principalement de Mlle Beauval qui représentoit le personnage de Toinette. Cette actrice, peu endurante, après lui avoir répondu assez brusquement, ajouta :
>
> « Vous nous tourmentez tous, et vous ne dites mot à mon mari.
>
> — J'en serois bien fâché, reprit Molière : je lui gâterois son jeu. La nature lui a donné de bien meilleures leçons que les miennes pour ce rôle. »

La repartie est d'une ironique netteté : Molière jugeait que Beauval jouait très naturellement les benêts. Edouard Thierry, dans ses *Documents sur le « Malade imaginaire »*[2], exprime ainsi son opinion :

---

1. Paris, Le Mercier et Saillant, 1745-1749, t. XIV, p. 535. — Bret reprit l'anecdote presque mot pour mot dans son édition des *Œuvres* de Molière de 1773, où Cailhava la trouva et l'inséra dans ses *Etudes sur Molière* en 1802, p. 320.
2. Paris, Berger-Levrault, 1880, p. 191.

> Molière, qui aurait fait jouer des mannequins vêtus, trouva le moyen de faire jouer Beauval, et ce moyen tout simple fut de ne rien lui apprendre. Seulement, il lui distribua les deux rôles de Bobinet [3] et de Thomas Diafoirus, deux beaux rôles de cuistres, et, le trouvant cuistre-né, il se garda bien de rien changer à ce beau naturel.

Jean Pitel, dit Beauval, avait débuté en province comme moucheur de chandelles. Il commença à jouer les « utilités » après son mariage avec la soubrette de la troupe, Jeanne Olivier-Bourguignon, qui fut dès lors connue sous le nom de Mlle Beauval. Il ne fut incorporé dans la troupe de Molière qu'en raison de l'engagement de sa femme, en 1670. Pour réussir à enlever cette excellente soubrette à sa troupe provinciale, Molière obtint de Louis XIV une lettre de cachet ; mais il ne put faire autrement que d'engager le couple.

L'anecdote paraît donc vraisemblable. Les frères Parfaict, généralement bien informés, ont pu la recueillir auprès des acteurs de la Comédie-Française parmi lesquels elle se serait perpétuée. Jeanne Beauval avait vécu jusqu'en 1720. Sa fille Louise, la petite Louison, vivait encore en 1740. Alors, pourquoi ne pas croire les frères Parfaict ? Le caractère ombrageux de Jeanne Beauval est attesté par divers témoignages contemporains. Et il est aisé d'admettre que Molière, au cours des derniers jours de janvier et des premiers jours de février 1673, ait eu quelques raisons de se montrer difficile...

3. Dans *la Comtesse d'Escarbagnas*.

Le costume du Malade imaginaire

Molière aurait joué le rôle d'Argan
vêtu d'une robe de chambre et coiffé d'un bonnet de nuit
appartenant au conseiller d'Etat Foucault.

L'anecdote n'apparaît qu'en 1855, lorsque furent publiés les *Mémoires du président Hénault*, jusque-là inédits [1].

Charles-Jean-François Hénault (1685-1770) était le fils du fermier général Jean-Remi Hénault (1648-1738). Il fut nommé en 1710 président de la première chambre des enquêtes du Parlement de Paris, et entra à l'Académie française en 1723. Auteur dramatique, historien réputé, surintendant de la maison de la Reine, c'était un personnage très en vue à la cour et à la ville.

On lit dans ses *Mémoires* [2] :

> Jean-Remi Hénault, mon père, [...] avoit toujours vécu avec les hommes célèbres de son temps : il étoit l'ami de Subligny avec lequel il composa des ouvrages assez médiocres. Il eut part (j'en suis fâché) à plusieurs mauvaises brochures qui parurent dans le temps contre les tragédies de Racine ; mais il faut le pardonner à ses liaisons avec les Corneille [...] Et, si ce détail n'est pas trop petit, il donna à Molière, pour son *Malade imaginaire*, la robe de chambre et le bonnet de nuit de M. Foucault, son parent, l'homme

1. *Mémoires du président Hénault [...], recueillis et mis en ordre par son arrière-neveu, M. le baron de Vigan*, Paris, E. Dentu, 1855. (Il existe de ces *Mémoires* une édition ultérieure, « complétée, corrigée et annotée par François Rousseau », Paris, Hachette, 1911.)
2. Pp. 4-5.

le plus chagrin et le plus redouté de la famille et qui travailloit toute la journée en robe de chambre.

Qui était ce Foucault, parent[3] du fermier général Hénault ? Prénommé Joseph, né en 1612, il devint en 1655 greffier de la Chambre des comptes, puis secrétaire du roi et, en 1658, conseiller d'Etat à brevet. A la demande de Colbert, dont il était le protégé, il fut nommé en 1661 greffier de la Chambre de justice spécialement constituée pour juger le surintendant Fouquet. Enfin, en 1673, Joseph Foucault devint secrétaire du Conseil d'Etat. Il mourut en 1691.

Son fils Nicolas, né en 1643, avocat au parlement de Paris, nommé en 1665 secrétaire de la Commission pour la Recherche de la noblesse, devint en 1671 avocat général au Grand Conseil[4]. Il fut par la suite intendant de plusieurs généralités provinciales et vécut jusqu'en 1721.

Revenons maintenant à l'anecdote.

Si le fait rapporté est exact, il faudrait en conclure, je pense, que le fermier général Hénault a voulu faire rire quelques initiés aux dépens du conseiller d'Etat Foucault, et que Molière, de bon ou de mauvais gré, s'est prêté à la plaisanterie. Dans ce cas, l'effet a été manqué, car il n'y en a eu aucun écho contemporain. Aucun écrit ne vient confirmer cette anecdote. Au contraire, les rares renseignements que nous possédons sur le costume de Molière dans le rôle d'Argan semblent la contredire.

On sait que le costume du *Malade imaginaire* n'est pas mentionné parmi les habits de théâtre figurant à l'inventaire dressé par les notaires au domicile de Molière, du 13 au 20 mars 1673, un mois après sa mort. Il peut y avoir à cela plusieurs raisons : peut-être le costume était-il resté au théâtre depuis la soirée tragique du 17 février ; peut-être Molière, lorsque Baron l'avait raccompagné à son domicile[5], en

3. Le lien de parenté entre Jean-Remi Hénault et Joseph Foucault n'est pas connu avec précision.
4. Détail piquant, il eut besoin, pour exercer cette haute fonction, d'une dispense d'âge de deux ans, car on exigeait 30 ans et il n'en avait que 28. Elle lui fut accordée par dérogation à l'édit de 1669 portant règlement de l'âge requis pour entrer dans les charges de la magistrature, rédigé par... son propre père !
5. Voir Grimarest, *la Vie de M. de Molière*, éd. Mongrédien, p. 121.

avait-il gardé sur lui quelques éléments qui ne constituaient pas un « costume » à proprement parler ; peut-être avait-il fallu le nettoyer en partie ; peut-être fut-il conservé comme une relique... On ne sait.

Ce qui est certain, c'est que le costume de Molière ne servit pas à La Thorillière qui reprit le rôle d'Argan dès le 3 mars et continua de le jouer jusqu'à la clôture de Pâques, le 21 mars : on lui fit faire par le tailleur Baraillon un nouveau costume dont le « mémoire » est cité dans les *Documents sur le Malade imaginaire* d'Edouard Thierry (p. 205). Nous l'examinerons un peu plus loin.

La première édition (frauduleuse) du *Malade*, publiée en 1674 par D. Elzevier à Amsterdam, donne une indication sommaire de la « manière dont chaque personnage doit être habillé ». On y lit :

> *Argan :* Est vêtu en malade : de gros bas, des mules, un haut-de-chausse étroit, une camisole rouge avec quelque galon ou dentelle, un mouchoir de cou à vieux passements, négligemment attaché, un bonnet de nuit avec la coiffe de dentelle.

On remarquera qu'il n'est pas question d'une robe de chambre. Même si cette description n'est pas exactement celle du costume que porta Molière aux quatre premières représentations du *Malade*, elle correspond à celui que l'on voit sur la gravure de Lepautre (1675) qui reproduit la représentation de la pièce donnée le 21 août 1674 à Versailles pour le roi. On y voit Argan (joué alors par Rosimond) vêtu d'une camisole et non d'une robe de chambre.

Enfin, quand paraît chez Thierry et Barbin, en 1682, l'édition des œuvres complètes de Molière, « supervisée » par La Grange et illustrée par Brissart et Sauvé avec un visible souci de représenter Molière dans ses rôles, la gravure qui accompagne *le Malade imaginaire* montre Argan, entre Béline et le notaire, vêtu d'un costume auquel s'applique presque parfaitement la description donnée par l'édition d'Amsterdam. Argan ne porte pas de robe de chambre [6].

---

6. Rappelons, pour faire le tour complet de la question, que le *texte* de la pièce fait état d'un « manteau fourré ». C'est Béline qui le demande à Toinette, à la

Revenons maintenant au « mémoire » du tailleur Baraillon qui fit le costume de La Thorillière. La « camisole rouge » y est dénommée « chemisette » et est en velours amarante, doublée de ratine grise et bordée d'une bande de petit-gris, ce qui correspond exactement à la gravure de 1684. Le mémoire ne fait pas mention d'une robe de chambre.

Comment, dans ces conditions, admettre l'assertion du président Hénault (qui n'était pas encore né à l'époque de la création du *Malade imaginaire*), selon laquelle son père aurait donné à Molière la robe de chambre caractéristique de son parent Foucault, puisqu'il semble assuré que ni Molière, ni ses deux premiers successeurs dans le rôle n'ont utilisé un tel vêtement ?

On se demande d'ailleurs comment J.-R. Hénault aurait pu se procurer le vêtement en question sans que son parent s'en aperçût : on ne subtilise pas aisément la robe de chambre d'un homme qui ne la quitte pas de toute la journée. Il est plus aisé de s'emparer d'un bonnet de nuit, mais c'est là un objet moins caractéristique.

Non seulement il paraît invraisemblable que Molière ait pu avoir l'intention de se présenter en Argan sous l'apparence vestimentaire de Foucault, mais, si la suggestion lui en fut faite par le fermier général Hénault, il semble impossible que Molière ait accepté ce déguisement. Fatigué, malade, inquiet, se sentant en défaveur auprès du roi, il n'allait pas risquer de se mettre sur les bras quelque méchante affaire à la seule fin d'être agréable au fermier général désireux de ridiculiser

---

scène VI de l'acte I, pour mieux accommoder Argan dans son fauteuil. Mais Argan ne met pas ce manteau. On le lui pose sur les épaules ou sur les genoux, comme une couverture. Il ne fait pas partie du costume. C'est un accessoire de scène. Il figure d'ailleurs comme tel dans le registre manuscrit connu sous le nom de *Mémoire de Mahelot** où sont consignées, assez sommairement, les indications de décors et d'accessoires nécessaires à la représentation des pièces jouées à l'Hôtel de Bourgogne, puis à l'hôtel Guénégaud après la réunion de 1680. On y lit, pour le 1er acte du *Malade imaginaire* : « Une chaise, table, sonnette, et une bourse avec jetons, un manteau fourré, six oreillers, un bâton. »

* Le titre complet est *Mémoire de plusieurs décorations qui servent aux pièces contenues en ce présent livre, commencé par Laurent Mahelot et continué par Michel Laurent en 1673*. Bibl. nat., Manus. français n° 24330. Publié avec commentaires par H. Carrington Lancaster sous le titre *le Mémoire de Mahelot, Laurent et autres décorateurs de l'Hôtel de Bourgogne*, Paris, Champion, 1921.

son parent. Se prêter à cette facétie, c'était à coup sûr s'attirer l'inimitié de deux hauts personnages : Joseph Foucault, conseiller d'Etat fort bien en cour, et Nicolas Foucault, avocat général au Grand conseil, « fils à papa » et jeune loup de la magistrature.

Le président Hénault rédigea ses *Mémoires*, nous apprend son commentateur F. Rousseau [7], alors qu'il était « plus que sexagénaire ». Le fait qu'il a évoqué était antérieur de douze ans à sa naissance et il n'a donc pu le connaître que par ouï-dire. Admettons qu'il ait dit vrai, que son père ait bien réussi à se procurer la robe de chambre de Joseph Foucault et l'ait bien « donnée » à Molière. Cela n'implique pas nécessairement que Molière l'ait utilisée [8].

Il semble donc raisonnable de conclure que Molière a joué son *Malade* comme il l'entendait, sans robe de chambre et sans ridiculiser personne... sauf les médecins charlatans, bien entendu [9].

---

7. Préface des *Mémoires*, éd. 1911, p. X.
8. Signalons, en passant, que Nicolas Foucault, qui était âgé de 30 ans lors de la création du *Malade imaginaire*, a lui aussi laissé des *Mémoires* dans lesquels il n'est pas question de l'anecdote.
9. Il convient d'ajouter que l'anecdote se porte toujours bien. Au tome II de son *Evocation du Vieux Paris* (1951-1954), Jacques Hillairet, signalant l'emplacement de la maison habitée par Foucault, mentionne l'anecdote sans recourir au conditionnel ou à la formule « on dit que ». Il écrit : « Ce conseiller Foucault était célèbre dans le quartier par sa manie de porter en permanence sa robe de chambre et son bonnet de nuit ; ces deux objets avaient une telle renommée que Molière réussit à se les procurer pour les revêtir le jour où il créa le rôle d'Argan du *Malade imaginaire* » (p. 105). Ainsi contée, l'anecdote se fixe dans l'esprit du lecteur comme un fait avéré. En 1952, Antoine Adam l'a citée sans discussion dans son *Histoire de la littérature française au XVIIe siècle* (t. III, p. 406) et Pierre Gaxotte a fait de même dans son *Molière* (Flammarion, 1977, p. 337). La survie de l'anecdote est assurée pour longtemps encore.

1673

« Parler à des visages... »

Molière aurait placé, dans le Malade imaginaire, *une réplique grossière qu'il aurait corrigée dès la seconde représentation.*

Il aura fallu attendre vingt-quatre ans après la création de la pièce pour apprendre cela. C'est Edme Boursault qui fait cette révélation dans ses *Lettres nouvelles* publiées en 1697 :

> Dans le comique même, on veut que les obscénités soient enveloppées ; et Molière, tout Molière qu'il étoit, s'en aperçut bien dans *le Malade imaginaire* [...] Il y a dans cet ouvrage un Monsieur Fleurant, apothicaire, brusque jusqu'à l'insolence, qui vient, une seringue à la main, pour donner un lavement au Malade imaginaire.
>
> Un honnête homme, frère de ce prétendu malade, qui se trouve là dans ce moment, le détourne de le prendre, dont l'apothicaire s'irrite et lui dit toutes les impertinences dont les gens de sa sorte sont capables.
>
> La première fois que cette comédie fut jouée, l'honnête homme répondoit à l'apothicaire : *Allez, monsieur, allez, on voit bien que vous avez coutume de ne parler qu'à des culs.* (Pardon, Monseigneur [1], si ce mot m'échappe ; je ne le dis que pour le faire mieux condamner.)
>
> Tous les auditeurs qui étoient à la première représentation s'en indignèrent, au lieu qu'on fut ravi, à la seconde, d'entendre : *Allez, monsieur, allez, on voit bien que vous n'avez pas coutume de parler à des visages.* C'est dire la même chose et la dire bien plus finement [2].

---

1. Ce « Monseigneur » est l'évêque de Langres, à qui la *Lettre* de Boursault est adressée.
2. P. 120.

En 1775, Clément et Delaporte publient dans les *Anecdotes dramatiques*[3] un texte presque exactement calqué sur celui de Boursault, qui n'est pas cité. Dix ans plus tard, en 1785, c'est au tour d'Antoine Taillefer de reprendre l'anecdote dans son *Tableau historique*[4], dans des termes analogues à ceux de ses prédécesseurs, mais il est le premier à s'aviser de ce que ni Boursault ni Clément et Delaporte n'ont cité exactement la réplique de Béralde « corrigée », et il la rétablit conformément au texte de la pièce : *Allez, monsieur, on voit bien que vous n'avez pas accoutumé de parler à des visages* (acte III, sc. IV.) Quant au *Molierana*[5] en 1801, il recopie purement et simplement la version de Taillefer.

Taschereau cite l'anecdote dans son *Histoire de la vie et des ouvrages de Molière*[6], mais sans la discuter, ce qui implique qu'il la tient pour véridique ou tout au moins vraisemblable.

Dans ses *Documents sur « le Malade imaginaire »*[7], Edouard Thierry signale qu'une répétition eut lieu le samedi 11 février, lendemain de la première représentation, et rappelle à ce sujet l'historiette de Boursault :

> Boursault [...], à propos de la dédaigneuse riposte dont Béralde sangle le pauvre Fleurant : « Allez, monsieur, on voit bien que vous n'avez pas accoutumé de parler à des visages », raconte une anecdote très souvent répétée, et qui n'a peut-être pas d'autre raison pour paraître authentique. En admettant qu'elle soit vraie, et que Molière, averti par un mouvement de la salle, ait dû corriger la brutalité carnavalesque de la première version, c'est ici que le grand comique aurait apporté à Du Croisy son ingénieuse variante[8].

Il me semble absolument invraisemblable que Molière ait fait parler Béralde aussi crûment que l'a dit Boursault. La réplique incriminée détonne avec le personnage, « honnête

3. T. I, p. 508.
4. T. I, p. 368.
5. P. 87.
6. 1re édition : 1825, pp. 288-289 ; 3e édition : 1844, pp. 176-177.
7. Paris, Berger-Levrault, 1880.
8. P. 157.

homme », sage, courtois, modéré. Elle détonne aussi avec les habitudes de Molière qui, lorsqu'il a employé le mot dans ses pièces — trois fois en tout —, ne l'a fait qu'à bon escient. Dans *les Fourberies*, Scapin déplore sa condition de valet, exposé « aux coups de pied au cul, aux bastonnades, aux étrivières [9] ». Dans *les Amants magnifiques*, le bouffon Clitidas tient à peu près le même langage, dans les mêmes circonstances : « Vous verrez qu'un de ces jours on vous donnera du pied au cul, et qu'on vous chassera comme un faquin [10]. » Dans *l'Ecole des femmes*, Arnolphe, en rage, menace de faire enfermer Agnès :

Vous rebutez mes vœux et me mettez à bout,
Mais un cul de couvent me vengera de tout [11].

Ces façons de s'exprimer n'ont rien de commun avec la prétendue réplique de Béralde où le mot surgit brutalement, agressivement, en porte-à-faux, pour ainsi dire.

Tant que l'on n'aura pas découvert une confirmation certaine de ce qu'a dit Boursault, mon opinion est que l'anecdote devra être tenue pour fausse.

9. Acte II, sc. v.
10. Acte I, sc. II.
11. Acte V, sc. v.

« *Juro* »

A quel moment de la quatrième représentation du Malade imaginaire *Molière fut-il pris d'une « convulsion » qui devait entraîner sa mort quelques heures plus tard ?*

Les circonstances de la mort de Molière sont aujourd'hui gravées dans toutes les mémoires. Peut-être n'est-il pourtant pas inutile de rappeler qu'à l'époque le bruit avait très longtemps couru, dans le grand public, que Molière était mort *sur la scène*. C'est pourquoi, vingt-quatre ans après l'événement, Bayle jugeait nécessaire de remettre les choses au point dans son *Dictionnaire* [1], sous forme d'une longue note complétant l'article « Poquelin » :

> Le principal personnage de la dernière comédie de Molière est un malade qui fait semblant d'être mort. Molière représentoit ce personnage, et par conséquent il fut obligé dans l'une des scènes à faire le mort. Une infinité de gens ont dit qu'il expira dans cette partie de la pièce ; et que lorsqu'il fut question d'achever son rôle, en faisant voir que ce n'étoit qu'une feinte, il ne put ni parler ni se relever, et qu'on le trouva mort effectivement [...]. Mais la vérité est que Molière ne mourut pas de cette façon : il eut le temps, quoique fort malade, d'achever son rôle.

A l'appui de ses dires, Bayle cite la préface de 1682, que nous connaissons tous, et qu'il suffira de rappeler brièvement :

1. Pierre Bayle, *Dictionnaire historique et critique*, Rotterdam, 1697, vol. IV, p. 870, note A.

Le 17 février, jour de la quatrième représentation du *Malade imaginaire*, il fut si fort travaillé de sa fluxion qu'il eut de la peine à jouer son rôle ; il ne l'*acheva* qu'en souffrant beaucoup [...]. *La comédie étant faite*, il se retira promptement chez lui [...].

Les passages soulignés ici apportent la preuve que Molière joua son rôle jusqu'au bout et que la représentation ne fut pas interrompue. Bayle poursuit alors :

Pour ne rien dissimuler, j'avertis mon lecteur que, si l'on en croit d'autres écrivains, Molière n'eut pas la force d'assister à la représentation jusques à la fin ; il fallut l'emporter chez lui avant que toute la pièce eût été jouée.

Les « autres écrivains » à qui Bayle se réfère sont le ou les auteurs anonymes du pamphlet intitulé *la Fameuse Comédienne*[2], dont la première édition datée est de 1688. (Une autre édition, sans lieu ni date, est peut-être quelque peu antérieure.) Au moment où Bayle écrivait, ce texte n'était évidemment pas très répandu dans le grand public. Il en donne donc un large extrait que nous abrégeons ici :

... Il s'efforça et joua presque jusqu'à la fin, sans s'apercevoir que son incommodité fût augmentée. Mais, dans l'endroit où il contrefaisoit le mort, il demeura si faible qu'on crut qu'il l'étoit effectivement. On eut mille peines à le relever. On lui conseilla pour lors de ne point achever, et de s'aller mettre au lit : il ne laissa pas pour cela de vouloir finir ; et comme la pièce étoit fort avancée, il crut pouvoir aller jusqu'au bout sans se faire beaucoup de tort ; mais le zèle qu'il avoit pour le public eut une suite bien cruelle pour lui, car dans le temps qu'il récitoit ces vers :

Grandes doctores doctrinae
De la rhubarbe et du séné,

dans la cérémonie des médecins, il lui tomba du sang de la

2. Le titre complet est : *les Intrigues de Molière et celles de sa femme, ou la Fameuse Comédienne. Histoire de la Guérin.*

> bouche ; ce qui ayant effrayé les spectateurs et ses camarades, on l'emporta chez lui fort promptement [...] [3]

Bayle ne se prononce pas. Nous retiendrons pourtant, sur un point, la concordance entre la croyance populaire et la version de *la Fameuse Comédienne :* il semble donc très probable que Molière ait ressenti un premier malaise alarmant au moment où Argan, après avoir fait le mort, épouvante Béline en « se levant brusquement » selon l'indication du jeu de scène (acte III, scène XII).

Grimarest, en 1705, donne une version différente [4] :

> Molière représenta avec beaucoup de difficulté ; et la moitié des spectateurs s'aperçurent qu'en prononçant *Juro* [5], dans la cérémonie du *Malade imaginaire*, il lui prit une convulsion. Ayant remarqué lui-même que l'on s'en étoit aperçu, il se fit un effort, et cacha par un ris forcé ce qui venoit de lui arriver.

Il y a donc contradiction entre l'auteur de *la Fameuse Comédienne* et Grimarest. Mais, dans le déroulement de la Cérémonie, la réplique « *Grandes doctores...* » suit de très près les « *Juro* ». Faut-il admettre que Molière, après avoir éprouvé une convulsion en prononçant « *Juro* », s'est efforcé de poursuivre son rôle, mais n'a pas pu aller au-delà de « *Grandes doctores* » à cause du crachement de sang qui survint en cet endroit ? Les deux versions ne sont pas inconciliables.

Grimarest poursuit en disant : « Quand la pièce fut finie, il prit sa robe de chambre et s'en fut dans la loge de Baron », alors que, selon le récit de *la Fameuse Comédienne*, la repré-

---

3. Nous avons redressé le texte de Bayle, fautif en quelques endroits, au moyen de celui de l'édition critique du pamphlet donnée par Ch.-L. Livet, Paris, Liseux, 1876, p. 26.

4. Edition Georges Mongrédien, p. 120.

5. Il est à noter que, dans la Cérémonie, la réplique *Juro* revient trois fois de suite. Grimarest ne précise pas de laquelle il s'agit. Cela n'a pas empêché Maurice Donnay d'écrire que c'est « en prononçant le premier *Juro* » que Molière eut une convulsion. Mais il n'en apporte aucune preuve (*Molière*, Paris, A. Fayard, 1911, p. 369).

sentation aurait été interrompue. Mais quel a été l'informateur de l'auteur anonyme ?

On serait tenté de donner raison à Grimarest, qui écrivait d'après les souvenirs de Baron, présent au théâtre[6], et qui déclara à Grimarest avoir raccompagné Molière à son domicile.

Il est regrettable que La Grange ne se soit pas montré plus précis, sinon dans la préface de 1682, tout au moins dans son *Registre*, car il avait été témoin de l'incident tragique : il jouait le rôle de Cléante et se trouvait donc nécessairement en scène pendant la cérémonie. Mais, hélas ! le *Registre* ne donne aucun détail sur ce qui s'est passé au cours de la représentation tragique du 17 février 1673...

ICONOGRAPHIE

La scène a été illustrée par Alphonse de Neuville. Voir la gravure insérée dans l'*Histoire de France* de Guizot publiée par Hachette en 1872-1875 (t. IV, p. 506). *Le Moliériste* (t. X, p. 306) signale cette gravure « représentant l'affolement des artistes sur la scène, entourant Molière évanoui. Désordre éloquent et touchant à la fois de ces hommes et de ces femmes qui perdaient leur chef et leur soutien. »

On trouve à la p. 20 du *Molière* publié en 1969 par *Paris-Match*[7] la reproduction d'une gravure en couleurs évoquant ce drame. Elle est surtout très intéressante par son souci de représenter fidèlement le cadre de scène et les galeries du théâtre du Palais-Royal.

---

6. On ne sait pas quel rôle Baron jouait dans le *Malade*. Etait-ce M. Purgon ? Le notaire ? Un personnage de la Cérémonie ? Aucun document ne nous éclaire sur ce point.

7. Collection « Les Géants », version française d'un volume italien publié par les éditions Mondadori. Cet ouvrage de grande vulgarisation, intéressant par la réunion qu'il offre d'un certain nombre de tableaux ou de gravures rarement reproduits, comporte malheureusement dans son texte de nombreuses inexactitudes. — Dans le même volume, p. 31, on lit : « Ce fut justement au moment où Molière prononçait l'ultime *juro* que son visage fut saisi d'un terrible spasme. » Mais cette précision (« l'ultime *juro* ») ne vise qu'à l'effet dramatique et ne s'appuie sur aucune étude critique.

C'est fini.

Le 17 février 1673, le rideau s'est baissé sur la fin dramatique de la quatrième représentation du Malade imaginaire.

Quelques heures plus tard, Molière rendait l'âme.

On s'est étonné, à juste titre, que l'on n'ait jamais retrouvé trace de ses papiers, de sa correspondance, de ses brouillons, de ses manuscrits.

On a parlé d'une certaine malle...

La malle de Molière

Les manuscrits de Molière auraient été renfermés dans une malle qui ne fut jamais retrouvée.

Nous sommes ici en présence d'un cas où la distinction est assez nette entre l'histoire et l'anecdote. La disparition totale des papiers de Molière est un fait d'histoire — encore inexpliqué ; l'existence d'une malle où il aurait rassemblé ses manuscrits, une anecdote.

Il semble que ce soit en 1822 ou 1823 que la fameuse malle ait été mentionnée pour la première fois. Encore fut-ce oralement, comme nous l'allons voir.

Louis-François Beffara [1], commissaire de police en retraite et fervent moliériste, entendit parler de cette malle en 1828 par un bibliothécaire qui en avait lui-même entendu parler par... un inconnu. Voici comment Beffara raconta l'histoire :

> J'ai appris à la Bibliothèque du Roi, section des manuscrits, une anecdote qui pourrait avoir beaucoup d'importance pour retrouver des papiers et des manuscrits de Molière.

1. Louis-François Beffara (1751-1838) fut commissaire de police à Paris de 1792 à 1816. Il avait publié, en 1777, *l'Esprit de Molière*, recueil de remarques sur l'œuvre du grand comique. Mis à la retraite d'office à la suite de l'évasion du comte de Lavalette, il se consacra à l'histoire littéraire et publia, en 1821, sa *Dissertation sur J.B. Poquelin Molière*, contenant d'intéressants commentaires sur des actes relatifs à Molière, retrouvés par lui dans des registres paroissiaux. C'est Beffara qui donna la première impulsion à la recherche méthodique des documents concernant Molière et sa famille.

> Il y a cinq à six ans, un inconnu déjà âgé demanda s'il y avait à la Bibliothèque quelques papiers contenant de l'écriture de Molière. On lui répondit que l'on ne connaissait que sa signature sur une quittance. L'inconnu ajouta qu'il y avait, dans un château de Normandie ou d'une province voisine, dans un lieu qu'il nomma Ferrière ou La Ferrière, une malle renfermant des papiers qui paraissaient avoir appartenu à Molière, et dans lesquels il y en avait d'écrits par lui [2]. Il promit de revenir et d'en apporter quelques-uns ; mais, depuis, on ne l'a pas revu, ce qui fait penser qu'il est mort [3].

Beffara, qui avait eu la bonne fortune de découvrir, quelques années plus tôt, plusieurs actes authentiques relatifs à Molière, notamment celui de son mariage avec Armande Béjart, pensa qu'il y avait lieu d'ajouter foi aux déclarations de l'inconnu.

En effet, on peut admettre que ce vieil homme a vu la malle et a examiné son contenu. Ce n'est pas lui qui est imprécis quant au lieu, c'est le bibliothécaire qui n'en a gardé qu'un souvenir vague. Le vieil homme, sans doute habitant la région, a eu des papiers en main qu'il a certaines raisons de croire écrits par Molière. Comment s'en assurer ? En les comparant avec des pièces dont l'authenticité serait certaine. C'est pourquoi, un jour qu'il est de passage à Paris, il se rend à la section des manuscrits de la Bibliothèque royale et demande si l'on y conserve « quelques papiers contenant de l'écriture de Molière ». Il est déçu de n'en point trouver, mais, voyant l'intérêt que suscite sa démarche, il offre d'apporter lors d'un prochain voyage, pour qu'on les examine, quelques pièces provenant de la malle en question. (Notons en passant qu'il sait donc très exactement où elle se trouve et qu'il y a libre accès.)

Comme on dit en langage policier, « ça se tient ». L'ex-commissaire Beffara pense donc que la piste est à suivre. Le

---

2. Remarquons que l'on ne prétend pas ici que la malle elle-même ait appartenu à Molière. Il ne s'agit que du contenu.

3. Beffara, *Lettre aux maires des communes de Ferrière et La Ferrière*, Paris, Fournier, s.d. (1828).

20 juin 1828, il adresse, à vingt maires de communes nommées Ferrière, Ferrières ou La Ferrière, situées dans les départements de la Normandie, une lettre circulaire sollicitant leur concours pour la recherche de la fameuse malle. Après avoir exposé la situation, Beffara conclut :

> J'ai donc l'honneur de vous prier de vouloir bien, s'il y a dans votre commune un château ou quelque maison remarquable, vous informer auprès du propriétaire s'il y aurait une ancienne malle renfermant de vieux papiers, de le prier de les examiner, et de voir s'ils ne contiendraient pas quelque pièce de comédie ou de vers que l'on pourrait croire avoir appartenu à Molière, ou avoir été écrite par lui. Si le bonheur voulait qu'il s'en trouvât, je vous prierais de vouloir bien m'en donner avis [4].

Hélas ! L'enquête ne donna aucun résultat positif, et la malle demeura introuvable.

Mais, après Beffara, un autre moliériste reprit l'idée. A l'occasion d'une exposition organisée en 1873 au Théâtre-Italien pour célébrer le deuxième centenaire de la mort de Molière, le secrétaire de cette exposition, Georges Monval (qui devait par la suite devenir bibliothécaire-archiviste de la Comédie-Française et fondateur du *Moliériste*), adressa à son tour une circulaire aux maires, sans cependant se limiter, comme Beffara, à la Normandie. Toutes les communes de France nommées Ferrière la reçurent.

Ce fut en vain. Nul maire, nul châtelain ne signala la malle, ni même sa trace [5].

Vingt-cinq ans s'écoulèrent avant qu'elle ne fît une nouvelle apparition... sur le papier.

En 1898, G. Lenotre en fit le sujet d'une des « Variétés » qu'il donnait à l'hebdomadaire *le Monde illustré* [6]. Sous le titre *la Malle de Molière*, le futur académicien raconte l'his-

---

4. *Ibid.*

5. L'enquête de Beffara a été relatée, de façon sommaire, par Edouard Fournier dans *la Valise de Molière* (Paris, E. Dentu, 1868, pp. XI-XII) puis, avec de plus amples détails, par G. de Contades dans le *Bulletin de la Société historique de l'Orne* (année 1886, p. 342 sqq.)

6. Numéro 2175, du 3 décembre 1898.

toire d'un paysan qui, « il y a quelque soixante-dix ans — c'était sous la Restauration », arrêta devant la Bibliothèque royale sa charrette que tirait un âne et demanda à parler à l'administrateur. Or c'était jour de fermeture et, de toute façon, lui fut-il répondu, l'administrateur ne recevait que sur rendez-vous motivé. Quel était l'objet de la visite ?

> « J'ai chez moi, depuis des années et des années, expliqua le paysan, une grosse malle de papiers très vieux, les papiers de Monsieur Molière : il y a des lettres, des comptes, des pièces de comédie... Ma foi, comme ça m'encombre, plutôt que d'en allumer mon feu, je venais les lui montrer et lui demander s'il m'en donnerait bien une pièce de vingt francs... »

Le gardien de la Bibliothèque se débarrassa de l'importun au moyen de la formule rituelle : « Repassez un autre jour... » Le paysan remonta dans sa charrette, fouetta son âne et s'éloigna sans insister, ce qui dispensa le préposé d'employer l'autre formule, tout aussi rituelle, du non-recevoir administratif : « Laissez votre adresse, on vous écrira... »

Pourtant, il ne devait pas avoir la conscience parfaitement tranquille, car il en parla à ses supérieurs hiérarchiques. Quand l'administrateur apprit la chose, ce fut un beau remue-ménage à la Bibliothèque. Il fallait à tout prix retrouver l'homme à la charrette. D'où venait-il ? Comment s'appelait-il ? Reviendrait-il ? Faute de réponse à ces questions, l'administrateur — toujours selon G. Lenotre — fit insérer un avis dans *le Moniteur*, des annonces dans les journaux des départements, et adressa une circulaire à tous les maires de la Seine, de la Seine-et-Oise et de la Seine-et-Marne.

Peine perdue ! Jamais on ne retrouva l'homme... ni la malle.

Ce qui frappe surtout dans ce récit, c'est sa similitude avec l'exposé de Beffara : même époque, même lieu, même inertie d'un fonctionnaire subalterne, même appel aux autorités locales, même emploi de l'expression « pièces de comédie » qui n'est pourtant pas très courante.

J'incline à penser que c'est tout simplement la même histoire, soit qu'elle fût parvenue déformée aux oreilles de Lenotre[7], soit qu'il l'eût lui-même arrangée à sa manière pour lui donner plus de pittoresque. J'opterais d'autant plus volontiers pour la seconde hypothèse que, vingt-trois ans plus tard, lorsque Lenotre raconta de nouveau l'histoire dans *le Temps*[8], elle avait encore changé ! Elle s'intitulait « Les papiers de Molière », il n'y était plus question de malle mais de « deux ou trois sacs bourrés » dont la charrette était chargée, et toute allusion à des annonces ou circulaires avait disparu[9].

On aurait pu croire cette malle oubliée quand, en 1957, M. Henry Poulaille y fit une brève allusion dans son *Corneille sous le masque de Molière*[10]. Parlant des manuscrits de Molière — dont il prétend qu'on ne les a jamais retrouvés pour la bonne raison qu'ils n'ont jamais existé, les pièces de Molière ayant été écrites par Corneille —, M. Poulaille passe en revue « les principales anecdotes concernant leur disparition, alors qu'aucun témoignage n'atteste leur existence ». Et, parmi ces anecdotes, « il y a une histoire de perte de malle contenant ses manuscrits de théâtre au cours d'un voyage en coche d'eau. Une autre fois, c'est une valise égarée entre Gignac et Pézenas ».

Malgré tous mes efforts, je n'ai pas réussi à savoir où M. Poulaille a trouvé cette histoire de malle et de coche d'eau que j'ai rencontrée pour la première fois dans son livre. Quant à l'anecdote de la valise de Gignac, le lecteur l'a déjà lue plus haut, à son ordre chronologique, et a pu voir qu'elle n'a pas induit en erreur que M. Poulaille.

La malle va maintenant refaire parler d'elle en 1964. C'est

---

7. Il dit la tenir de Victorien Sardou, et l'avoir écrite presque sous sa dictée. Victorien Sardou l'aurait lui-même tenue de son beau-père Eudore Soulié. Mais un fait est là : ni Soulié ni Sardou n'ont jamais mentionné cette anecdote dans leurs écrits.

8. Numéro du 16 octobre 1921.

9. *a)* C'est dans cette version et sous ce titre que l'anecdote de Lenotre a été incorporée par la suite au tome XI de « La Petite Histoire » : *Existences d'artistes*, Paris, Grasset, 1940.

b) Il y aurait un moyen de contrôler sur un point la véracité de l'anecdote : passer en revue toute la collection du *Moniteur*, de 1820 à 1830, pour voir s'il s'y trouve ou non un avis inséré par la Bibliothèque royale. Mais est-ce bien la peine ?

10. Paris, Grasset, p. 127.

le biographe belge Léon Thoorens qui la mentionne dans son ouvrage intitulé *Le dossier Molière* [11].

> Les papiers personnels de Molière, contenus, selon la tradition, dans une malle qu'il transportait partout avec lui et qu'il gardait, pendant la dernière partie de sa vie, dans les coulisses du Palais-Royal où il travaillait plus à l'aise que dans le cabinet de sa belle maison, furent utilisés par La Grange et Vivot lors du recueil qu'ils firent des œuvres pour l'édition de 1682. On dit même que la malle et son contenu avaient été légués à La Grange par Molière mourant.

M. Thoorens, comme le fils du Grand Turc dans *le Bourgeois gentilhomme*, dit beaucoup de choses en peu de mots. Que d'éléments nouveaux surgissent tout à coup dans ces quelques lignes ! On en demeure confondu. Examinons-les l'un après l'autre :

1. La tradition dit que Molière avait coutume de serrer ses papiers dans une malle. Quelle tradition ? Qui en a parlé ? Qui en a transmis le souvenir ? Il n'est jamais question de cette malle avant 1822, et encore ne prétend-on pas qu'elle ait valeur de relique. Elle n'est qu'un contenant.
2. Molière transportait partout cette malle avec lui. Sur quel témoignage repose cette assertion ?
3. Elle se trouvait, à la fin de la vie de Molière, dans les coulisses du théâtre du Palais-Royal. D'où vient ce renseignement ?
4. Molière avait pour habitude d'écrire au théâtre où il se sentait plus à l'aise que chez lui. Quelle est la source de cette information ?
5. Molière, au moment de mourir, légua cette malle à La Grange. Qui l'a dit ? Pas La Grange, en tout cas [12].
6. La Grange et Vivot se servirent des documents contenus dans cette malle pour établir l'édition de 1682. Où sont les preuves ?

---

11. Collection « Marabout-Université », Verviers, Gérard, p. 203.
12. La Grange ne se trouvait d'ailleurs pas, que l'on sache, au chevet de Molière mourant. Selon Grimarest, c'est Armande qui aurait donné à La Grange les « papiers » de Molière. Ils auraient été ensuite vendus par Marie Ragueneau, veuve de La Grange (*Vie de M. de Molière*, éd. Mongrédien, p. 127).

Aucun de ces « éléments nouveaux », aucune de ces affirmations ne résiste à l'examen. C'est de l'imagination pure. Rien, absolument rien ne vient prouver l'existence d'une malle où Molière aurait rangé ses papiers.

Et pourtant l'anecdote de la malle aux manuscrits est toujours vivace. En 1967, Georges Bordonove l'admet sans discussion et la cite dès la première ligne des « Remerciements » qu'il a placés en tête de son *Molière génial et familier* [13] :

> Incroyable chose ! La malle contenant les manuscrits, les ébauches et la correspondance de Molière a disparu, dédaignée par les héritiers, peut-être détruite ou peut-être dormant encore sous la poussière et les toiles d'araignées...

C'est merveilleux ! Non seulement M. Bordonove ne met pas en doute l'existence de la malle de Molière, mais il en inventorie le contenu : manuscrits, ébauches et correspondance. Comment M. Bordonove (qui ne cite pas ses sources) peut-il être aussi parfaitement renseigné ? Il nous apprend encore [14] qu'elle était « de cuir », et surtout [15] qu'elle renfermait « le manuscrit du premier *Tartuffe* » qui fut perdu avec elle !

Ainsi, de siècle en siècle, la légende s'accroche, tel un coquillage au rocher, en se consolidant peu à peu des apports de chaque nouveau commentateur, véritable sédimentation qui l'enrobe, la durcit et la rend inattaquable [16]... en apparence.

La seule chose que l'on puisse raisonnablement admettre,

---

13. Paris, Robert Laffont, p. 9.
14. P. 484.
15. P. 250.
16. Elle est tellement inattaquable qu'elle continue de se propager. En 1969, voici comment elle est interprétée dans le *Molière* de la collection « Les Géants » diffusée par les éditions *Paris-Match* (traduction-adaptation d'un volume publié en Italie par les éditions Mondadori) :

« Quand Molière mourut, tout ce qui restait de son activité d'auteur théâtral fut enfermé dans une valise et confié par sa veuve au fidèle La Grange. Il s'agissait des manuscrits d'œuvres représentées et de quelques autres en préparation. La Grange s'en servit pour préparer la première édition du théâtre de Molière qui sortit en 1682. A la mort de La Grange, cependant, le contenu de la précieuse valise disparut par la négligence des héritiers. Ainsi se perdait la dernière chance de transmettre à la postérité cette importante relique du grand dramaturge. » (p. 31.)

en l'absence de toute preuve, c'est ce que Beffara avait admis : que quelqu'un a vu quelque part, vers 1882, *une* malle dans laquelle se trouvaient des papiers anciens qui lui ont paru se rapporter à Molière. Tout le reste est littérature.

En manière de postface

Il s'est formé autour de Molière et de son œuvre une légende dont parfois il n'est pas facile de retrouver la source ; l'histoire manquait, la légende a pris sa place ; et là même où elle est une usurpation manifeste, il n'est pas aisé de l'en déloger.

C'est là encore une des difficultés de tout travail dont Molière est l'objet. Là, comme ailleurs, la fiction est d'ordinaire plus attrayante que la vérité sèche, et c'est précisément pour cette raison qu'elle a réussi à se faire adopter.

Les anecdotes dont elle se compose n'auraient pas eu si bonne fortune, si elles n'avaient pas été piquantes et bien trouvées. Quand on les croit fausses, ou tout au moins invraisemblables, le devoir est de le dire, ne fût-ce que pour l'honneur de la vérité. Mais, outre l'inconvénient de désobliger ceux qui y tiennent, on peut être à peu près sûr d'avance que les meilleures raisons du monde ne prévaudront pas contre elles ; et il faut s'y résigner.

EUGÈNE DESPOIS
Avertissement de l'édition
des Œuvres complètes
de Molière, collection
« Les Grands Ecrivains
de la France »,
Hachette, 1973.

On a tort de s'armer en guerre contre ces traditions, ces sortes de légendes qui, dans la biographie de Molière, suppléent aux faits positifs et aux documents qui font défaut. Ne leur accordons pas plus d'autorité qu'elles n'en ont ; acceptons-les sous toutes réserves, mais acceptons-les. Elles ont presque toujours l'avantage d'exprimer quelque idée vraie, quelque fait réel, sous une forme saisissante qui se grave dans la mémoire.

LOUIS MOLAND
Vie de J.-B.P. Molière,
Garnier Frères, 1887.

En général, toutes les anecdotes sur Molière sont mêlées d'incertitude, faute d'un premier biographe scrupuleux et bien informé.

SAINTE-BEUVE
Portraits littéraires,
Garnier, 1862.

Le public est rempli d'une infinité de fausses histoires à son égard. Il y a peu de personnes de son temps qui, pour se faire honneur d'avoir figuré avec lui, n'inventent des aventures qu'ils prétendent avoir eues ensemble.

GRIMAREST
La Vie de M. de Molière,
1705.

Aucun de ses familiers, pas même La Grange, n'a eu l'idée de noter brièvement quelques souvenirs de ses conversations, des propos qu'il tenait au théâtre, avant ou après une répétition... Par une disgrâce semblable, aucun de ses admirateurs n'a recueilli, alors qu'elles étaient toutes fraîches, les anecdotes qui couraient naturellement sur un personnage aussi en vue.

PIERRE GAXOTTE
Molière,
Flammarion, 1977.

TABLE DES MATIÈRES

Achevé d'imprimer le 18 janvier 1985
sur les presses de Jugain Imprimeur S.A.
à Alençon (Orne)
N° d'imprimeur : 850029
Dépôt légal : janvier 1985